Contract met God

Van dezelfde auteur

Spion van God

Bezoek onze internetsite www.awbruna.nl
voor informatie over al onze boeken en dvd's.

Juan Gómez-Jurado

Contract met God

A.W. Bruna Uitgevers B.V., Utrecht

Oorspronkelijke titel
Contrato con Dios
© 2007 by Juan Gómez-Jurado
First edition by Editorial Roca, S.A., Barcelona.
Published by arrangement with UnderCover Liberary Agents.

Vertaling
Elvira Veenings
Omslagbeeld
Imagestore/Archangel Images/Yolande de Kort
Omslagontwerp
Wil Immink Design
© 2009 A.W. Bruna Uitgevers B.V., Utrecht

ISBN 978 90 229 9477 1
NUR 305

Voor mijn ouders
die onder de tafel kropen om te schuilen
voor de bommen

Slenk van de Klauw

1. Hummers
2. Brandstoftank
3. Watervoorraad
4. Tent van Kayn
5. Ziekenboeg
6. Tent van de soldaten
7. Eetzaal
8. Personeel
9. Tent van de archeologen
10. Tent van Forrester
11-13 Uitkijkposten

HOE MAAK JE EEN VIJAND?

Begin met een leeg schildersdoek.
Maak in grote lijnen een schets
van mannen, vrouwen en kinderen.

Doop een dikke penseel in de onbewuste bron
van je eigen onderdrukte duisternis
en vervorm deze onbekenden
met de dreigende nuances van de schaduw.

Teken het gezicht van de vijand met de hebzucht,
haat en onverschilligheid
die je in jezelf niet durft te zien.

Maak de zachte persoonlijkheid in elk gezicht donker.

Verwijder alle sporen van de talrijke liefdes,
hoop en angsten die aanwezig zijn in de caleidoscoop
van ieders onmetelijke hart.

Werk aan hun glimlach tot hij omlaag buigt
in een grimlach van wreedheid.

Stroop het vlees van zijn beenderen tot niets dan
het abstracte skelet van de dood hem rest.

Accentueer elk aspect,
tot de mens is veranderd in beest, vergif, insect.

Vul de achtergrond op met dreigende gedaanten
uit oude nachtmerries – duivels,
demonen, trawanten van het kwaad.

Als je icoon van de vijand af is,
zul je hem kunnen doden zonder schuldgevoel,
slacht je hem af zonder schaamte.

Het ding dat je vernietigt is verworden tot niets
dan een vijand van God.

Faces of the enemy
Sam Keen

דִיְהֹלֶא הָוֹהְי יכֹנָא   בֹנְגִת אֹל

Anochi Adonai Elohecha   **Loh Tirtzach**

הָגוּמְת לָכֹו לֶסֶפ דָלֶ ה   אֹתְרְצֹח

Lo yehiveh Lecha Elohim Acherim   **Lo Tin'af.**

דִיְהֹלֶא הָוֹהְיֹם שֵ תָאֵא שֵׁתָאֹל   פְאָנְת אֹל

Lo Tisa Et Shem Adonai Elohecha La'Shav   **Lo Tignov**

סיְמִית שֵ וֹ שֶׁדְקַלְתֶב   רֶק שֵ דֵע דֶערב הֶנֶעַת אֹל

Z'chor Et yom Ha Shabbat L'kodsho   **Lo Ta'aneh Bere'acha Et Shaker**

דֶמֶא תָאֹו דִיבֶא תֶא דַבַכ   דֶעֶר תיֶב דֹמְחַת אֹל

Kaved Et Avicha V'Et Imecha   **Lo Tach mod**

Ik ben de HEER, uw God.   Pleeg geen moord.

Vereer naast Mij geen andere goden.   Pleeg geen overspel.

Misbruik de naam van de HEER, uw God, niet.   Steel niet.

Houd de sabbat in ere, het is een heilige dag.   Leg over een ander geen valse getuigenis af.

Toon eerbied voor uw vader en uw moeder.   Zet uw zinnen niet op het huis van een ander of wat hem ook maar toebehoort.

(Bron: Exodus 20:2-17, *De nieuwe Bijbelvertaling*.)

Proloog

Kinderziekenhuis AM Spiegelgrund

Wenen

Februari 1943

Toen ze eenmaal onder de grote vlag met de swastika stond die boven de poort van het ziekenhuis wapperde, kon de vrouw een rilling niet onderdrukken. Haar metgezel begreep het verkeerd en trok haar naar zich toe om haar te verwarmen. De dunne jas die ze droeg kon haar niet beschermen tegen de gure wind, een voorbode van de zware sneeuwbuien die binnen enkele uren zouden vallen.

'Trek mijn jasje aan, Odile,' bood hij aan. Hij begon het met bevende vingers van de kou los te knopen.

Ze wurmde zich onder zijn arm uit en klemde het pakje dat ze bij zich droeg nog steviger tegen zich aan. Ze was tot op het bot verkleumd en uitgeput van de tien kilometer lange tocht door de sneeuw. Drie jaar geleden zou ze hiernaartoe zijn gereden in hun Daimler met chauffeur, gehuld in haar nertsmantel. Nu reed er een Brigadeführer in haar auto rond en pronkte er een of ander nazigrietje met zwaar opgemaakte ogen in de foyers van het theater met haar mantel. Ze beheerste zich en drukte driemaal hard op de bel voordat ze antwoord gaf.

'Ik ril niet van de kou, Josef. De avondklok gaat dadelijk in. Als we niet op tijd terug zijn...'

Haar man kreeg de tijd niet om iets terug te zeggen, want een glimlachende verpleegster opende de poort van het ziekenhuis. De glimlach bestierf op haar gezicht toen ze zag wie er op de stoep stonden. Na zoveel jaar onder het naziregime herkende ze een Jood in één oogopslag.

'Wat wilt u?'

De vrouw dwong zichzelf tot een glimlach, hoe pijnlijk dat ook was met haar gebarsten lippen.

'We komen voor dokter Graus.'

'Hebt u een afspraak?'

'De dokter heeft beloofd dat hij ons zou ontvangen.'

'Uw naam?'

'Josef en Odile Cohen, zuster.'

De verpleegster stapte angstig achteruit nu deze achternaam haar vermoedens bevestigde.

'Leugenaars. Jullie hebben geen afspraak. Ga weg hier. Donder op naar het rattenhol waar jullie vandaan komen. Jullie hebben hier niets te zoeken.'
'Alstublieft. Mijn zoon is hier. Alstublieft, zuster.'
De woorden echoden tegen de deur die keihard in haar gezicht werd dichtgeslagen.
Josef en zijn vrouw keken wanhopig naar de onneembare vesting van het ziekenhuis. Wankelend en duizelig van pure onmacht zou ze in elkaar gezakt zijn als hij haar niet had opgevangen.
'Kom, we vinden wel een andere manier om binnen te komen.'
Ze liepen om het gebouw heen en net toen ze de hoek om wilden slaan, trok Josef zijn vrouw naar achteren. Er ging een deur open en een man in een dikke jas duwde moeizaam een karretje vuilnis naar buiten. Toen de man achter het ziekenhuis was verdwenen, slopen Josef en Odile langs de muur naar de halfgeopende deur.
Ze liepen naar binnen en kwamen in een dienstgang terecht die naar een doolhof van gangen en trappen leidde. In de gangen klonk zwak en gedempt gehuil, dat uit een andere wereld leek te komen. De vrouw spitste haar oren om de stem van haar zoon op te vangen. Tevergeefs. Ze dwaalden door het ziekenhuis zonder een levende ziel tegen te komen. Josef moest de pas erin zetten om zijn vrouw bij te houden, die geleid door haar intuïtie de ene gang na de andere insloeg en bij elke hoek slechts heel even aarzelde.
Ze kwamen bij een halfdonkere, L-vormige zaal vol bedden met kinderen. De meeste zaten met koorden vastgebonden aan het hoofdeinde en jankten als natte honden. Er hing een scherpe lucht in die benauwde zaal. Het zweet brak de moeder uit en nu ze het weer wat warmer kreeg begon haar hele lichaam te prikken, maar ze besteedde er geen enkele aandacht aan. Haar ogen schoten van het ene gezicht naar het andere, wanhopig op zoek naar de trekken van haar zoon.
'Hier is het verslag, dokter Graus.'
Josef en zijn vrouw keken elkaar veelbetekenend aan bij het horen van de naam van de arts die ze zochten. De man die het leven van hun zoon in handen had. Ze sloegen met snelle passen de hoek om en stuitten op een groep mensen rond een van de britsen. Een jonge, blonde en aantrekkelijke man in een witte jas zat aan het bed van een meisje van een jaar of negen. Naast hem stonden een wat oudere verpleegster met een blad instrumenten en een arts van middelbare leeftijd, die met een verveeld gezicht aantekeningen stond te maken.
'Dokter Graus…' Odile raapte al haar moed bij elkaar om hem aan te spreken en deed enkele stappen naar voren, in de richting van het bed.
De jongeman maakte een geïrriteerd handgebaar naar de verpleegster, zonder zijn ogen af te wenden van zijn taak.
'Nu niet, alsjeblieft.'
De verpleegster en de arts wierpen een verbaasde blik in hun richting, maar zeiden niets.
Toen Odile zag wat er op dat bed gebeurde, moest ze op haar tong bijten om het niet uit te schreeuwen. Het meisje op het bed was half bewusteloos en zag lijkbleek. Graus hield haar arm boven een ijzeren schaal en maakte er met een operatiemes

sneetjes in. Er was nauwelijks nog een stukje huid te zien waar het macabere mes haar niet had geraakt. Traag stroomde het bloed in de schaal, die bijna tot aan de rand vol zat. Totdat het hoofd van het meisje naar één kant zakte. Graus legde onaangedaan twee slanke, elegante vingers tegen haar hals.

'Mooi, geen hartslag meer. Tijdstip, dokter Stroebel?'

'Achttien uur zevenendertig.'

'Bijna drieënnegentig minuten. Prachtig. Patiënte bleef zoals gewenst bij bewustzijn, zij het amper en zonder enig teken van pijn te vertonen. Deze combinatie van laudanum en doornappel is zonder twijfel beter dan alles wat we tot nu toe hebben getest, Stroebel. Gefeliciteerd. Maak de proefpersoon klaar voor dissectie.'

'Dank u, Herr Doktor. Komt in orde.'

Toen pas draaide de arts zich om naar Josef en Odile. Er stond zowel woede als verveling in zijn ogen te lezen.

'Wat moet dat hier?'

De vrouw deed een stap naar voren en ging naast het bed staan, waarbij ze probeerde niet naar het meisje te kijken.

'Ik ben Odile Cohen, dokter Graus. De moeder van Elan Cohen.'

De arts wierp haar een kille blik toe en wendde zich vervolgens koeltjes tot de verpleegster.

'Haal die Joden hier weg, zuster.'

De verpleegster greep Odile bij de elleboog en probeerde haar ruw bij de arts vandaan te trekken. Josef schoot zijn vrouw te hulp en worstelde met de stevige vrouw. Even vormden ze een bizar danstrio en duwden ze elkaar alle kanten uit, zonder er ook maar iets mee op te schieten. Het gezicht van Fräulein Ulrike liep rood aan van inspanning.

'Dokter, ik weet zeker dat het een misverstand betreft,' zei Odile, die vocht om haar hoofd boven de brede schouders van de verpleegster uit te steken. 'Mijn zoon is niet geestelijk gehandicapt.'

De moeder slaagde erin zich los te maken uit de omhelzing van de verpleegster en liep naar de arts.

'Het klopt dat hij amper praat sinds we ons huis verloren hebben, maar gek is hij niet. Hij is hier per abuis naartoe gebracht. Alstublieft. Weest u zo vriendelijk hem te ontslaan, dan... Ik wil u het enige schenken wat ons nog rest.'

Ze legde het pakje op het bed, waarbij ze haar best deed het lijk niet aan te raken, en pakte het voorzichtig uit het krantenpapier. Zelfs in het zwakke licht van de ziekenzaal liet de gouden gloed van het voorwerp de wanden glanzen.

'Dit is al ontelbare generaties in het bezit van de familie van mijn man, dokter Graus. Ik zou het nooit wegdoen, al moest ik het met de dood bekopen. Maar voor mijn zoon, dokter... voor mijn zoon...'

De vrouw brak in tranen uit en viel op haar knieën. De jonge arts merkte het amper op, want hij hield zijn ogen strak op het voorwerp gericht dat op het bed lag. Hij wist zijn mond echter lang genoeg te openen om alle hoop van het echtpaar te verpletteren.

'Jullie zoon is dood. Wegwezen hier.'

Toen de ijskoude buitenlucht haar in het gezicht sloeg, droogde de vrouw haar tranen. Ze stak haar arm in die van haar man en liep haastig voort, zich meer dan ooit bewust van de avondklok. Haar geest kon aan niets anders denken dan dat ze op tijd moest zijn voor haar andere zoon, die aan de andere kant van de stad op hen wachtte.

'Rennen, Josef. Rennen.'

Zo hard als ze konden renden ze samen door de sneeuw.

In zijn kantoor in het ziekenhuis pakte dokter Graus afwezig de telefoon, terwijl hij met zijn vingers over dat vreemde voorwerp streek. Toen hij enkele minuten later de sirenes van de auto's van de SS hoorde, keek hij niet eens op. Zijn assistent maakte een opmerking over gevluchte joden, maar hij besteedde er geen aandacht aan.

Zijn hersenen concentreerden zich slechts op één ding: de manier waarop hij dat joch Cohen zou opereren.

Dramatis Personae

Priesters
Anthony Fowler, dubbelagent van de CIA en de Heilige Alliantie. Amerikaan.
Pater Albert, ex-hacker. Systeemanalist van de CIA en contactpersoon van de spionagedienst van het Vaticaan. Amerikaan.

Paters
Frater Cesáreo, dominicaan. Conservator van de reliekenzaal in het Vaticaan. Italiaan.

Corpo di Vigilanza dello Stato della Città del Vaticano
Camilo Cirin, hoofdcommissaris. In het geheim is hij het hoofd van de Heilige Alliantie, de spionagedienst van het Vaticaan.

Burgers
Andrea Otero, verslaggeefster van de Spaanse krant *El Globo*. Spaanse.
Raymond Kayn, multimiljonair en eigenaar van een holding. Nationaliteit onbekend.
Jacob Russell, directiesecretaris van Kayn. Brit.
Orville Watson, adviseur terrorisme en directeur-eigenaar van GlobalInfo. Amerikaan.
Dokter Heinrich Graus, nazimassamoordenaar. Oostenrijker.

Medewerkers van Expeditie Mozes
Cecyl Forrester, archeoloog, gespecialiseerd in Bijbelthema's. Amerikaan.
David Pappas, Gordon Durwin, Kyra Larsen, Stowe Erling en Ezra Levine, assistenten van Cecyl Forrester.
Mogens Dekker, hoofd beveiliging van de expeditie. Zuid-Afrikaan.
Aldis Gottlieb, Alryk Gottlieb, Tewi Waaka, Paco Torres, Louis Maloney en Marla Jackson, soldatenpeloton van Dekker.
Dokter Harel, arts van de opgraving. Israëlische.
Tommy Eichberg, chauffeur.

Terroristen
Nazim en Kharouf van de Washingtoncel.
O., D. en W, van de cellen uit Syrië en Jordanië.
Huqan (injectiespuit), hoofd van de drie cellen.

at Cranz = nazi was
Anthony Fowler = dublsh agent FBI
in prussia

Rae

Donderdag 15 december 2005, 11.42 uur

Voordat hij bij het monster aanbelde, veegde de priester zorgvuldig zijn voeten op de mat voor de deur. Hij was vier maanden naar deze man op zoek geweest en sinds hij hem had gevonden, nu twee weken geleden, had hij hem nauwlettend in de gaten gehouden en al zijn gangen getraceerd. Nu was het moment aangebroken om hem met zijn verleden te confronteren.

Hij wachtte geduldig, minutenlang. Rond het middaguur had Graus weinig haast om de deur te openen, waarschijnlijk omdat hij dan een dutje deed op de bank. Rond dat tijdstip liep er zelden iemand door het nauwe straatje waar hij woonde. De bewoners van de Steinfeldstrasse waren naar hun werk, onkundig van het feit dat er op nummer 6, in dat onooglijke huisje met de blauwe gordijnen voor de ramen, een massamoordenaar zat te soezen voor de tv.

Eindelijk kondigde het geluid van een knersend slot aan dat de deur werd opengemaakt. Een bejaarde man met een goedmoedig gezicht, als een opa uit een reclamespotje voor snoepgoed, stak zijn hoofd door de kier.

'Ja?'

'Goedemiddag, *Herr Doktor*.'

De oude man nam zijn bezoeker van top tot teen op. Het was een priester van een jaar of vijftig, lang, slank en kalend, in clergyman en zwarte jas. Hij stond zelfverzekerd met zijn groene ogen op de stoep, kaarsrecht als een telefoonpaal.

'Ik ben bang dat u zich vergist, pater. Ik was vroeger loodgieter, maar ben inmiddels met pensioen. Ik heb al wat gegeven voor de parochie, dus als u me niet kwalijk neemt...'

'Bent u niet Heinrich Graus, de vermaarde Duitse neurochirurg?'

De oude man hield een fractie van een seconde zijn adem in. Afgezien daarvan liet hij niets blijken en was er niets aan hem te merken wat hem kon verraden. Voor de priester was het echter voldoende. Dit was zijn definitieve bewijs.

'Ik heet Handwurz, pater.'

'Zo heet u niet en dat weten we allebei. Laat me nu maar binnen, dan zal ik u laten zien wat ik bij me heb.' Hij stak zijn linkerhand met het zwarte koffertje iets naar voren.

Als antwoord trok Graus de deur open en ging hij de priester licht hinkend voor naar de keuken. De vermolmde vloerplanken protesteerden luid tegen zijn zware stappen. De priester volgde hem en besteedde amper aandacht aan zijn omgeving. Hij had driemaal door de ramen gegluurd en wist precies hoe het huis was ingedeeld en waar het goedkope meubilair stond. Hij hield zijn ogen liever op de schouders van de oude nazi gevestigd. Hoewel die hinkte alsof het lopen hem moeite kostte, had hij hem zakken steenkolen zien tillen in het besloten tuintje, met een gemak waar een man die vijftig jaar jonger was dan hij jaloers op kon zijn. Heinrich Graus was nog altijd levensgevaarlijk.

Het was donker in het keukentje en het stonk er naar goedkope drank. Het meubilair bestond uit een gasfornuis, een uitgedroogde ui op het aanrecht, een ronde tafel en twee stoelen die niet bij elkaar pasten. Graus bood hem met een beleefd gebaar een van de stoelen aan. Hij rommelde wat bij het aanrecht en zette twee glazen water op tafel, voordat hij zelf ging zitten. De glazen bleven onaangeroerd op de grenen tafel staan, even roerloos als de twee mannen, die elkaar langer dan een minuut zonder iets te zeggen opnamen.

De oude man droeg een kamerjas van rood flanel, een katoenen hemd en een oude broek. Hij was twintig jaar geleden kaal geworden en de weinige haren die hem restten waren helemaal wit. Zijn grote ronde bril was al uit de mode sinds de val van het communisme. Zijn onderlip hing een beetje af, wat hem een vriendelijk voorkomen gaf.

Niets van dat alles kon de priester om de tuin leiden.

In het aarzelende decemberlicht dat door het raam op de tafel viel dansten duizenden stofjes. Een daarvan daalde neer op een van de elegante mouwen van de clergyman. De priester veegde het weg zonder ernaar te kijken.

De onverstoorbare zelfbewustheid van dit gebaar ontging de nazi niet. Hij had zich intussen echter hersteld en hulde zich wederom in onverschilligheid.

'Wilt u niets drinken, pater?'

'Ik heb geen dorst, dokter Graus.'

'Als u er werkelijk op staat me zo te noemen... maar de naam is Handwurz, Baltasar Handwurz.'

De priester deed alsof hij hem niet hoorde.

'Ik moet zeggen dat u buitengewoon slim te werk bent gegaan. Toen u een paspoort wist te bemachtigen om naar Argentinië te vluchten, kon niemand voorzien dat u enkele maanden daarna terug zou keren naar Wenen. Uiteraard was dat de laatste plek waar we zochten. Slechts 70 kilometer van Spiegelgrund. En dat terwijl Wiesenthal jarenlang naspeuring deed in Argentinië, zonder te vermoeden dat u slechts een autoritje verwijderd was van zijn hoofdkantoor. Vindt u dat niet ironisch?'

'Ik vind het belachelijk. U bent Amerikaan, is het niet? Uw Duits is uitstekend, maar uw accent verraadt u.'

De priester legde zonder zijn blik van de ander af te wenden zijn koffertje op tafel en haalde een dikke map tevoorschijn. Het document dat hij er als eerste uit haalde lag bovenop. Het was een foto van de jonge Graus, genomen tijdens de oorlog in het Spiegelgrundziekenhuis. Het tweede document was een bewerking van die foto, waarin de arts met een speciaal softwareprogramma ouder was gemaakt.

'De techniek staat voor niets, nietwaar *Herr Doktor*?'

'Dat bewijst niets. Dat kan iedereen zijn. Ik kijk ook weleens tv, hoor.' De klank van zijn stem stond echter in schril contrast met zijn woorden.

'U hebt gelijk, het bewijst niets. Maar dit wel.'

Hij legde een vergeeld stuk papier op de tafel, waaraan een zwart-witfoto zat vastgeniet. Boven de tekst stond in sepialetters *Testimonianza Fornita* geschreven, met het stempel van Vaticaanstad ernaast.

'"Baltasar Handwurz. Blond haar, bruine ogen, krachtige gelaatstrekken. Bijzondere kenmerken: tatoeage op de linkerarm met het nummer 256441. Aangebracht door de nazi's tijdens zijn verblijf in het concentratiekamp Mauthausen." Een plek waar u uiteraard nooit een voet hebt gezet. Het nummer was vervalst. De tatoeëerder heeft het ter plekke verzonnen, maar dat maakte niet uit. Het werkte.'

De oude man streek met zijn hand over de linkermouw van de flanellen kamerjas. Hij was buiten zichzelf van woede en angst.

'Wie voor de duivel bent u, verdomme?'

'Ik ben Anthony Fowler en ik wil een deal met u sluiten.'

'M'n huis uit, onmiddellijk!'

'Ik ben bang dat u het niet helemaal begrijpt. U was gedurende zes jaar de tweede man in het kinderziekenhuis AM Spiegelgrund. Een interessante plek. Bijna alle patiënten waren Joods en geestelijk gehandicapt. "Mensen die het niet waard waren om te leven." Zo noemde u dat toch?'

'Ik heb geen flauw idee waar u het over hebt.'

'Geen mens kon vermoeden wat u daar uitspookte. De experimenten. De dissecties op levende kinderen. Zevenhonderdveertien kinderen, dokter Graus. U hebt eigenhandig zevenhonderdveertien kinderen gedood.'

'Ik heb al gezegd dat ik…'

'U bewaarde hun hersenen in potten!'

Fowler sloeg met zijn vuist op tafel, zo hard dat beide glazen omvielen en het water op de keukenvloer sijpelde. Enkele seconden lang was alleen het geluid van het druppende water op de plavuizen te horen. Hij haalde diep adem om zijn kalmte terug te vinden.

De arts ontweek de groene ogen die hem leken te doorboren.

'Bent u soms een Jood?'

'Nee, Graus. U weet heel goed dat dat niet zo is. Als ik een van hen was, hing u inmiddels al aan een galg in Tel Aviv. Mijn… affiniteit ligt bij de mensen die uw vlucht in 1946 mogelijk hebben gemaakt.'

De arts onderdrukte een huivering.

'De Heilige Alliantie,' mompelde hij.

Fowler gaf geen antwoord.

'Wat wil de Alliantie van me, na al die jaren?'

'Iets wat u in uw bezit hebt.'

De nazi trok een onnozel gezicht.

'U ziet dat ik niet bepaald zwem in het geld. Ik bezit geen cent meer.'

'Als we om geld verlegen zaten, verkocht ik u wel aan de officier van justitie in

Stuttgart. Er staat nog steeds 130.000 euro op uw hoofd. Ik kom voor de kaars.'

De oude man keek hem aan en deed net of hij er niets van begreep.

'Welke kaars?'

'Stelt u zich alstublieft niet zo aan, Herr Graus. De kaars die u tweeënzestig jaar geleden gestolen hebt van de familie Cohen. Een zware waskaars zonder lont, versierd met goudfiligrein. Die wil ik hebben en wel nu meteen.'

'Donder toch op met die flauwekul. Ik heb geen kaars.'

Fowler zuchtte, de afkeer stond op zijn gezicht te lezen. Hij ging iets achterover leunen en wees op de twee omgevallen, lege glazen.

'Hebt u niets sterkers?'

'Achter u.' Graus wees naar een van de keukenplanken.

De priester draaide zich om en pakte de halfvolle fles. Hij zette de glazen overeind en vulde ze met twee vingers geelglanzend vocht. Beide mannen leegden het glas in één teug. Ze klonken niet met elkaar.

Fowler pakte de fles om een tweede rondje in te schenken. Hij nam nog een slokje en praatte verder.

'*Weizenkorn*. Uit tarwe gestookte jenever. Dat heb ik lang niet gedronken.'

'U hebt het vast niet gemist.'

'Absoluut niet, nee. Het is goedkoop, nietwaar?'

Graus haalde zijn schouders op. De priester prikte naar hem met zijn vinger.

'Een briljant man als u, Graus. U bent ijdel en toch hebt u hiervoor gekozen, voor een langzame vergiftiging in een smerig hol waar het stinkt naar pis. En zal ik u wat vertellen? Ik begrijp u.'

'Wat begrijpt u precies?'

'Heel knap. U bent de kneepjes van het Reich nog niet vergeten. Reglement van legerofficieren, derde onderdeel: "Indien u krijgsgevangen wordt gemaakt, ontkent u alles en geeft u uitsluitend korte antwoorden die u niet in gevaar zullen brengen." Te laat, Graus. Het gevaar heeft u achterhaald.'

De oude man schonk zich met een lelijk gezicht het laatste restje jenever in. Fowler bestudeerde zijn lichaamstaal aandachtig en constateerde dat de onverschrokken houding van het monster langzaam maar zeker afbrokkelde. Hij was als een schilder die na een tiental penseelstreken een stapje achteruit doet om te kijken hoe de afbeelding op het doek eruitziet en te bepalen met welke kleur hij verder zal gaan.

Hij besloot zijn kwast in de waarheid te dopen.

'Kijk eens naar mijn handen, dokter,' zei hij en hij legde zijn handen plat op tafel. Hij had ruwe handen met slanke vingers. Er was niets bijzonders aan te zien, afgezien van een lichte onregelmatigheid. Op het eerste kootje van elke vinger liep vlak bij de knokkels, kaarsrecht en over beide handen, een dunne, witte lijn.

'Een lelijk litteken. Hou oud was u toen u dat hebt opgelopen? Een jaar of tien, elf?'

'Twaalf. Ik zat te oefenen op de piano, de Prelude Opus 28 van Chopin. Mijn vader kwam achter me staan en sloeg zomaar ineens met een harde klap de klep van de Steinway dicht. Het is een wonder dat ik al mijn vingers nog heb, maar ik heb nooit meer kunnen spelen.'

De priester sloeg voordat hij verder sprak zijn glas jenever achterover en liet zijn ogen op het glas rusten. Hij kreeg het nog steeds niet voor elkaar om iemand recht in de ogen te kijken wanneer hij dit verhaal vertelde.

'Mijn vader... verkrachtte me regelmatig sinds mijn negende. Die dag had ik gedreigd het aan iemand te vertellen als hij het nog een keer deed. Hij zei niets terug, dreigde nergens mee. Hij vernielde eenvoudigweg mijn handen. Daarna huilde hij, vroeg me om vergeving en bracht me bij de beste artsen die er voor geld te koop waren. Nee, nee, nee. Pas op, hoor!'

Graus had zijn arm onder de tafel geschoven om bij de besteklade te komen. Hij trok zijn hand schielijk terug.

'Daarom begrijp ik u zo goed, dokter. Mijn vader was een monster, wiens schuld vele malen groter was dan zijn eigen vermogen tot vergeving. Hij was echter moediger dan u. Hij trapte in een scherpe bocht het gaspedaal in en nam mijn moeder met zich mee.'

'Wat een droevig verhaal, pater,' zei Graus spottend.

'Wat u zegt. Hij is jaren voor zijn misdaden op de vlucht geweest, maar uiteindelijk werd hij erdoor ingehaald. Ik ben hier om u iets te geven wat mijn vader nooit heeft gehad: een 'kans.'

'Ik luister.'

'U geeft mij de kaars. In ruil daarvoor geef ik u deze map met alle bezwarende bewijslast. Dan kunt u zich hier tot uw laatste snik blijven verstoppen.'

'En dat is het dan?' vroeg de oude man ongelovig.

'Wat mij betreft wel.'

De oude man knikte en stond grijnzend op. Hij trok een van de kastjes open en haalde er een flinke glazen pot met rijst uit.

'Ik heb nooit tegen grassoorten gekund. Ik krijg er het zuur van.'

Hij kieperde de pot om op tafel. De rijst stroomde eruit, er wolkte wat zetmeel op en er klonk een droge tik. Half bedolven onder de rijst lag een pakje.

Fowler wilde het pakken, maar de benige klauw van Graus greep hem bij de pols. De priester keek hem strak aan.

'U geeft me uw woord, nietwaar?' vroeg de oude man gespannen.

'Is dat u iets waard?'

'Wat mij betreft wel.'

'Dan geef ik u mijn woord.'

De arts liet zijn pols los, zodat Fowler zijn gang kon gaan. Hij veegde kalmpjes de rijst opzij en haalde het pakje eruit, dat in donkere stof zat gewikkeld, vastgebonden met touw. Rustig en met krachtige vingers maakte hij de knopen los.

De handen van de oude man beefden.

Fowler vouwde de stof open. In het zwakke zonlicht van de ophanden zijnde Oostenrijkse winter lichtte het smerige keukentje goudglanzend op. De gloed stond in schril contrast met de omgeving, evenals de grijze, vuile was van de dikke waskaars die op tafel lag. Ooit was hij geheel bedekt met een dunne laag goudfiligrein in een ingewikkeld patroon. Het edelmetaal was praktisch geheel verdwenen en alleen de afdruk van het filigrein in de was herinnerde aan het goud. Er was hooguit nog een flinter van over.

Graus glimlachte somber.

'De rest ligt in het pandjeshuis, pater.'

Fowler zei niets. Hij haalde een zippo uit zijn broekzak en knipte hem in één vloeiende beweging aan. Hij zette de kaars overeind en hield de vlam bij het boveneinde. Hoewel er geen lont in zat, liet de warmte van de vlam de was langzaam smelten. De grijze wasdruppels sijpelden traag op de tafel en verspreidden een misselijkmakende geur. Graus keek spottend toe en maakte de ene sarcastische opmerking na de andere, alsof hij ervan genoot dat hij na al die jaren eindelijk zijn ware aard kon laten zien.

'Ik geniet met volle teugen. Die Jood van het pandjeshuis heeft jarenlang stukjes goud opgekocht om een trots lid van het Reich te onderhouden. Voor u is dit het enige resultaat van uw nutteloze zoektocht.'

'Schijn bedriegt, Graus. Het goud op deze kaars is niet de schat waar het om gaat. Dat is slechts bedoeld om klungels zoals u af te leiden.'

Als om dat te bevestigen begon de kaars te knetteren. Er had zich een flinke plas was op tafel gevormd en boven in de kaars kwam een holte tevoorschijn. Midden in deze krater van vloeibare was verscheen de groenige rand van een metalen voorwerp.

'Ha, daar hebben we hem,' knikte de priester tevreden. 'Ik ga ervandoor.'

Fowler stond op en wikkelde de kaars weer in de donkere stof, voorzichtig om zich niet te branden. De nazi keek stomverbaasd toe. Het lachen was hem vergaan.

'Wacht eens even! Wat is dat? Wat zat erin?'

'Niets wat u aangaat.'

De oude man schoot overeind en deed een greep in de la naar een keukenmes. Met knikkende knieën kwam hij om de tafel heen op de priester af, die hem roerloos en strak aankeek. In de ogen van de nazi brandde opnieuw het obsessieve vuur van de man die nachtenlang naar dat vreemde voorwerp had zitten staren.

'Ik móét het weten!'

'Nee, Graus. We hebben een afspraak. De kaars in ruil voor het dossier, meer niet.'

De oude man hief de hand met het mes, maar de uitdrukking op het gezicht van zijn lastige bezoeker hield hem tegen. Fowler knikte en schoof de map naar het midden van de tafel. Langzaam, met het pakje met de kaars in zijn ene hand en zijn koffertje in de andere, liep hij enkele passen achteruit in de richting van de keukendeur, zonder zijn ogen van de nazi af te wenden. De oude man greep de map vast.

'Er zijn toch geen kopieën van?'

'Eentje. Die hebben de twee Joden die me buiten staan op te wachten.'
De ogen van Graus sprongen zowat uit hun kassen. Hij hief het mes weer en deed een stap in de richting van de priester.
'Je hebt tegen me gelogen! Je zei dat je me een kans zou geven!'
Fowler keek hem nog éénmaal onbewogen aan.
'Moge God me vergeven. Dacht u nu werkelijk dat u zoveel geluk zou hebben?'
Toen verdween hij de gang in.

De priester liep de straat uit met het kostbare pakje tegen zijn borst gedrukt. Op enkele meters van de voordeur stonden twee mannen in grijze jassen rustig te wachten. Fowler waarschuwde hen in het voorbijgaan: 'Hij heeft een mes.'
De langste van de twee liet zijn knokkels knakken en schonk hem een vreugdeloze glimlach.
'Des te beter.'

(Krantenbericht uit *El Globo* van 17 december 2005. Pagina 12)

Oostenrijkse Herodes vermoedelijk gestorven

Wenen (persbureau): Nadat hij ruim vijftig jaar aan justitie wist te ontsnappen, heeft de Oostenrijkse politie eindelijk de slager van Spiegelgrund gevonden, de beruchte dokter Graus. Deze misdadiger uit het naziregime is afgelopen week dood aangetroffen in een eenvoudige woning in Krieglach, een dorpje op zestig kilometer afstand van Wenen. Volgens politiebronnen stierf hij aan een hartstilstand.

Graus, geboren in 1915, werd in 1931 lid van de nazipartij. Hij was reeds in het begin van de Tweede Wereldoorlog de tweede in rang in kinderziekenhuis AM Spiegelgrund. Graus misbruikte zijn hoge positie om onmenselijke experimenten uit te voeren op voornamelijk Joodse kinderen, die moeilijk opvoedbaar dan wel geestelijk gehandicapt zouden zijn. Hij verklaarde meerdere malen dat hun gedrag een genetische oorzaak had en dat de experimenten met deze kinderen geheel verantwoord waren, aangezien het levens betrof 'die het niet waard waren om te leven'.

Graus vaccineerde gezonde kinderen met bacteriën van besmettelijke ziekten, voerde sectie uit op levende kinderen en injecteerde zijn slachtoffers met verschillende mengsels van verdovende middelen die hij zelf samenstelde om hun pijnreacties te meten. Aangenomen wordt dat er binnen de muren van AM Spiegelgrund een duizendtal kinderen is vermoord.

Na de oorlog verdween de nazi spoorloos, met achterlating van driehonderd potten met kinderhersenen op sterk water in zijn spreekkamer. Ondanks verwoede speurtochten van de Duitse justitie is hij nooit gevonden. Simon Wiesenthal, de onvermoeibare speurder naar nazi's, die meer dan elfhonderd oorlogsmisdadigers voor het gerecht wist te slepen, heeft tot aan zijn laatste ademtocht naar Graus gezocht. Hij noemde hem zijn 'hangende kwestie', het examen waarvoor hij was gezakt, en deed jarenlang nasporing naar de kindermoordenaar, met name in Zuid-Amerika. Wiesenthal overleed drie maanden geleden in zijn woonplaats Wenen, onkundig van het feit dat zijn prooi op een halfuurtje rijden van zijn hoofdkantoor woonde en zich voordeed als gepensioneerd loodgieter.

Niet-officiële bronnen van de Israëlische ambassade in Wenen betreuren het dat Graus is gestorven zonder voor zijn misdaden te boeten, maar zijn desondanks verheugd dat de nazi een plotselinge dood is gestorven. Zijn hoge leeftijd en zwakke gestel zouden een rechtszaak jegens hem hebben belemmerd, zoals ook het geval was bij dictator Augusto Pinochet. 'Het is duidelijk dat onze Schepper hier de hand in heeft gehad,' verklaarden dezelfde bronnen.

'Hij is beneden, meneer.'

De man in de stoel kromp ietwat ineen. Zijn hand trilde, zo licht dat niemand het zou opvallen, behalve deze privésecretaris die hem zo goed kende.

'En? Hebben ze hem grondig gefouilleerd?'

'Dat hoeft u niet te vragen, meneer.'

Er klonk een diepe zucht.

'Ik weet het, Jacob. Neem me niet kwalijk.' De man stond op uit zijn stoel en drukte zo hard op de afstandsbediening waarmee hij zijn omgeving onder controle hield dat zijn knokkels wit werden. Hij had al heel wat afstandsbedieningen vernield, totdat zijn assistent er genoeg van had en er speciaal een liet maken van onverwoestbaar methacrylaat in de vorm van de hand van de oude heer. 'Het spijt me dat ik zo lastig ben.'

De privésecretaris gaf geen antwoord. Hij wist dat zijn baas zijn hart moest luchten. Hij was een gedienstige man met een enorm zelfvertrouwen, voor zover die twee eigenschappen met elkaar te verenigen zijn.

'Ik lijd eronder hier de hele dag te zitten, begrijp je? Ik geniet steeds minder van de dagelijkse dingen. Ik word zo langzamerhand een ouwe gek. Elke avond voor ik ga slapen denk ik: morgen. Morgen doe ik het. Maar als ik de volgende ochtend wakker word is alle vastbeslotenheid verdwenen, evenals mijn tanden.'

'We kunnen beter beginnen, meneer,' zei de assistent. Hij had dit verhaal in al zijn variaties al tientallen keren aangehoord.

'Is het onvermijdelijk?'

'U hebt er zelf om gevraagd. Het is de enige manier. We kunnen niets aan het toeval overlaten.'

'Ik zou ook alleen het verslag kunnen lezen.'

'Het gaat om meer dan dat. We zijn inmiddels bij fase vier aanbeland. Als u deel uit wilt maken van de expeditie dient u vreemde mensen te ontmoeten. Dokter Hocher is daar heel duidelijk in geweest.'

De oude man toetste enkele knoppen in op het touchscreen van zijn afstandsbediening. De jaloezieën schoven geruisloos omlaag. Het licht ging uit en hij viel terug in zijn stoel.

'Zit er niets anders op?'

Zijn ondergeschikte schudde het hoofd.

'Dan moet het maar.'

De assistent liep in de richting van de deuropening, waardoor nog een laatste streep licht de kamer binnenviel.

'Jacob?'

'Ja, meneer?'

'Zou je voor je gaat... heel even mijn hand willen vasthouden? Ik ben bang.'

De assistent deed wat hem werd gevraagd. De hand van de oude man beefde.

Orville Watson tikte ongeduldig op de dikke leren portfolio die op zijn schoot lag. Hij zat al meer dan twee uur op zijn corpulente achterwerk in de wachtkamer op de achtendertigste verdieping van de Kayn Tower. *A raison* van drieduizend dollar per uur voor een consult zou ieder ander in alle rust zitten wachten tot het Laatste Oordeel. Orville echter niet. De jonge Californiër met de blonde paardenstaart begon zich te vervelen. En de strijd tegen de verveling was altijd de motor achter zijn carrière geweest.

Hij verveelde zich op de universiteit. Vandaar dat hij er in het tweede jaar de brui aan gaf, tegen alle adviezen van zijn familie in. Hij vond werk tegen een goed salaris bij CNET, een van de meest vooruitstrevende internetmediabedrijven en technologiewebsites van zijn tijd, maar ook daar sloeg de verveling al snel toe. Orville was constant op zoek naar een nieuwe uitdaging. Zijn ware passie lag in het beantwoorden van vragen. Het ontbrak hem niet aan zakelijk inzicht en in het begin van het millennium nam hij ontslag om zijn eigen bedrijf te beginnen.

Ondanks de protesten van zijn moeder, die in de krant uitsluitend berichten las over de ondergang van de ene na de andere *dotcom*, was Orville er niet van af te brengen. Hij hees zijn honderdvier kilo en een koffertje kleren in een gammel busje en reed naar de oostkust, om zijn intrek te nemen in een souterrain in Manhattan. Daar werd GlobalInfo geboren. Zijn slogan was 'u vraagt, wij antwoorden'. Het had de droom kunnen blijven van een maf joch met een ernstige eetstoornis, te veel onrust in zijn kont en een enorme drive om cyberspace en internet te verkennen.

Tot het 11 september werd. Tegelijk met de bureaucraten in Washington begreep Orville drie dingen waar zij zich jarenlang het hoofd over hadden gebroken.

Ten eerste, dat hun manier van informatiebeheer dertig jaar achterliep. Ten tweede, dat de huidige sfeer van politieke correctheid, opgelegd door de achtjarige regering van Clinton, het zoeken naar gegevens extra bemoeilijkte, aangezien ze uitsluitend 'bronnen met een goede reputatie' mochten gebruiken, wat absurd was in de strijd tegen het terrorisme. En ten derde, dat de Arabieren de nieuwe Russen waren wat internationale spionage betreft.

Orvilles moeder, Yasmina, was geboren en getogen in Beiroet, tot ze een knappe ingenieur uit Sausalito ontmoette die een project leidde in Libanon. Ze trouwden en hij nam haar mee naar de Verenigde Staten. Yasmina had heim-

wee en voedde haar kind tweetalig op, in het Engels en in het Arabisch.
De jonge Orville nam talrijke valse identiteiten aan op het net en kwam er al
snel achter dat internet een paradijs is voor extremisten. Het maakte totaal niet
uit hoe ver een tiental radicalen van elkaar af woonde, op het web waren ze
slechts enkele milliseconden van elkaar verwijderd en konden ze volstrekt anoniem hun gang gaan. Hoe sektarisch hun ideeën ook waren, op het net vonden
ze gelijkgestemde zielen. Binnen enkele weken kreeg Orville voor elkaar wat
tot op dat moment geen enkele westerling van de buitenlandse dienst op eigen
kracht was gelukt: hij infiltreerde in de meest radicale netwerken van het islamitisch-fundamentalistische terrorisme.

Begin 2002 begaf Orville zich op een zonnige ochtend naar Washington, met
vier dozen documenten in de achterbak. Hij meldde zich bij het hoofdkantoor
van de CIA en verzocht om een onderhoud met iemand die verantwoordelijk
was voor het islamitisch-fundamentalistische terrorisme, waarbij hij aanvoerde
dat hij over belangrijke informatie beschikte. Hij had tien A4'tjes in zijn hand
met een samenvatting van zijn bevindingen. De bescheiden analist die hem te
woord stond liet hem twee uur wachten voordat hij de moeite nam om zijn
verslag te lezen. Toen hij er eindelijk aan toe was gekomen, waarschuwde hij
geschrokken zijn chef. Als uit het niets verschenen er vier mannen in de gang
waar Orville zat te wachten, werkten hem tegen de grond, kleedden hem uit
tot hij naakt was en sleepten hem een verhoorkamer in. Orville onderging de
vernederende procedure inwendig juichend. Hij had midden in de roos geschoten.

Toen ze eenmaal begrepen dat hij aan hun kant stond en een buitengewoon
talent bezat, boden de hoge jongens van de CIA hem een baan aan. Orville zei
alleen dat de inhoud van de vier dozen (die resulteerde in 23 arrestaties in de
Verenigde Staten en Europa) slechts een gratis monster was. Als ze in de toe-
komst meer informatie wensten te ontvangen, konden ze de diensten inhuren
van zijn nieuwe bedrijf, GlobalInfo.

'Tegen exorbitante prijzen, moet ik erbij zeggen. Mag ik misschien mijn onderbroek terug?'

Vierenhalf jaar later was Orville nog eens vijf kilo aangekomen, ondanks (of
wellicht dankzij) het Atkinsdieet waaraan hij zich nog steeds strikt hield. Ook
zijn rekening-courant was beduidend zwaarder geworden. GlobalInfo had zeventien mensen in dienst die grondig onderzoek deden en gevoelige informatie
analyseerden voor de overheden van alle grote westerse landen, vrijwel altijd in
verband met veiligheidszaken. Orville Watson was inmiddels miljonair en begon zich weer stierlijk te vervelen.

Totdat hij deze opdracht kreeg.

GlobalInfo had één hoofdregel. Alle opdrachten dienden in de vorm van een
vraag gegeven te worden. Deze concrete vraag, in combinatie met de woorden
'budget onbeperkt' plus het feit dat hij afkomstig was van een particuliere onderneming en niet van de een of andere overheidsinstantie, had zijn nieuwsgie-
righeid gewekt.

Wie is pater Anthony Fowler?
Orville had genoeg van de peperdure bank waarop hij zat te wachten en stond op om zijn spieren wat te rekken. Hij vlocht zijn handen in elkaar en bracht zijn armen zo ver mogelijk naar achteren. Een verzoek om informatie van een particuliere onderneming was ongebruikelijk, zeker van een bedrijf als Kayn Enterprises, dat in de top honderd van *Fortune 500* stond. Het betrof een concreet en zeer uitzonderlijk verzoek over een onbenullige priester uit Boston.
Over een schijnbaar onbenullige priester uit Boston, verbeterde Orville zichzelf in gedachten.
Orville was net begonnen aan een ingewikkelde rek- en strekoefening van zijn schouders toen er een donkere, gespierde jongeman in een elegant kostuum van Carolina Herrera de wachtkamer binnenkwam. Het staflid, dat amper dertig kon zijn, keek hem ernstig aan vanachter zijn brillenglazen zonder montuur. Aan de oranjeachtige tint van zijn huid was te zien dat hij een trouwe aanhanger was van uv-stralen. Hij sprak met een geprononceerd Brits accent, als een nieuwslezer van de BBC.
'Mr. Watson, ik ben Jacob Russell, directiesecretaris van Raymond Kayn. We hebben elkaar meerdere malen telefonisch gesproken.'
Orville deed zijn best om zijn gezicht te redden, waar hij amper in slaagde, en stak zijn hand uit.
'Aangenaam, Mr. Russell. Neem me niet kwalijk dat ik...'
'Het maakt niet uit. Volgt u mij, alstublieft. Ik breng u naar uw afspraak.'
Ze liepen samen over het dikke tapijt de wachtkamer door, naar een aantal mahoniehouten deuren achter in de ruimte.
'Afspraak? Ik dacht dat ik mijn bevindingen aan u moest doorgeven.'
'Dat is niet het geval, Mr. Watson. Uw toehoorder van vandaag is de heer Raymond Kayn.'
Orville stond perplex.
'Is er iets, Mr. Watson? Voelt u zich niet goed?'
'Nee. Ja. Ik bedoel, alles is in orde, Mr. Russell, dank u. Ik ben alleen nogal verbaasd. De heer Kayn...'
Russell trok aan een hendeltje in de deurpost van de mahoniehouten deur, waarin een luikje verborgen zat met een simpele, donkergekleurde glasplaat erachter. Het staflid plaatste zijn rechterhand op de plaat, waarop een oranje lampje ging branden. De deur zoefde langzaam open.
'Ik begrijp uw verbazing, gezien de verhalen uit de media. Zoals u ongetwijfeld zult weten is mijn baas zeer op zijn privacy gesteld...'
Het is verdomme een kluizenaar en niks anders, dacht Orville.
'... maar laat u zich daardoor niet afschrikken. Het is niet gebruikelijk dat hij mensen van buitenaf wil ontvangen, maar als u bepaalde regels in acht wilt nemen...'
Ze gingen een nauwe gang binnen waar eveneens dik tapijt lag, met aan het eind ervan de glanzende metalen deuren van een lift.
'Wat bedoelt u met "niet gebruikelijk", Mr. Russell?'

Het staflid schraapte zijn keel, enigszins van zijn stuk gebracht.

'Ik kan u vertellen dat u sinds ik drie jaar geleden in dienst ben getreden de vierde persoon bent, buiten de hoge stafleden van deze onderneming, met wie de heer Kayn zich persoonlijk onderhoudt.'

Orville floot door zijn tanden van pure verbijstering.

'Tjonge.'

Ze waren intussen bij de lift aangekomen. Er was geen knopje te zien, alleen een alfanumeriek lcd-scherm aan de wand.

'Wilt u zo vriendelijk zijn u om te draaien, Mr. Watson?' Jacob Russell wees met een verontschuldigend gebaar op het scherm.

De jonge Californiër deed wat hem werd gevraagd. Een lange reeks digitale piepjes gaf aan dat de directiesecretaris een code intoetste.

'U kunt zich weer omdraaien. Dank u wel.'

Orville gaf een knikje. De liftdeur ging open en ze stapten in. In plaats van knoppen zat er alleen een magnetische kaartlezer in de lift. Russell haalde een plastic kaartje tevoorschijn en streek ermee over de lezer. De deuren sloten zich en de lift zette zich soepel in beweging.

'Zo te zien neemt uw baas de beveiliging zeer serieus,' zei Orville.

'De heer Kayn is meerdere malen met de dood bedreigd. Een aantal jaren geleden is hij ternauwernood aan een aanslag ontsnapt. Schrikt u alstublieft niet van de bui, dat hoort erbij.'

Orville vroeg zich af waar Russell het in vredesnaam over had, toen er een wolk piepkleine druppeltjes uit het plafond op hen neerviel. Toen hij omhoogkeek, zag hij dat er boven in de lift verstuivers waren aangebracht die de mannen in een koele wolk hulden.

'Waar is dat nu weer voor?'

'Het is een lichte antibiotische samenstelling, absoluut onschadelijk voor de gezondheid. Vindt u het niet lekker ruiken?'

Het moet niet gekker worden! Uit angst voor besmetting laat hij zijn bezoek inspuiten. Die vent is geen kluizenaar, hij is compleet paranoïde.

'Jazeker, niet gek. Munt, is het niet?'

'Wilde muntessence. Zeer verfrissend.'

Orville beet zich op de lip om zijn woorden binnen te houden. Hij dwong zichzelf om aan de factuur met zeven cijfers te denken die hij kon indienen nadat hij deze gouden kooi had verlaten. Dat bracht hem in een iets beter humeur.

De lift kwam tot stilstand op de negenendertigste verdieping, in een enorme, helder verlichte ruimte. De etage bestond voor de helft uit een enorme glazen erker met een schitterend uitzicht op de Hudsonrivier, Hoboken er direct achter en Ellis Island meer naar het zuidoosten.

'Indrukwekkend.'

'Mijn baas wil er graag aan herinnerd worden waar hij vandaan komt. Volgt u me, alstublieft.'

De eenvoudige inrichting stond in fel contrast met het imposante uitzicht. De vloer en het schaarse meubilair waren wit. De andere kant van de etage, die uitkeek op het centrum van Manhattan, was van de erker gescheiden door een wit-gestucte wand waarop verschillende deuren uitkwamen. Russell bleef op enkele passen van een ervan staan.

'Wel, Mr. Watson, de heer Kayn is gereed om u te ontvangen. Voordat u binnengaat, wil ik graag enkele simpele regels met u doornemen. Ten eerste stelt de heer Kayn er geen prijs op dat u hem recht in het gezicht kijkt. Ten tweede dient u geen vragen te stellen. En ten derde mag u hem niet aanraken of zelfs maar bij hem in de buurt komen. Zodra u de kamer binnengaat, ziet u een tafeltje met een kopie van uw verslag en een afstandsbediening. Daarmee kunt u de PowerPoint-presentatie bedienen die uw kantoor ons vanochtend heeft doen toekomen. Ik verzoek u achter dat tafeltje te blijven staan, uw verslag te doen en te vertrekken zodra u klaar bent. Ik wacht hier op u. Hebt u dit alles goed begrepen?'

Orville knikte ietwat nerveus.

'Ik zal mijn best doen.'

'Gaat u maar,' knikte Russell en hij opende de deur voor hem.

De jongeman uit Californië hield zijn pas in voordat hij over de drempel stapte.

'Nog één ding. GlobalInfo heeft interessante informatie aangetroffen tijdens een routineonderzoek dat we uitvoerden voor de FBI. Er zijn aanwijzingen dat Kayn Industries het doelwit zou kunnen zijn van een terroristische aanslag. Het staat allemaal in dit verslag,' zei Orville, terwijl hij de directiesecretaris de dvd overhandigde. Die nam hem met een bezorgd gezicht aan. 'Beschouwt u het maar als een relatiegeschenk.'

'Dank u, Mr. Watson. Succes.'

Woensdag 5 juli 2006, 18.11 uur

Aan de andere kant van de wereld vertrok rond datzelfde tijdstip Tahir ibn Faris, ambtenaar op het ministerie van Industrie, later dan anders van zijn kantoor. Dat was niet omdat hij zijn werk zo belangrijk vond, hoewel hij zich altijd voorbeeldig van zijn plichten kweet, maar omdat hij liever niet gezien wilde worden. Het kostte hem nog geen twee minuten om zijn bestemming te bereiken, in dit geval niet de bushalte waar hij anders naartoe wandelde, maar het luxehotel Le Meridien, het beste vijfsterrenhotel van Jordanië en het tijdelijke onderkomen van twee heren die via een bekende industrieel uit de hoofdstad om een onderhoud met hem hadden verzocht. De industrieel in kwestie stond er jammer genoeg niet om bekend dat hij eerlijk en transparant zakendeed. Daarom wist Tahir vrijwel zeker dat deze uitnodiging geen zuivere koffie kon zijn. Hoewel Tahir er prat op ging dat hij in al die zesentwintig jaar op het ministerie van Industrie integer was gebleven, begon hij nu te wensen dat hij minder trots en meer flexibiliteit bezat. De reden daarvan waren de bruiloft van zijn oudste dochter en de torenhoge kosten die daaraan verbonden waren.

Toen Tahir in de lift stond op weg naar een van de *executive suites* bekeek hij zijn gezicht en wenste hij dat hij eruitzag als een hebzuchtig man. Hij was amper één meter zeventig lang en met zijn buikje, grijze baard en kalende schedel leek hij meer op een goedaardige dronkaard dan op een corrupte ambtenaar. Hij zou alle sporen van onomkoopbaarheid wel van zijn gezicht willen krabben.

Ruim twee decennia eervol zakendoen leverden hem niet de moed op die hij nu nodig had. Toen hij op de deur van de suite klopte, leken de knieën van de kleine ambtenaar hun eigen percussieduo te willen vormen. Hij slaagde erin zich ietwat te herstellen voordat hij de kamer betrad. Een goedgeklede Amerikaan van een jaar of vijftig heette hem welkom. Een andere, iets jongere man zat rokend in de ruime salon met zijn mobieltje te bellen. Toen hij Tahir binnen zag komen rondde hij het gesprek af en stond hij op om hem te begroeten.

Ahlan wa sahlan. Welkom, in vloeiend Arabisch.

Dat verbaasde Tahir. De vele keren dat hij steekpenningen had geweigerd voor de herbestemming van terreinen voor industrieel en commercieel gebruik in Amman, de ware goudmijn van zijn collega's die minder last hadden van gewetensbezwaren dan hij, had hij dat niet louter uit plichtsbesef gedaan, maar ook vanwege de aanmatigende arrogantie van de westerlingen die hem vijf minuten na de kennismaking pakjes dollarbiljetten toeschoven over de tafel.

Het gesprek met deze twee Amerikanen verliep compleet anders. Voor de ongelovige ogen van Tahir nam de oudere man plaats achter een laag tafeltje waarop vier *della's* klaarstonden, de traditionele koffiepotten van de bedoeïenen, en een stoof met kooltjes. Hij roosterde vakkundig een handje verse koffiebonen in een ijzeren pannetje en liet ze afkoelen. Toen maalde hij de vers geroosterde koffiebonen samen met wat rijpere bonen in de *mahbash*, een kleine vijzel. Intussen voerden ze een aangename conversatie over koetjes en kalfjes, behalve op de momenten waarop de vijzel ritmisch tegen de mahbash sloeg, aangezien die klank door de Arabieren als muziek wordt beschouwd; de gast dient deze met gepaste vervoering te waarderen.

De Amerikaan voegde kardemom en een snufje saffraan toe en liet de melange vervolgens opkoken, waarbij hij de eeuwenoude traditie tot in het kleinste detail volgde. Tahir hield zijn kopje zonder oor welopgevoed in zijn handen toen de Amerikaan het voor de helft volschonk. Het is het privilege van de gastheer om eerst de belangrijkste persoon in de ruimte te bedienen en Tahir nam een voorzichtig slokje, nog steeds enigszins sceptisch over het resultaat. Hij was niet van plan meer dan één kopje te nemen, want voor hem was het al laat, maar toen hij het brouwsel had geproefd, accepteerde hij verheugd nog vier kopjes. Hij had graag een zesde genomen, ware het niet dat het onbeleefd zou zijn en van een slechte opvoeding getuigde om een even aantal rondjes te nemen.

'Mr. Faris, ik had nooit durven dromen dat iemand die geboren is in het land van Starbucks het koffierituele van de bedoeïenen zo volleerd zou kunnen uitvoeren,' zei Tahir, die het zeer naar zijn zin had en dat duidelijk wilde laten merken. Bovendien wilde hij nu weleens weten wat die Amerikanen voor de duivel van hem wilden.

De jongste van de twee gastheren hield hem voor de zoveelste keer een gouden sigarettenkoker voor.

'Mijn beste Tahir, noem ons toch bij de voornaam, alsjeblieft. Ik heet Peter en dat is Frank,' zei hij, terwijl hij zijn zoveelste Dunhill opstak.

'Dank je, Peter.'

'Wel, nu we zo ontspannen bij elkaar zitten, Tahir, zou ik u willen vragen of het zeer onbeleefd zou zijn als ik met u over zaken begon.'

De ambtenaar stond versteld. Er waren bijna twee uren verstreken. Arabieren hebben er een hekel aan om over serieuze zaken te beginnen in het eerste halfuur van een gesprek, maar deze Amerikaan vroeg zelfs na twee uur nog heel beleefd om zijn toestemming. Op dat moment zou hij hem zelfs hebben toegestaan om het paleis van koning Abdullah een nieuwe bestemming te geven.

'Ga je gang, mijn vriend.'

'Goed. We hebben het volgende nodig. Een vergunning voor de exploitatie van fosfaten voor Kayn Mining Co., die vandaag ingaat en een jaar geldig is.'

'Dat zal niet eenvoudig zijn, vriend. Vrijwel het gehele kustgebied rond de Rode Zee is bestemd voor de lokale industrie. Zoals u weet heeft ons land

vrijwel geen andere bronnen van inkomsten dan de fosfaten en het toerisme.'
'Ik voorzie geen problemen, Tahir. Wij zijn niet geïnteresseerd in het gebied rond de Rode Zee. Het gaat om een klein gebied van tien vierkante mijl, waarvan het centrum op deze coördinaten ligt.'
Hij stak hem een vel papier toe.
'29 º 34' 44" N, 36º 21' 24"? Maar beste vrienden, dat kunt u niet menen. Dat is ten noordoosten van Al Mudawarrah.'
'Inderdaad, Tahir, niet ver van de grens met Saoedi-Arabië.'
De Jordaniër keek hen verward aan.
'Daar zit geen fosfaat. Dat is woestijngebied. Er zit alleen steen.'
'Wel, Tahir, wij hebben het volste vertrouwen in onze ingenieurs en zij menen een aanzienlijke hoeveelheid fosfaat te kunnen delven in dat gebied. Uiteraard en puur gezien onze vriendschappelijke relatie is er een kleine compensatie voor u.'
Tahir zette ogen als schoteltjes op toen zijn nieuwe vriend een koffertje voor zijn neus zette en het openklikte.
'Maar dat is wel…'
'Voldoende voor de bruiloft van de kleine Myiesha, hoop ik?'
En voor een huisje aan zee, met een garage voor de auto, bedacht Tahir. *Verdorie, straks denken die Amerikanen dat ze slimmer zijn dan wie dan ook en hopen ze aardolie te vinden in dat gebied. Alsof wij daar niet al duizendmaal naar gezocht hebben. Nou ja, ik zal ze niet uit de droom helpen.*
'Vrienden, niemand zal ontkennen dat u beiden waardig en welopgevoed bent. Ik weet zeker dat uw zaken zeer welkom zullen zijn in het Hasjemitisch Koninkrijk Jordanië.'
Ondanks de suikerzoete glimlach van Peter en Frank kon Tahir er met zijn pet niet bij wat die twee van plan waren.
Wat hadden die Amerikanen voor de duivel te zoeken in de woestijn?
Hoe hij ook peinsde en piekerde, hij kwam geen steek dichter bij de waarheid die hem enkele dagen daarna het leven zou kosten.

Woensdag 5 juli 2006, 11.29 uur

Orville bevond zich in een schemerige kamer. Er brandde slechts één spotje, dat een katheder verlichtte waarop hij zijn verslag en de beloofde afstandsbediening zag liggen. Hij moest een meter of drie overbruggen om erbij te komen en stond nog even te peinzen hoe hij zijn presentatie zou beginnen, toen hij opschrok van een plotselinge lichtstraal. Op twee meter van hem af was een zes meter breed beeldscherm opgelicht. Daarop stond de eerste bladzijde van zijn presentatie afgebeeld, met het rode logo van GlobalInfo.
'Ha, dank u wel, meneer Kayn. Goedemorgen, trouwens. Mag ik beginnen met u te zeggen dat ik het een eer vind...'
Er klonk een zoemtoon en het beeld op het scherm verdween, om plaats te maken voor de volgende dia. Deze vertoonde de titel van de presentatie en de eerste van de twee vragen, in letters van een halve meter groot.

WIE IS DE VADER
VAN ANTHONY FOWLER?

De heer Kayn was kennelijk niet van plan de touwtjes uit handen te geven en wilde het kort houden, zoveel was duidelijk. Hij had eveneens een afstandsbediening en zag er geen been in om die te gebruiken als dat de zaak bespoedigde.
Oké ouwe, ik heb het begrepen. Ter zake!
Orville drukte op de knop voor de volgende pagina. De dia vertoonde een priester met een mager, verweerd gezicht en een randje kortgeschoren haar langs zijn verder kale hoofd. Orville praatte de duisternis in.
'John Anthony Fowler, alias pater Anthony Fowler, alias Tony Brent. Geboren op 16 december 1951 te Boston, Massachusetts. Groene ogen, 74 kilo. Vrij agent van de CIA en een mysterie. Het antwoord op dat mysterie heeft twee maanden werk gekost van tien van mijn beste onderzoekers, die zich uitsluitend en exclusief bezighielden met deze zaak, plus een enorme hoop geld om informatiebronnen aan het babbelen te krijgen. Dat verklaart voor een groot deel de drie miljoen dollar die deze informatie u gekost heeft, Mr. Kayn.'
Het beeldscherm veranderde weer en er verscheen een dia van een gezin. Een goedgekleed echtpaar in wat de tuin kon zijn van een riant huis. Naast hen een donker, knap jongetje van een jaar of elf. De hand van de vader lag stevig op de schouder van zijn zoon. Ze glimlachten gespannen naar de fotograaf.

'Enige zoon van Marcus Abernathy Fowler, industrieel en eigenaar van het farmaceutische bedrijf Infinity Pharma, thans uitgegroeid tot een multinational op het gebied van de biotechnologie. Na de dood van zijn ouders ten gevolge van een nooit opgelost verkeersongeval in 1984 verkocht Fowler de zaak voor 80 miljoen dollar, samen met de rest van zijn bezittingen. Hij schonk alles aan de liefdadigheid. Hij behield alleen zijn ouderlijke woning in Beacon Hill. Die is verhuurd aan een echtpaar met kinderen, maar hij heeft de bovenverdieping verbouwd tot een flat voor zichzelf, ingericht met wat antiek en stapels boeken over filosofie. Daar logeert hij wanneer hij in Boston is.'
Een dia van de vrouw op de vorige foto, jonger en in toga van de universiteit.
'Daphne Brent was een uitstekend scheikundige die werkzaam was voor Infinity Pharma, tot de eigenaar van het bedrijf verliefd op haar werd en met haar trouwde. Zodra ze zwanger was mocht ze van Marcus niets anders meer doen dan het huishouden bestieren, van de vroege ochtend tot de late avond. Dat is alles wat we weten van het gezinsleven, behalve dat de jonge Anthony op Stanford ging studeren in plaats van op Boston College, zoals zijn vader.'
Een jonge Anthony, nog net niet volwassen, met een sjerp om waarop te lezen stond 'jaargroep 1971'. Zijn gezicht stond strak.
'Hij studeerde magna cum laude af in de psychologie toen hij twintig was. De jongste van zijn lichting. Deze foto is een maand voordat hij afstudeerde genomen. Op de laatste collegedag pakte Anthony zijn spullen bij elkaar en meldde zich op het rekruteringskantoor van zijn universiteit.'
Een oud en vergeeld examenformulier, met de hand ingevuld.
'Dit is een foto van zijn AFQT, het toelatingsexamen voor het Amerikaanse leger. Hij scoorde 98 van de 100 punten. De sergeant was zo onder de indruk dat hij hem regelrecht naar de luchtbasis Lackland zond in Texas, waar Fowler zijn opleiding vervolgde bij de *pararescuemen*, een bijzondere eenheid die zich inzet om piloten uit vijandig gebied op te halen. Daar leerde hij vliegen, helikopters besturen en de benodigde guerrillatactieken. Na anderhalf uur aan het front kwam hij de oorlog uit als eerste luitenant. Hij ontving diverse onderscheidingen, waaronder het Purperen Hart en het Kruis van de Luchtmacht. In het verslag kunt u teruglezen voor welke acties hij deze onderscheidingen precies heeft gekregen.'
Een polaroid van een groepje mannen in uniform op een vliegveld. Fowler in het midden, in priestergewaad.
'Na de oorlog gaat Fowler naar het seminarie en wordt in 1977 tot priester gewijd. Eenmaal werkzaam als aalmoezenier op de luchtbasis in Spangdahlem wordt hij gerekruteerd door de CIA. Het is begrijpelijk dat die belang stelt in iemand met zijn kwaliteiten, met name met zo'n talenknobbel. Fowler spreekt elf talen vloeiend en kan zich aardig redden in vijftien andere. De *Company* is echter niet de enige organisatie die hem rekruteert.'
Fowler in Rome, met een paar andere jonge priesters.
'Eind jaren zeventig treedt hij in actieve dienst van de Company. Hij blijft priester en reist als aalmoezenier naar diverse luchtbases over de hele wereld.

Tot zover had u alle gegevens met gemak kunnen verzamelen met hulp van andere informatiebureaus, Mr. Kayn. Maar nu zal ik u iets onthullen wat top-geheim is; het was een hele klus om hierachter te komen.'

Het scherm werd leeg. In het weerkaatsende licht van de projector ontwaarde Orville een leunstoel in de duisternis, met het silhouet van iemand die erin zat. Hij moest zijn uiterste best doen om niet te staren.

'Fowler is in actieve dienst als agent voor de Heilige Alliantie, de spionage-dienst van het Vaticaan. Het is een uiterst kleine organisatie, strikt geheim maar zeer actief. Een van hun successen is dat ze het leven hebben gered van de Israëlische presidente Golda Meir, toen islamitische terroristen op het punt stonden haar vliegtuig te kapen tijdens een bezoek aan Rome. De Mossad is weliswaar met de eer van dat staaltje vakmanschap gaan strijken, maar daar ligt de Heilige Alliantie niet wakker van. Ze drijft de uitdrukking "geheime dienst" tot het uiterste. Alleen de paus en een handjevol kardinalen zijn officieel op de hoogte van haar bestaan, hoewel er binnen de gemeenschap van de internatio-nale spionagediensten velen zijn die de organisatie hoogachten en vrezen. Jam-mer genoeg is er wat dat betreft verder weinig toe te voegen aan Fowlers cv en over zijn werk voor de CIA kan ik u gezien mijn beroepsethiek en mijn afspra-ken met die organisatie niets onthullen, Mr. Kayn.'

Orville schraapte zijn keel. Hij verwachtte geen antwoord van de man die achter in de kamer zat, maar laste toch een korte pauze in.

Het bleef stil.

'Wat uw tweede vraag betreft, Mr. Kayn...'

Orville vroeg zich kortstondig af of hij zou vertellen dat hij het antwoord niet zelf gevonden had. Dat het anoniem in een blanco envelop naar zijn kantoor was gezonden. Dat er andere belangen speelden, mensen die wilden dat Kayn Industries deze informatie zou ontvangen. Toen herinnerde hij zich de verne-dering onder de wolk met de geur van munt en zette hij zijn betoog voort.

Op het scherm verscheen een foto van een jonge vrouw met blauwe ogen en rossig haar.

'Deze jonge verslaggeefster heet...'

'Andrea! Andrea Otero, verdomme! Waar zit dat mens?'
Het zou overdreven zijn om te zeggen dat je na de uitbarsting van de directeur
een speld kon horen vallen op de redactie, want een uur voordat de krant ter
perse gaat is zoiets onmogelijk. Maar iedereen zweeg, waardoor het standaard
achtergrondgeluid van telefoons, radio's, televisies, faxen en printers ineens
extra luid klonk.
De directeur droeg in elke hand een koffer en er stak een krant onder zijn arm.
Hij liet de koffers met een plof op de vloer van de redactie vallen en beende op
hoge poten naar de afdeling Buitenland, naar het enige bureau waar niemand
achter zat. Hij sloeg ongeduldig met zijn vuist op het blad.
'Kom er maar uit. Ik heb je zien wegkruipen.'
Het rossige hoofd van Andrea Otero kwam langzaam in beeld. Ze probeerde
haar mooie gezicht een onverschillige uitdrukking te geven, maar haar blauwe
ogen stonden verschrikt.
'Hallo, chef. Mijn pen was op de grond gevallen.'
De doorgewinterde directeur voelde aan zijn hoofd of zijn toupet nog goed zat.
Zijn kale hoofd was een taboe op de redactie en het werkte niet in Andrea's
voordeel dat ze aandachtig toekeek terwijl hij hem rechtzette.
'Hier ben ik niet gelukkig mee, Otero. Absoluut niet gelukkig. Hoe haal je het
om godswil in je hoofd?'
'Wat bedoelt u, chef?'
'Heb jij soms veertien miljoen euro op de bank staan, Otero?'
'Niet dat ik weet, nee.'
De laatste keer dat ze haar afschriften had bekeken stond het saldo van haar
vijf creditkaarten angstwekkend rood, alleen omdat ze toevallig een tik had
voor tassen van Hermès en schoenen van Manolo Blahnik. Ze was eigenlijk
net van plan geweest om de financiële administratie te vragen haar kerstbonus
vast over te maken. Voor de komende drie jaar, als het kon.
'Dan hoop ik dat je een rijke tante hebt die snel doodgaat, want dat is wat dit
geintje ons gaat kosten, Otero. Veertien miljoen!'
'Niet boos worden, chef. Dat van Nederland en zo zal niet meer gebeuren.'
'Ik heb het niet over die exorbitante roomservicekosten van je, Otero. Ik heb
het over François Dupré.' De directeur smeet de krant van de vorige dag op
haar bureau.
O shit, dat is het, dacht Andrea.

'Kom nou, chef. Fraude is fraude.'

'Eén dag! Eén miezerige vrije dag in vijf maanden, verdomd stelletje klungels dat jullie zijn!' De redactie keek straal de andere kant uit. Iedere aanwezige journalist had het ineens reuzedruk en draaide de woeste directeur de rug toe.

'Fraude, zei je?'

'Als je een schandalige hoop geld dat afkomstig is uit de fondsen van je cliënten overhevelt naar je persoonlijke rekening, heet dat volgens mij fraude.'

'En weet je hoe het heet als je de hele voorpagina van de sectie Buitenland wijdt aan een simpel vergissinkje van de grootste aandeelhouder van een van onze beste adverteerders? Dat heet een blunder, Otero.'

'Grootste aandeelhouder?'

'Van Interbank, Otero. Die, als je het nog niet wist, het afgelopen jaar 12 miljoen euro in deze krant heeft gestoken. Die van plan was dat volgend jaar te verhogen naar 14 miljoen. Van plan wás... Verleden tijd.'

'Nou ja, chef... De waarheid kent geen prijs.'

'O, jawel. 14 miljoen. En de kop van degenen die er verantwoordelijk voor zijn. Dus jij en Moreno staan vanaf dit moment op straat.'

Fernando Moreno kwam er schoorvoetend bij staan. Hij was nachtelijk redactiechef en had in die functie besloten een onbelangrijk bericht over de winsten van een oliemaatschappij te laten vervallen voor het voorpaginanieuws van Andrea. Een korte aanval van moed die hij inmiddels diep betreurde. De jonge vrouw keek de journalist van middelbare leeftijd aan en dacht aan zijn vrouw en drie kinderen.

Ze slikte.

'Chef... Moreno heeft er niets mee te maken. Ik heb de reportage toegevoegd voordat de krant ter perse ging.'

Moreno's gezicht vertrok vluchtig, maar hij wist zich razendsnel te herstellen.

'Lul niet, Otero,' zei de directeur. 'Dat bestaat niet. Jij bent niet gemachtigd om in blauw te werken.'

Het softwaresysteem van de krant, Hermes, werkte met een kleurensysteem. De pagina's van de krant hadden de code rood terwijl de verslaggever eraan werkte; dat werd groen als het artikel goedgekeurd was door de redactiechef en blauw zodra de nachtelijk redactiechef ze doorstuurde naar de persen om gedrukt te worden.

'Ik ben er met het wachtwoord van Moreno in gekomen, chef,' loog Andrea. 'Hij had er niets mee te maken, echt niet.'

'O ja? Hoe kom je dan aan dat wachtwoord? Mogen we dat weten?'

'Heel gemakkelijk, dat zit in zijn la.'

'Is dat zo, Moreno?'

'Eeeeh... ja, chef,' antwoordde de redactiechef, die hoopte dat de opluchting niet op zijn gezicht te lezen stond. 'Het spijt me.'

De directeur van *El Globo* was woest. Hij wendde zich zo snel tot de journaliste dat zijn toupet minstens drie centimeter verschoof.

'Verdomme, Otero, ik heb me vergist. Ik dacht dat je compleet gestoord was, maar nu begrijp ik dat je compleet gestoord bent én een criminele inslag hebt. Ik zal er persoonlijk voor zorgen dat je nooit meer ergens aan de bak komt, trut.'

'Maar chef...' De jonge vrouw klonk wanhopig.

'Hou je mond, Otero. Je bent ontslagen.'

'Ik had er niet aan gedacht...'

'Je bent ontslagen. Ik wil je niet meer zien en niet meer horen. Donder op.'

De directeur beende met grote passen weg bij het bureau van Andrea, die verbijsterd tegen de weinig solidaire ruggen van de redactie aankeek. Moreno kwam naast haar staan.

'Bedankt, Andrea.'

'Tuurlijk, joh. Het zou onzin zijn om met z'n tweeën schuldig te zijn.'

Moreno knikte.

'Het was alleen niet zo handig om te zeggen dat je in het systeem hebt ingebroken. Nu is hij echt woest en dat kon weleens verdomd lastig voor je worden. Je weet hoe hij is als hij eenmaal iets in zijn kop heeft zitten.'

'Het is al begonnen.' Andrea wees op de rest van de redactie. 'Ze doen nu al of ik de pest heb. Niet dat ik vóór deze actie zo populair was, natuurlijk.'

'Het is niet dat ze je niet mogen, Andrea. Je bent een verdomd goede journaliste. Maar je doet alles op eigen houtje, zonder aan de gevolgen te denken. Veel succes, meid.'

Andrea dacht er niet over om te gaan huilen, want ze was een sterke, onafhankelijke vrouw. Terwijl de jongens van de beveiliging haar spullen in een kartonnen doos stopten, klemde ze haar tanden op elkaar en wist ze zich in te houden, al scheelde het niet veel.

Sinds het vertrek van Eva had ze nergens zo'n hekel aan als aan het geluid van de sleutels op het moment waarop ze ze op het tafeltje in de gang liet vallen. Dan klonk er een soort echo door de gang die voor Andrea symbool stond voor haar leven: leeg en zonder enige weerklank.

Toen Eva er nog was, was alles anders. Ze rende haar als een klein meisje bij de voordeur tegemoet, kuste haar en begon te kletsen over alles wat ze die dag had gedaan en de mensen die ze had gesproken. Andrea raakte meer dan eens uitgeput van die muur van drukte die tussen haar en de bank in de woonkamer werd opgeworpen en snakte soms naar rust.

Die wens was uitgekomen. Eva was drie maanden geleden op een kwade ochtend vertrokken zoals ze gekomen was, zomaar. Ze had niets gezegd en geen traan gelaten. Andrea had ook praktisch niets gezegd en was op een vreemde manier opgelucht geweest. Pas later had ze alle tijd gekregen om te treuren, vooral als ze de lichte echo van de sleutels hoorde in dat veel te stille huis.

Ze had van alles geprobeerd om de leemte op te vullen. Ze zette de radio aan voordat ze het huis uit ging. Ze liet de sleutels in de zak van haar spijkerjasje zitten. Ze praatte in zichzelf. Geen enkel geluid kon die stilte echter overstemmen, want Andrea droeg de stilte in haar ziel.

Die avond schoof ze met haar voet haar laatste experimentje tegen de eenzaamheid opzij: een cyperse kat. In de winkel had hij er schattig en aanhankelijk uitgezien. Achtenveertig uur later haatte Andrea hem vanuit de grond van haar hart. Dat leek haar wel gezond. Haat kon ze wel aan. Haat is actief. Je kunt iets of iemand haten. Waar ze niet tegen kon was de frustratie. Frustratie is iets waar je onder lijdt.

'Hoi, RB. Ze hebben mammie ontslagen, hoor je dat?'

Ze noemde hem RB, de afkorting van Rotbeest. Die naam had ze voor hem bedacht toen het monster haar badkamer was binnengedrongen en een peperdure fles ph-neutrale shampoo had omgegooid en kapotgebeten. Het beest reageerde niet eens op de melding van zijn vrouwtje dat ze ontslagen was.

'Dat kan jou niet schelen, hè? Als ik jou was, zou ik me flink zorgen maken,' zei Andrea, terwijl ze een blikje Whiskas uit de koelkast pakte en de inhoud op een schoteltje kieperde. 'Als ik geen geld meer heb, verkoop ik je aan meneer Wong van de Chinees op de hoek. En dan bestel ik de volgende dag een portie "kip" met amandelen.'

De kans dat hij zelf op het menu zou komen te staan bedierf zijn eetlust totaal niet. Die kat was voor niets of niemand bang; het was een eigenwijze, arrogante, zelfverzekerde rotkat en Andrea haatte hem.

Want hij doet me te veel aan mezelf denken.

Ze keek om zich heen. Het beviel haar niets wat ze zag. De keukenplanken zaten onder het stof. Er lagen etensresten op de vloer en het aanrecht ging schuil onder stapels vuile borden. Het halfgeschreven manuscript van de roman die ze al drie jaar aan het schrijven was lag verstrooid over de badkamervloer.

Verdomme. Kon ik de werkster maar met mijn creditkaart betalen...

Er was maar één schone, opgeruimde plek in het appartement en dat was in de...

godzijdank

... ruime ingebouwde kast in de slaapkamer. Andrea was pijnlijk netjes als het om haar kleding ging. Voor de rest leek het wel of er een bom in de flat was ontploft. Ze was er altijd van overtuigd geweest dat haar slordigheid de belangrijkste reden was waarom Eva haar had verlaten. Ze waren twee jaar samen geweest en de jonge ingenieur was een toonbeeld van netheid. Andrea noemde haar liefkozend de Romantische Stofzuiger, omdat ze het huis het liefst schoonmaakte op de klanken van Barry White.

Op dat moment, toen ze de ramp om zich heen in zich opnam, zag Andrea plotseling duidelijk wat haar te doen stond. Ze zou die zwijnenstal opruimen, haar kleren verkopen op eBay, een goedbetaalde baan zoeken, haar rekeningen betalen en het goedmaken met Eva. Ze had een doel, een missie. Het zou helemaal goed komen met haar.

De adrenaline schoot door haar lijf. Dat duurde precies vier minuten en zevenentwintig seconden, net voldoende om een vuilniszak te pakken, er een kwart van de etensresten van de tafel plus een paar vuile borden die niet meer gered konden worden in te mikken, van de ene kant van de kamer naar de andere te struinen en het boek op te rapen dat ze de avond tevoren had zitten lezen. Er viel een foto uit.

Zij samen. De laatste die er van hen was gemaakt.

Wat heeft het voor zin?

Ze liet zich huilend op de bank vallen en de helft van de troep gleed uit de vuilniszak op de vaste vloerbedekking in de woonkamer. RB schoot ernaartoe en griste een groen uitgeslagen stuk pizza uit de smeerboel.

'Het valt niet te ontkennen, hè RB? Ik ben nu eenmaal zo, daar helpt geen stoffer en blik meer aan.'

De kat trok zich niets van haar aan, rende naar de voordeur en zette zijn pootjes tegen de deurpost. Andrea stond automatisch op, wetende dat er iemand voor de deur stond die op het punt stond om aan te bellen.

Welke idioot komt er nou op dit uur van de dag langs?

Ze trok de deur zo plotseling open dat de bezoeker ervan schrok.

'Hoi schoonheid.'

'Jeetje, die tamtam werkt snel.'

'Vooral als het om slecht nieuws gaat. Maar je zit te huilen, dus ik ga weer.'
Andrea stapte opzij. Ze keek nog steeds alsof ze baalde, maar ze was stiekem opgelucht. Ze had het kunnen raden. Enrique Pascual was haar beste vriend en tranendroger, al jaren. Hij werkte voor een van de belangrijkste radiostations van Madrid en telkens wanneer er iets misging in Andrea's leven stond Enrique op de stoep met een fles whisky en een troostende glimlach. Ditmaal had hij de situatie kennelijk hoog opgenomen, want de fles whisky was twaalf jaar oud en behalve de glimlach had hij ook een boeket bloemen bij zich.

'Je kon het niet laten, hè? De topjournaliste moest de aandeelhouders van de krant te grazen nemen,' zei Enrique terwijl hij de gang door liep in de richting van de woonkamer en probeerde niet over RB te struikelen. 'Hebben we nog een lege vaas in deze dump?'

'Laat ze maar lekker doodgaan. Niets duurt eeuwig. Kom op met die fles.'

'Nou weet ik het echt niet meer,' zei Enrique, die afzag van zijn poging om de bloemen in het water te zetten en de fles whisky opentrok. 'Hebben we het over Eva of over je ontslag?'

'Ik geloof dat ik dat zelf niet eens weet,' mopperde de jonge vrouw toen ze met omgespoelde glazen de keuken uit kwam.

'Je had je beter met mij kunnen inlaten, dan was alles veel duidelijker geweest.'

Andrea onderdrukte een lachje. Enrique Pascual was lang, knap en geweldig, de droom van iedere vrouw gedurende de eerste tien dagen van hun kennismaking en hun vleesgeworden nachtmerrie in de drie maanden daarna.

'Als ik op mannen zou vallen, stond jij bij de eerste twintig op mijn lijstje. Denk ik.'

Nu was het Enrique die in de lach schoot. Hij schonk twee vingers whisky in de glazen, maar had nauwelijks een slokje uit het zijne genomen toen Andrea haar glas al had leeggedronken en met een klap op tafel zette om het opnieuw te laten vullen.

'Hou je een beetje in, Andrea. Ik heb geen zin om vanavond met je op de eerste hulp te belanden. Voor de zoveelste keer.'

'Waarom niet? Ik vind het wel gaaf. Dan wordt er tenminste voor me gezorgd.'

'Aardig ben jij. Ik wilde dat je je niet zo aanstelde.'

'Stel ik me aan? Ik ben verdorie binnen twee maanden tijd mijn vriendin en mijn baan kwijtgeraakt. Mijn leven is een puinhoop.'

'Dat klopt, je zit er in elk geval middenin.' Enrique keek misprijzend naar de chaos in de flat.

'Wil jij mijn werkster niet worden? Dat is in elk geval beter dan dat suffe sport-programma waar je zogenaamd voor werkt.'

De jongeman vertrok geen spier. Hij wist wat er nu ging komen en Andrea wist het ook. Ze stopte haar neus in een kussen en begon uit alle macht te schreeuwen. Na enkele seconden ging het schreeuwen over in snikken.

'Ik had beter twee flessen kunnen meenemen.'

Toen ging er een mobieltje over.

'Volgens mij is dat het jouwe.'

'Zeg maar dat ze de klere kunnen krijgen,' snauwde Andrea vanuit haar kussen.

Enrique nam met een elegant gebaar de telefoon op.

'Tranen en Tuiten, met wie spreek ik? Momentje…'

Hij reikte Andrea de telefoon aan. 'Neem jij hem maar, ik spreek niet over de grens.'

Andrea nam de telefoon aan, veegde haar tranen weg met de rug van haar hand en probeerde redelijk normaal te klinken.

'Weet je wel hoe laat het is, idioot?' snauwde ze.

'Neem me niet kwalijk, ik ben op zoek naar Andrea Otero,' sprak een stem in het Engels.

'Met wie spreek ik?' vroeg de journaliste, eveneens in het Engels.

'Mijn naam is Jacob Russell, Miss Otero. Ik bel uit New York namens mijn baas, Raymond Kayn.'

'Raymond Kayn van Kayn Industries?'

'Jazeker, Miss Otero. Spreek ik met Miss Andrea Otero, de schrijfster van het polemische interview met president Bush?'

Natuurlijk, het interview. Dat interview had heel wat stof doen opwaaien in Spanje en zelfs in andere Europese landen. Zij was de eerste Spaanse journalist geweest die haar intrede deed in het Oval Office en enkele van haar diepgaande vragen – de weinige niet-geprogrammeerde vragen die ze ertussen had kunnen krijgen – hadden de Texaan van zijn stuk gebracht. Dankzij dat exclusieve interview wist ze haar carrière bij de krant nieuw leven in te blazen. In elk geval voor even. Zo te zien had het de aandacht getrokken van iemand aan de andere kant van de Atlantische Oceaan.

'Daar spreekt u mee, meneer. Vertel eens, waarom heeft uw baas een goede journaliste nodig?' Ze haalde stiekem haar neus op en was blij dat de beller niet kon zien hoe ze erbij zat.

De man aan de andere kant van de oceaan schraapte zijn keel.

'Kan ik erop vertrouwen dat u niemand op de krant iets zult vertellen, Miss Otero?'

'Absoluut,' knikte Andrea ironisch.

'Mr. Kayn gunt u de eer van het nieuws van de eeuw. Exclusief.'

'Mij? Waarom mij?' Ze maakte een gebaar naar Enrique, die haar met een vragend gezicht een blocnote en een pen toeschoof. Andrea negeerde zijn opgetrokken wenkbrauwen.

'Laten we zeggen dat uw stijl hem aanspreekt. Is dat voldoende?'

'Mr. Russell, op dit moment van mijn leven vind ik het erg moeilijk een volslagen vreemdeling op zijn woord te geloven, vooral als die persoon me belt met een vaag en nogal ongeloofwaardig voorstel.'

'Staat u me toe u te overtuigen.'

Russell nam ruim een kwartier de tijd om het haar uit te leggen, waarbij Andrea van de ene verbazing in de andere viel en koortsachtig aantekeningen maakte. Enrique probeerde over haar schouder mee te lezen om te zien wat er aan de hand was, maar Andrea's hanenpoten maakten hem niet veel wijzer.

'... derhalve hopen we dat we gedurende de opgravingen op uw persoonlijke aanwezigheid kunnen rekenen, Miss Otero.'

'Is er een exclusief interview met de heer Kayn aan verbonden?'

'De heer Kayn geeft in de regel geen interviews. Nooit.'

'Zo te horen is de heer Kayn geïnteresseerd in een journaliste die weinig belang hecht aan regels.'

Er viel een ongemakkelijke stilte. Andrea kruiste haar vingers en bad dat haar schot voor de boeg raak was geweest.

'Wel, voor alles is een eerste keer. Zijn we het eens?'

Andrea dacht enkele seconden diep na. Als Russells verhaal inderdaad klopte, zouden alle kranten en omroepen van de wereld staan te trappelen om haar een contract aan te bieden. Het mooiste was dat ze een kopietje van de cheque die ze kreeg per koerier naar die verdomde directeur van *El Globo* kon sturen.

Al is het een lulverhaal, ik heb niets te verliezen.

Ze hoefde er niet langer over na te denken.

'U kunt een ticket op mijn naam boeken naar Djibouti. Eersteklas, graag.'

Andrea hing op.

'Ik heb er niets van begrepen, behalve dat laatste: "eersteklas". Waar ga je heen?' vroeg Enrique, die constateerde dat Andrea er ineens een stuk vrolijker uit-zag.

'Ik kan wel zeggen, "naar de Bahama's", maar dan geloof je me toch niet.'

'Leuk hoor,' klaagde Enrique. 'Ik kom je troosten met bloemen en whisky, ik moet je praktisch van het tapijt afschrapen en wat doe jij? Je gaat zomaar weg.'

Andrea deed net of ze hem niet hoorde en begon haar koffer in te pakken.

RELIKWIEËNCRYPTE
Vaticaanstad

Vrijdag, 7 juli 2006, 20.29 uur

Frater Cesáreo schrok op toen hij een geluid bij de toegangspoort hoorde. Er kwam nooit iemand naar de crypte, niet alleen omdat de toegang beperkt was tot enkele gunstelingen van het Vaticaan, maar ook omdat de vochtigheidsgraad in de catacomben ongezond was, ondanks de vier krachtige luchtontvochtigers die in alle hoeken van de enorme ruimte stonden te zoemen. Gezien de functie van deze plek was het al een hele belevenis voor de oude dominicaan als hij bezoek kreeg, maar toen hij de gepantserde deur opende ging hij met een brede glimlach op zijn tenen staan om de bezoeker te verwelkomen.

'Anthony!'

De gespierde priester beantwoordde zijn omhelzing en zijn brede glimlach.

'Ik was toch in de buurt...'

'Verdikkie, Anthony, hoe ben je in hemelsnaam ongemerkt bij deze poort gekomen? We zijn intussen beveiligd met ik weet niet hoeveel camera's en alles wordt automatisch bestuurd.'

'Er zijn altijd meer wegen als je de weg kent en tijd van leven hebt. Dat heb je me zelf geleerd.'

De oude dominicaan trok aan zijn puntbaardje, sloeg zich op de buik en lachte smakelijk. Onder de stad Rome ligt een doolhof van vijfhonderd kilometer catacomben, waarvan sommige op een diepte van zeventig meter. Een waarachtig museum, kronkelig en onbetreden, met gangen die naar elke plek in de stad leiden, inclusief het Vaticaan. Twintig jaar geleden brachten Fowler en hij al hun vrije tijd ondergronds door om die wirwar van gevaarlijke gangen en ondergrondse grotten te onderzoeken.

'Het lijkt me duidelijk dat Cirin zijn ondoordringbare beveiligingssysteem moet herzien. Als zo'n oude vent als jij die zijn beste tijd heeft gehad hier zomaar binnen weet te dringen... Maar, waarom kom je niet gewoon door de voordeur, Anthony? Ik heb gehoord dat je niet langer *persona non grata* bent wat het Heilig Officie betreft. Ik zou dolgraag willen weten waarom dat is.'

'Voor bepaalde mensen ben ik zelfs iets te veel in de gratie gekomen.'[1]

'Cirin wil dat je terugkomt, hè? Die Machiavelli van de supermarkt laat zijn prooi nooit los.'

---

1 Zie 'Spion van God'.

'Ook oude bewakers van relikwieën kunnen koppig zijn. Vooral als ze zaken bespreken die ze niet behoren te weten.'

'Anthony, Anthony. Deze crypte is de diepst verborgen en meest geheime plek van ons hele minilandje en toch hoor je hier van alles, dwars door de muren heen. De heiligen hebben het me toegefluisterd,' zei hij en hij gebaarde om zich heen.

Fowler keek omhoog. Het plafond van de crypte rustte op hoge bogen en zag nog altijd zwart van de rook van de miljoenen kaarsen die de ruimte bijna twee millennia hadden verlicht, hoewel een moderne elektrische kachel het haardvuur een jaar of twintig geleden had verdrongen. Het was een rechthoekige ruimte van tachtig vierkante meter, waarvan een deel met hamer en beitel uit de rotsgrond was gehouwen. De wanden waren van vloer tot plafond bedekt met deuren, deuren die voor nissen zaten, nissen waarin heiligen huisden.

'Je hebt deze naargeestige lucht veel te lang ingeademd. Voor je klanten is het ook niet goed. Wat doe je hier nog?'

Slechts weinig mensen zijn ervan op de hoogte dat er sedert 1700 jaar in elke kerk, hoe klein en eenvoudig ook, een relikwie van een heilige in het altaar verborgen zit. Hier, in de Crypte der Relikwieën, bewaart het Vaticaan de grootste collectie relikwieën ter wereld. Sommige nissen zijn vrijwel leeg en bevatten amper een paar stukjes bot, andere bewaren een compleet skelet. Telkens wanneer er waar dan ook ter wereld een kerk wordt geopend, komt een jonge priester een aluminium koffertje ophalen bij frater Cesáreo om het reliek eerbiedig in het nieuwe altaar te plaatsen.

De oude historicus zette zijn bril af en poetste hem op met de zoom van zijn witte habijt.

'Zekerheid. Traditie. Koppigheid. De waarden die onze Heilige Moederkerk typeren.'

'Tjonge, het stinkt hier niet alleen naar vocht, maar ook naar cynisme.'

Frater Cesáreo klopte op het scherm van zijn MacBook Pro waaraan hij zat te werken voordat zijn vriend binnenkwam.

'Hier staat mijn waarheid in opgetekend, Anthony. Veertig jaar werk om stukjes kalk te catalogiseren. Heb je weleens op een uitgedroogd stukje bot gezogen, jongen? Een uitstekende manier om vervalsingen op te sporen, maar je krijgt er een bittere smaak van in je mond. Vier decennia later ben ik nog steeds niet dichter bij de waarheid dan toen ik begon,' zuchtte hij.

'Misschien wil je deze harde schijf eens onderzoeken en me hier een handje mee helpen,' zei Fowler, terwijl hij hem een foto overhandigde.

'Altijd zakelijk en druk, druk, druk, altijd…'

De dominicaan stokte midden in een zin, zijn ogen zo groot als schoteltjes. Hij tuurde minutenlang met zijn bijziende ogen naar de foto en schoof toen achter zijn bureau. Uit een hoge stapel boeken koos hij een beduimeld klassiek Hebreeuws werk, dat vol stond met in potlood gekrabbelde aantekeningen. Hij bladerde het aandachtig door om de symbolen te controleren. Na enige tijd keek hij verbijsterd op.

'Waar heb je dit vandaan, Anthony?'

'Uit een eeuwenoude waskaars, die in het bezit was van een oude nazi.'

'Heb je hem in opdracht van Camilo Cirin opgehaald? Vertel me het hele verhaal en denk erom dat je geen detail weglaat. Ik moet alles weten.'

'Laten we zeggen dat ik bij Camilo in het krijt stond en er daarom mee akkoord ging om nog een laatste opdracht voor de Heilige Alliantie uit te voeren. Hij vroeg me op zoek te gaan naar een Oostenrijkse oorlogsmisdadiger die in 1943 een kaars had gestolen van een joodse familie. De kaars was belegd met goud, dus veel waard. Ik heb die man een paar maanden geleden gevonden en hem de kaars afgetroggeld. Nadat ik de was had laten smelten, vond ik de koperplaat die je hier op de foto ziet.'

'Heb je geen foto met een hogere resolutie? Ik kan de buitenkant bijna niet lezen.'

'Hij zat stevig opgerold en ik was bang dat hij zou scheuren als ik hem te veel uitrolde.'

'Godzijdank dat je dat niet hebt gedaan. Je hebt geen idee wat je dan vernietigd zou hebben, zo kostbaar als dit is. Waar is het nu?'

'Ik heb het overgedragen aan Cirin zonder er verder enig belang aan te hechten. Ik meende dat het louter een gril van een van de leden van de Curie betrof en keerde terug naar Boston in de veronderstelling dat ik mijn schuld had ingelost...'

'Dat was niet het geval, Anthony,' klonk het bedaard en onbewogen. De eigenaar van de stem was zojuist de ruimte binnengekomen, onopvallend zoals het een hoofd van een spionagedienst betaamt... Want dat was hij, deze kleine man met het doorsneegezicht, in het grijze pak. Hij ging spaarzaam met zijn woorden en gebaren om, die hij achter een muur van kameleontische onbeduidendheid gevangenhield.

'Het getuigt van een slechte opvoeding om zonder kloppen binnen te komen, Cirin,' mopperde frater Cesáreo.

'Dat geldt eveneens voor wegblijven als je aanwezigheid gewenst is,' antwoordde de directeur van de Heilige Alliantie met zijn ogen op Anthony gericht.

'Ik dacht dat we klaar waren. We hadden afgesproken dat ik nog één taak zou uitvoeren.'

'Je hebt het eerste deel van die taak, het terughalen van de kaars, succesvol afgerond. Nu moet je ervoor zorgen dat de inhoud op de correcte manier wordt gebruikt.'

Fowler zweeg met een strak gezicht.

'Misschien zal Fowler zich met meer genoegen van zijn taak kwijten als hij het belang ervan inziet,' vervolgde Cirin. 'Wilt u zo vriendelijk zijn hem te vertellen wat er op die foto staat die u overigens nooit hebt gezien, frater Cesáreo?'

De dominicaan kuchte.

'Ik moet eerst weten of hij authentiek is, Cirin.'

'Dat is hij.'

De ogen van de frater lichtten op. Hij wendde zich tot Fowler.

'Dit, mijn beste vriend, is de kaart van een schat. Of beter gezegd, de helft ervan. Als ik het me wel herinner, want het is lang geleden dat ik de andere helft in mijn handen hield, is dit het verloren fragment van de koperrol van Qumran.'

Er trok een schaduw over het gezicht van de priester.

'Wil je me vertellen dat…'

'Ja, mijn vriend. Het machtigste voorwerp uit de geschiedenis bevindt zich aan de andere kant van de betekenis van deze karakters. Met alle problemen die dat met zich meebrengt.'

'Lieve hemel. Moet dat juist nu opduiken?'

'Ik ben blij dat je het eindelijk begrijpt, Anthony,' interrumpeerde Cirin. 'Hiermee vergeleken zijn de relikwieën die onze vriend in deze ruimte verzamelt, kruimelwerk.'

'Wie heeft je op het spoor gezet, Camilo? En waarom hebben jullie nu pas, na al die jaren, naar dokter Graus gezocht?' vroeg frater Cesáreo.

'De informatie is afkomstig van een weldoener van de Kerk, de heer Kayn. Een weldoener met een ander geloof en een groot filantroop. Hij had ons nodig om Graus te traceren en bood aan een archeologische expeditie te financieren als we de hand zouden weten te leggen op de kaars.'

'Waar?'

'De positie is nog niet bekend, maar wel de zone: Al Mudawarrah, Jordanië.'

'Oké, dan hoeven we ons geen zorgen te maken,' viel Fowler hem in de rede. 'Weet je wat er gebeurt als dit ook maar voor een fractie uitlekt? Dan is er geen lid van de expeditie dat lang genoeg leeft om ook maar één kiezeltje op te graven.'

'Laten we hopen dat je je vergist. We sturen namelijk iemand mee om de boel in te gaten te houden: jou.'

Fowler schudde zijn hoofd.

'Nee.'

'Je kent de consequenties. Onze hand reikt ver.'

'Het blijft nee.'

'Je kunt niet weigeren.'

'Moet je opletten,' zei de priester en hij liep met grote passen in de richting van de deur.

'Anthony, jongen…' De stem van Cirin vergezelde hem op zijn weg naar de uitgang. 'Ik wil je niets opleggen of verbieden. De beslissing om te gaan of niet is geheel aan jou. Gelukkig heb ik door de jaren heen geleerd hoe ik het beste met je kan omgaan. Op zoek naar een creatieve oplossing herinnerde ik me plotseling dat er iets is waar je meer waarde aan hecht dan aan je vrijheid.'

Fowler hield zijn pas in, zonder om te kijken.

'Wat heb je gedaan, Camilo?'

Cirin zette een aantal stappen in zijn richting. Hij had er een hekel aan om zijn stem te verheffen.

'Ik heb Mr. Kayn de naam aan de hand gedaan van degene die deze expeditie het beste kan vastleggen. Ze blinkt niet uit als journaliste. Ze is niet al te mooi, niet al te slim en al te veel scrupules heeft ze ook niet. In feite is het enige wat haar interessant maakt het feit dat jij haar het leven hebt gered. Hoe noemen ze dat ook alweer… een schuld voor het leven? Hoe dan ook, het betekent dat ik er heel zeker van ben dat je je ditmaal niet verstopt in een gaarkeuken. Niet als je weet dat zij in gevaar verkeert.'

Fowler draaide zich niet om. Bij elk woord van Cirin had hij zijn hand verder samengeknepen, tot zijn nagels praktisch in zijn gebalde vuist stonden. Die pijn was echter niet voldoende. Hij sloeg zijn vuist tegen een van de nissen. De houten deur die er al honderden jaren zat versplinterde met een krakend geluid die door de crypte echode. Een van de botten uit de geschonden nis rolde over de vloer.

'De knieschijf van de heilige Soutinho. Die arme man is zijn hele leven mank geweest,' zuchtte frater Cesáreo en hij bukte zich om de relikwie op te rapen.

Fowler draaide zich gelaten om.

Fragment uit *Raymond Kayn, niet-geautoriseerde biografie*
door James Graham

(...) Velen onder u zullen zich afvragen: hoe kan het bestaan dat een naamloze Jood die als kind van de liefdadigheid leefde zo'n enorm imperium heeft weten te creëren? Ik heb eerder in dit boek al aangegeven dat Kayn vóór december 1943 eenvoudigweg niet bestond. Hij komt in geen enkel geboorteregister voor en er is geen document te vinden dat aantoont dat hij Amerikaans staatsburger is. Toch woont hij hier sinds 1943 en geniet hij alle voordelen van het Amerikaans staatsburgerschap (...)

De bekendste periode van zijn leven begint met zijn toelating tot het Massachusetts Institute of Technology en zijn groeiende verzameling patenten. Terwijl de Verenigde Staten zich met hart en ziel in de glorieuze jaren zestig stortten, bracht hij vernieuwingen teweeg op het terrein van de elektronische printplaat. Vijf jaar later had hij zijn eigen bedrijf. Tien jaar later was half Silicon Valley van hem.

Dat alles hebt u echter al gelezen in *Time Magazine*, evenals het leed dat hem als vader en echtgenoot is overkomen (...) Wellicht is het niet zijn onzichtbaarheid die de doorsneelandgenoot zo intrigeert, dat gebrek aan transparantie dat iemand met zoveel macht tot een onrustbarend enigma maakt voor Jan met de pet. Vroeg of laat zal Kayn die halo van geheimzinnigheid rond zijn persoon moeten laten varen...

... *vroeg of laat zal Kayn die halo van geheimzinnigheid rond zijn persoon moeten laten varen...*
Andrea glimlachte tevreden en wierp de biografie van de magnaat overboord. De op sensatie beluste rommel irriteerde haar al toen ze over de Sahara naar Djibouti vloog.

Tijdens de vlucht had Andrea alle tijd gehad om iets te doen wat ze zelden deed: over zichzelf nadenken. En ze was erachter gekomen dat ze zichzelf niet mocht.
Als het jongste zusje van vijf broers was Andrea beschermd opgegroeid. Zeer beschermd en dan ook nog eens heel banaal. Haar vader was de baas, haar moeder bestierde het huishouden. Ze woonden in een volkswijk, aten vaker macaroni dan haar lief was en elke zondag kip. Madrid is prachtig, maar voor Andrea stond de bruisende stad in schril contrast met haar burgerlijke achtergrond. Op haar veertiende zwoer ze dat ze zodra ze achttien was de deur achter zich dicht zou trekken om nooit meer terug te keren.
Maar ja, die ruzies met je vader over je geaardheid hebben het afscheid ietwat versneld, hè lieverd?
Ze had een lange weg afgelegd sinds de dag dat ze het huis uit was gegaan...
ze hebben je eruit gesmeten
... en haar eerste echte baan kreeg, als ze de baantjes die ze had aangenomen om haar studie journalistiek te betalen niet meetelde. De dag dat ze het kantoor van *El Globo* binnenstapte had ze het gevoel dat ze de loterij had gewonnen, maar daarna was het bergafwaarts gegaan. Ze stuiterde van de ene afdeling van de krant naar de andere en zakte steeds verder af, waarbij ze zowel haar toekomstperspectieven als dè controle over haar privéleven kwijtraakte. Uiteindelijk was ze op de afdeling Buitenland beland, haar laatste post voordat ze ontslag nam...
ze hebben je eruit gesmeten
... om dit bizarre avontuur aan te gaan.
Mijn laatste kans. Gezien de huidige markt in de journalistiek wordt mijn volgende post caissière bij de supermarkt. Er is verdomme echt iets mis met mij. Ik kan nooit iets normaal doen. Zelfs Eva, die het toonbeeld van kalmte is, werd knettergek van me. De dag dat zij vertrok... wat zei ze ook alweer tegen me... ongeleid projectiel, kouwe kikker... ik geloof dat 'onvolwassen' nog het aardigste was wat ze

zei. Het zal allemaal wel waar zijn, want ze zei het in alle rust, ze schreeuwde niet eens. Jezus, zo ben ik in mijn werk natuurlijk ook. Ik mag wel uitkijken dat ik het nu niet verpest.

Andrea zette al die gedachten uit haar hoofd en draaide het geluid van haar iPod op de hoogste stand. De warme stem van Chris Martin nam haar onrust weg. Ze was achterover in haar stoel gaan leunen, in de hoop dat ze snel zouden landen.

Eersteklas reizen had zo zijn voordelen en het mooiste was dat je als eerste het vliegtuig uit mocht. Op de landingsbaan stond een jonge, knappe, zwarte chauffeur haar op te wachten met een gammele jeep.

Tjonge jonge, we hoeven niet langs de douane. Die Russell heeft het goed voor elkaar, bedacht Andrea terwijl ze de vliegtuigtrap afdaalde.

'Is dat alles?' vroeg de chauffeur in het Engels. Hij wees op Andrea's weekendkoffertje en haar zwarte rugzak.

'Dat is alles, ja. We gaan toch de woestijn in? Rij nou maar.'

Ze kende die blik van de chauffeur. Ze was eraan gewend dat ze haar meteen in een hokje plaatsten. Jong, blond en dom. Andrea was er nog steeds niet achter of haar onverantwoordelijke gedrag wat kleding en geld betreft een poging was om zich achter die misvatting te verschuilen of puur een kwestie van haar eigen triviale karakter. Wellicht was het een beetje van allebei. Maar voor deze reis, als symbool van haar nieuwe ik, had ze haar bagage tot het minimum beperkt.

Tijdens de rit van acht kilometer met de jeep naar het schip nam Andrea foto's met haar Canon 5D (het was niet echt háár Canon 5D. Het was de Canon 5D van de krant, die ze had *vergeten* terug te geven. Net goed, stelletje hufters), onthutst over de extreme armoede van het land. Dor, droog en vol stenen. Zelfs de hoofdstad had je in twee uur van voor tot achter gezien. Er was geen industrie, geen landbouw, geen infrastructuur. Het stof van de wielen van de terreinwagen bleef kleven aan de gezichten van de mensen die hen nakeken, gezichten zonder hoop.

'Het is slecht verdeeld in de wereld, als mensen als Bill Gates en Raymond Kayn in een maand meer verdienen dan het jaarlijkse BNP van een land als dit.'

De chauffeur haalde slechts zijn schouders op. Ze waren al bij de haven aangekomen, het modernste gedeelte van de stad, goed onderhouden en zo'n beetje de enige bron van inkomsten. Zo profiteerde Djibouti van zijn centrale ligging in de hoorn van Afrika.

De jeep kwam met piepende remmen tot stilstand. Andrea moest haar nek uitsteken om het goed te zien en haar mond zakte open van verbazing. De *Behemot* was niet het afschuwelijke vrachtschip dat ze had verwacht. Het was een schitterend fregat met een roodgeschilderde romp en een helderwitte opbouw, de kleuren van Kayn Industries. Zonder op de hulp van de chauffeur te wachten greep ze haar spullen bij elkaar en holde bijna de loopplank op; ze kon niet wachten om aan dit avontuur te beginnen.

Een halfuur later voer het schip uit. Een uur later sloot Andrea zich op in haar hut, vastbesloten om niemand te laten merken dat ze zo ziek was als een hond.

Na twee dagen waarin ze uitsluitend vocht binnen had gehouden, vond haar binnenoor kennelijk dat ze genoeg rust had gekregen en raapte ze zichzelf voldoende bij elkaar om naar buiten te gaan voor wat frisse lucht en om het schip te verkennen. Maar eerst wierp ze de *niet-geautoriseerde biografie van Raymond Kayn* met een grote zwaai overboord.

'Dat had u nou niet moeten doen.'

Andrea draaide zich om. Over het middendek kwam een donkere, aantrekkelijke vrouw haar richting uit. Ze droeg een spijkerbroek en een bloesje met een witte doktersjas eroverheen.

'Ik weet het, het is slecht voor het milieu. Maar probeer eens drie dagen opgesloten te zitten in je hut met zo'n rotboek.'

'Het was beter geweest als u de deur had opengedaan voor iets meer dan af en toe wat water van de bemanning. Ik heb begrepen dat u mijn diensten hebt afgeslagen.'

Andrea tuurde beschaamd naar het boek, dat inmiddels een heel eind wegdreef. Ze hield er niet van dat anderen zagen dat ze ziek was. Ze had er een hekel aan om zich kwetsbaar te voelen.

'Het ging best.'

'Ja, hoor. Maar met een halve ton Dramamine was het vast een stuk beter gegaan.'

'Alleen als u me dood wilt hebben, dokter...'

'Harel. Bent u allergisch voor dimenhydrinaat, juffrouw Otero?'

'Voor dat en nog veel meer, ja. Noemt u me alstublieft Andrea.'

Dokter Harel trok met een glimlach rimpels in haar gezicht, met het vreemde effect dat ze haar gezicht verzachtten. Ze had prachtige amandelogen, zowel wat de vorm als de kleur betreft, en donker, krullerig haar. Ze was vijf centimeter langer dan Andrea.

'Noem mij maar dokter Harel.' Ze stak haar hand uit.

Andrea keek naar de uitgestoken hand, maar pakte hem niet aan.

'Ik hou niet van snobs.'

'Ik ook niet. Ik noem mijn voornaam niet, omdat ik die niet heb. Mijn vrienden noemen me Doc.'

De journaliste stak haar hand uit. Haar handdruk was warm en zacht.

'Dat zal het ijs op elk feestje wel breken, Doc.'

'Je hebt geen idee. Het is altijd het eerste gesprek dat ik voer met iedereen die ik leer kennen. Loop een eindje met me mee, dan zal ik het je vertellen.'

Ze liepen naar de boeg. De wind was warm en liet de Amerikaanse vlag waaronder het schip voer wapperen.

'Ik ben geboren in Tel Aviv, vlak na de Zesdaagse Oorlog,' vervolgde Harel haar verhaal. 'Vier leden van ons gezin waren tijdens het conflict omgekomen en de rabbijn interpreteerde dat als een slecht voorteken. Daarom hebben mijn ouders me geen naam gegeven, om de Engel des Doods om de tuin te leiden. Alleen zij wisten hoe ik heette.'

'Werkt dat?'

'Voornamen zijn heel belangrijk voor ons, het Joodse volk. De naam bepaalt het karakter van een persoon en heeft macht over hem of haar. Mijn vader heeft mijn naam heel zachtjes in mijn oor gefluisterd toen ik mijn bat mitswa[1] deed, terwijl alle aanwezigen luidkeels zongen. Ik mag hem tegen niemand zeggen.'

'Omdat je anders gevonden wordt door de Engel des Doods? Sorry hoor, maar dat slaat echt nergens op. Voor zover ik weet werkt magere Hein niet met de Gouden Gids.'

Harel lachte smakelijk.

'Die reactie hoor ik wel vaker. Ik moet zeggen dat ik het altijd verfrissend vind. Hoe dan ook, mijn naam hou ik geheim.'

Andrea glimlachte, aangenaam getroffen door de spontaniteit van deze vrouw. Ze bleef haar in de ogen kijken, misschien net iets langer dan noodzakelijk of beleefd was. Harel keek weg, verlegen onder de onderzoekende blik.

'Wat doet een arts zonder naam aan boord van de *Behemot*?'

'Ik moest op het laatste moment voor iemand invallen. Ze hadden een arts nodig voor de expeditie. We zijn tenslotte met zeventig man aan boord van dit schip, hoewel de helft daarvan deel uitmaakt van de bemanning.'

Ze waren bij de voorsteven aanbeland. Het schip gleed onder een blinkende middagzon in volle snelheid over het water. Andrea keek om zich heen.

'Zonder het centrifuge-effect op mijn ingewanden is het een prachtig schip.'

'*Hoe krachtig zijn zijn lendenen, hoe machtig de spieren van zijn buik! Zijn botten zijn staven van brons, zijn ribben stangen van ijzer,*' citeerde de arts met overdreven stem.

'Wat nu, hebben we een dichteres onder de bemanning?' lachte Andrea.

'Nee, meid. Dat staat in het boek Job. Het gaat over het reusachtige dier *Behemoth*, de broer van Leviathan.'

'Geen slechte naam voor een schip.'

'Dit was vroeger een Deens oorlogsfregat uit de Hvidbjørnenklasse.' Ze wees op een gedeelte van het dek waar een ijzeren plaat van drie vierkante meter zat gesoldeerd, alsof hij opgelapt was. 'Daar zat het kanon. Kayn Industries heeft het schip vier jaar geleden geheel onttakeld op een veiling gekocht, voor tien miljoen dollar. Een koopje.'

'Ik had er nooit meer dan negenenhalf miljoen voor betaald.'

---

1 Een ceremonie waarbij gevierd wordt dat een Joods kind religieus volwassen wordt en in de synagoge een fragment voorleest uit de Thora. Het is van even groot belang als de Eerste Communie voor katholieke kinderen, hoewel de ceremonie en de betekenis meer te vergelijken zijn met het Heilig Vormsel. Jongens vieren hun *bar mitswa*, meisjes hun *bat mitswa*.

'Neem je toevlucht maar tot sarcasme, Andrea, maar deze schoonheid is tachtig meter lang, uitgerust met een eigen heliport en heeft een capaciteit van 13.000 kilometer op vijftien knopen. Hij kan van Cádiz naar New York en terug zonder te hoeven tanken.'

De kiel sneed door een hoge golf en het schip begon licht te slingeren. Andrea wankelde en viel bijna over de reling, die bij de voorsteven nauwelijks een halve meter hoog was. De arts greep haar stevig bij haar bloes.

'Kijk uit! Als je bij deze snelheid overboord gaat en het geluk hebt dat je niet door de schroef uiteengereten wordt, verdrink je voordat we het schip hebben gekeerd.'

De journaliste wilde haar net bedanken toen haar iets opviel aan de horizon.

'Wat is dat?'

Harel kneep haar ogen tot spleetjes, legde haar hand boven haar ogen en keek in de richting van Andrea's wijsvinger. Ze zag niets. Na vijf seconden ontwaarde ze een puntje in de verte.

'Oké, nu zijn we compleet. Daar hebben we de grote baas.'

'Wie dan?'

'Hebben ze je dat niet verteld? Mr. Kayn houdt in eigen persoon toezicht op de expeditie.'

Andrea keek haar met open mond aan.

'Je lult uit je nek.'

Harel schudde ontkennend het hoofd.

'Ik heb hem ook nog nooit gezien.'

'Ze hebben me een interview met hem beloofd, maar ik dacht dat ik dat pas zou krijgen aan het eind van deze mallotige onderneming.'

'Geloof je niet in het succes van de expeditie?'

'Laat ik het anders formuleren: ik geloof niet in het einddoel ervan. Mr. Russell heeft me aangenomen met de belofte dat we een belangrijke relikwie gingen opgraven, iets wat duizenden jaren zoek is geweest. Hij wilde niet zeggen waar het om ging.'

'Dat is voor iedereen nog geheim. Kijk, daar heb je hem.'

Het toestel was nog maar een kilometer of vier van hen af en Andrea kon het nu beter zien.

'Kijk nou! Het is helemaal geen helikopter!'

'Je meent het! Een helikopter kan toch niet zo'n enorme afstand overbruggen, van Athene naar de Golf van Akaba? Dat is meer dan 1400 kilometer.'

'Ik dacht dat we in de Golf van Aden waren.'

'We zijn in de eerste nacht nadat we uit Djibouti vertrokken langs Mekka gekomen en een paar uur geleden de Golf van Akaba binnengevaren. Het is jammer dat je dat moment hebt gemist.'

Andrea keek nadenkend naar het toestel. Ze hoorde het gebrul van de motor en uit de luiken van het middendek kwamen in het wit geklede matrozen tevoorschijn die zich opstelden aan bakboord. Het schip had geleidelijk aan vaart geminderd.

'Hoor eens, Doc, dat is toch een vliegtuig!' De journaliste moest schreeuwen, want het lawaai van de motoren van het luchtschip en het gejuich van de matrozen toen het een ererondje maakte over het schip waren oorverdovend.
'Nee, het is geen vliegtuig. Kijk maar eens goed.'
Ze draaiden zich om. Het vliegtuigje of wat het ook was droeg de kleuren en het logo van Kayn Industries. Het werd aangedreven door twee propellers, die er anders uitzagen en groter waren dan die van een helikopter. Voor de verbaasde ogen van de jonge vrouw begonnen de propellers en de motoren boven de as van de vleugel te draaien; het vliegtuig stopte met rondcirkelen en bleef boven de *Behemot* doodstil in de lucht hangen. De propellers hadden hun draai van negentig graden voltooid en hielden het toestel nu in de lucht, net als een helikopter, waarbij ze concentrische cirkels tekenden in het zeewater.
'Nou heb ik verdomme mijn camera in de hut laten liggen!' vloekte Andrea.
'Niet te geloven, hè? Het is de BA-609 TiltRotor. De eerste in zijn soort en dit is zijn maidenvlucht. Hij schijnt ontworpen te zijn naar een idee van Mr. Kayn zelf.'
'Alles om die man heen is indrukwekkend, geloof ik. Ik ga maar eens kennismaken.'
'Nee, Andrea! Blijf hier!'
De arts probeerde Andrea tegen te houden, maar ze verdween in de chaos van matrozen die zich over de reling bogen, ditmaal aan stuurboord. Ze ging het middendek op, dat door smalle gangen onder de opbouw verbonden was met het achterdek, waar het toestel op dat moment zijn landing maakte. Aan het einde van de gang stuitte ze op een deur die geblokkeerd werd door een blonde matroos van één meter negentig.
'Verboden toegang, mevrouw.'
'Pardon?'
'U kunt het vliegtuig bewonderen zodra de heer Kayn in zijn hut is.'
'O ja? Stel dat ik de heer Kayn wil bewonderen?'
'Ik heb orders gekregen om niemand toe te laten tot de achtersteven. Sorry.'
Andrea maakte zonder commentaar rechtsomkeert. 'Nee' was voor haar geen antwoord en ze was vastbesloten de beveiliging om de tuin te leiden.
Ze ging een van de rechts gelegen toegangsluiken door en kwam in een openbare zone van het schip terecht. Ze moest opschieten als ze Kayn nog wilde zien voordat ze hem benedendeks hadden gebracht. Ze kon proberen een niveau af te dalen om hem in de gang op te wachten, maar de toegang tot het dek hieronder zou ook wel bewaakt worden. Ze probeerde verscheidene deuren, totdat ze er eentje vond die niet afgesloten was. Het was een soort recreatieruimte, met een bank en een veelgebruikte biljarttafel. Achterin zat een patrijspoort die openstond. Hij keek uit op de achtersteven.
Et voilà.
Andrea zette een van haar voeten op de bank en de andere op het biljart. Ze stak eerst haar beide armen en vervolgens haar hoofd door de patrijspoort en slaagde erin zich erdoorheen te wurmen. Nog geen drie meter voor haar stond

een matroos met een veiligheidsvest en oorbeschermers aanwijzingen te geven aan de piloot van de BA-609, waarvan de wielen zojuist knersend het landingsplatform raakten. Ze trok instinctief haar hoofd in, hoewel ze zichzelf tientallen malen heilig had voorgenomen dat nooit te doen als ze ooit onder een helikopter zou lopen; in elke film die ze zag deden ze dat, ook al staken die rotoren minstens twee meter boven iedereen uit.

Als je het in het echt meemaakt, is het toch weer anders.

Het portier van de BA-609 schoof langzaam open.

Andrea voelde achter zich iets bewegen. Ze wilde zich net omdraaien toen ze op de grond werd getrokken, met haar wang stevig tegen het dek gedrukt. Ze voelde de warmte van het metaal tegen haar huid, terwijl er iemand op haar rug ging zitten. Ze wrong zich in allerlei bochten, maar kwam niet los. Met ingehouden adem probeerde ze toch nog een glimp op te vangen van het vliegtuig. Ze zag iemand uitstappen, een jonge, donkere vent met een bril, gekleed in een sportief jasje. Hij werd gevolgd door een kolos die zo te zien minstens honderd kilo woog. Hij keek Andrea recht aan, maar ze bespeurde geen enkele uitdrukking in zijn bruine ogen. Er liep een enorm litteken over zijn gezicht, van zijn linkerwenkbrauw tot aan zijn kin. En eindelijk stapte er een klein, mager mannetje uit, geheel in het wit gekleed. De druk op haar hoofd werd groter. Ze kon de laatste passagier amper bekijken, want hij schoot als een bliksemschicht door haar beperkte blikveld, dat niet meer besloeg dan een piepklein stukje van het dek, waarover de rotoren steeds langzamer hun schaduwen wierpen.

'Wil je me nu loslaten, ja? Die paranoïde halvegare is vertrokken en zit al lang en breed in zijn hut, verdomme. Ga onmiddellijk van mijn rug af, klootzak!'

'Mr. Kayn is niet gek en ook niet paranoïde. Hij lijdt aan pleinvrees,' antwoordde haar kwelgeest in het Spaans.

Dat was niet de stem van die matroos. Ze kende die keurige, zangerige en serieuze stem, hij klonk precies als Ed Harris. Toen de druk op haar rug verdwenen was, schoot Andrea overeind.

'Wat doet u nou hier?'

Voor haar stond pater Anthony Fowler.

De langste van de twee was tevens de jongste. Daarom was hij altijd degene die koffie en iets te eten moest halen, als blijk van respect. Hij heette Nazim en was negentien jaar oud. Hij zat sinds vijftien maanden in de groep van Kharouf en was zielsgelukkig. Zijn leven had zin gekregen, een doel.
Nazim keek huizenhoog tegen Kharouf op. Ze hadden elkaar vijftien maanden geleden leren kennen achter de moskee van Clive Cove, New Jersey. Een plek waar, zoals Nazim nu maar al te goed wist, vooral verwesterde moslims kwamen. Kharouf noemde ze liever *afvalligen*. Nazim speelde graag basketbal op een veldje achter de moskee en daar had zijn nieuwe vriend, die twintig jaar ouder was dan hij, hem aangesproken. Nazim had zich gevleid gevoeld dat iemand die zoveel ouder was en ook nog had gestudeerd met hem wilde praten.
Hij opende het portier van de auto en wurmde zich in de passagiersstoel. Dat is nog niet zo makkelijk als je één meter negentig lang bent.
'Ik kon alleen een Burger King vinden. Ik heb salades en hamburgers meegenomen.'
Hij gaf de papieren zak aan Kharouf, die hem glimlachend aannam.
'Bedankt, Nazim. Niet boos worden, hoor.'
'Hoezo?'
Kharouf haalde de hamburgers uit de zak en smeet ze het raampje uit.
'Bij Burger King stoppen ze lecithine in de hamburgers en er kunnen restjes varkensvlees in zitten. Dat is niet *halal*[1]. Sorry. De salades zijn oké.'
Nazim was een beetje teleurgesteld, maar voelde zich tegelijkertijd getroost. Kharouf was zijn mentor. Als hij een fout maakte, verbeterde Kharouf hem met respect en een glimlach. Heel anders dan zijn ouders, die alleen nog maar tegen hem schreeuwden sinds hij Kharouf had leren kennen en samen met hem naar een andere moskee was gegaan, die kleiner en 'meer betrokken' was.
In de nieuwe moskee las de imam niet alleen in het Arabisch uit de heilige Koran, maar preekte hij ook in die taal. Hoewel hij in New Jersey was geboren en getogen, beheerste Nazim de taal van de profeet perfect in woord en geschrift. Zijn familie kwam oorspronkelijk uit Egypte.

---

1 Rein; in dit geval voedsel dat door de islamitische wet wordt toegestaan.

Onder de hypnotiserende klanken van de preek begon Nazim langzaam maar zeker het licht te zien. Hij brak geheel met het leven dat hij tot dan toe had geleid. Hij had altijd goede cijfers gehaald en was van plan geweest bouwkunde te studeren, maar Kharouf had een goede baan voor hem gevonden bij het accountantskantoor van een goede gelovige.

Dat alles beviel zijn ouders niets, net zomin als ze begrepen waarom hun zoon zich opsloot in de badkamer om te bidden. Maar hoe pijnlijk de veranderingen ook waren, ze lieten hem zijn gang gaan. Tot dat akkefietje met Hana.

Zijn kritiek was steeds feller geworden. Op een avond kwam zijn zus Hana, die twee jaar ouder was dan hij, pas om twee uur 's nachts thuis van een avondje stappen met haar vriendinnen. Nazim wachtte haar op en gaf haar een standje over haar kleding en omdat ze een beetje aangeschoten was. Ze werd boos en het liep uit op een fikse ruzie, waarbij ze elkaar uitmaakten voor alles wat lelijk was. Totdat zijn vader tussenbeide kwam en Nazim hem had beledigd: 'U bent zwak. U weet uw vrouwen niet in het gareel te houden. U laat uw dochter werken. Ze mag autorijden en ze hoeft geen sluier te dragen. Ze hoort thuis te zitten wachten tot ze gaat trouwen.'

Hana protesteerde en Nazim gaf haar een klap in het gezicht. Dat was de druppel die de emmer voor zijn vader deed overlopen.

'Ik mag dan zwak zijn, maar ik ben nog altijd de baas in huis. Eruit. Ik ken je niet meer. Eruit!'

Nazim vertrok naar het huis van Kharouf met niets anders dan de kleren die hij droeg. Die nacht huilde hij een beetje, maar zijn tranen droogden snel. Hij had nu een nieuwe familie. Kharouf speelde de rol van vader en oudste broer tegelijk. Nazim keek enorm tegen hem op, want Kharouf was een echte jihadist. Hij was 39 jaar, had in trainingskampen in Afghanistan en Pakistan gezeten en bracht zijn kennis uitsluitend over op een select groepje jongeren die evenals Nazim zwaar leden onder de minachting waarmee ze werden bejegend. Op school wantrouwden ze hem en zelfs op straat keken ze hem vaak argwanend aan als ze zijn Arabische afkomst vermoedden vanwege zijn olijfkleurige huid of zijn scherpe neus. Kharouf had uitgelegd dat het kwam doordat ze bang waren, omdat de christenen wisten dat degenen die trouw waren aan de islam veel talrijker en machtiger waren. Dat stond Nazim wel aan. Het werd tijd om respect af te dwingen.

Kharouf draaide het raampje dicht.
'We doen het over zes minuten.'
Nazim keek hem ongerust aan. Zijn vriend merkte dat er iets aan schortte.
'Wat is er, Nazim?'
'Niets.'
'Het is altijd iets. Kom, je weet dat je me kunt vertrouwen.'
'Nee, er is echt niets.'
'Is het angst? Ben je bang?'
'Nee. Ik ben een soldaat van Allah.'

'Ook soldaten van Allah voelen angst, Nazim.'

'Ik niet, hoor.'

'Gaat het om het schieten?'

'Nee!'

'Je hebt geoefend in het slachthuis van mijn neef. Veertig uur lang. Volgens mij heb je meer dan veertig koeien doorzeefd.'

Kharouf was tevens een van de schietinstructeurs van Nazim geweest. Zijn leraar was echt in een jihad-trainingskamp in Pakistan geweest, iets waarmee hij het respect en de bewondering van veel broeders afdwong. Een van de oefeningen waaraan hij veel aandacht had besteed, was het schieten op vee, de ene keer levend, de andere keer dood, om Nazim te laten wennen aan het wapen en de impact van de kogel op het vlees.

'De oefeningen waren goed. Ik ben niet bang om op mensen te schieten. Ik bedoel, omdat het eigenlijk geen mensen zijn en zo.'

Kharouf gaf geen antwoord. Hij liet zijn handen op het stuur rusten en staarde afwachtend voor zich uit. Dat was de beste manier om te zorgen dat Nazim zijn hart zou luchten. De jongen kon niet tegen stilte; die wilde hij uiteindelijk altijd opvullen.

'Het is alleen... dat het me spijt dat ik geen afscheid heb genomen van mijn ouders,' zei Nazim na een tijdje.

'Ik begrijp het. Je voelt je schuldig om wat er is gebeurd, hè?'

'Een beetje wel. Is dat erg?'

Kharouf glimlachte en legde zijn hand op de schouder van de jongen.

'Nee. Je bent een lieve, gevoelige jongen, Nazim. Allah heeft je die goede eigenschappen gegeven, gezegend zij Zijn naam.'

'Gezegend zij Zijn naam.'

'Hij heeft je ook de kracht geschonken om deze eigenschappen te overwinnen als het nodig is. Nu draag je het zwaard van Allah en dien je Zijn doel. Daar mag je blij om zijn, Nazim.'

De jongen probeerde een glimlach te forceren, maar hij kwam niet verder dan een grimas. Kharouf verstevigde de druk op zijn schouder. Zijn stem klonk warm en vol begrip.

'Maak je geen zorgen, Nazim. Vandaag eist Allah niet ons bloed op, maar dat van anderen. Maar stel dat er iets gebeurt... je hebt toch een videoband opgenomen voor je familie?'

Nazim knikte.

'Dan hoef je je nergens zorgen om te maken. Het kan zijn dat je ouders ietwat verwesterd zijn, maar in de grond van hun hart zijn het goede moslims. Ze weten waar een martelaar mee wordt beloond. In het leven dat hierna komt verleent Allah je het privilege om voor hen te bemiddelen. Stel je voor hoe ze zich dan zullen voelen.'

De jongen stelde zich voor dat zijn ouders en zus voor hem zouden knielen om hem te bedanken voor hun verlossing, terwijl ze hem om vergeving vroegen voor hun dwalingen. In zijn troebele fantasie was dat het mooiste wat hem in

het paradijs kon overkomen. Het lukte hem eindelijk om te glimlachen.
'Dat is beter, Nazim. Je gezicht vertoont de *bassamat al farah*, de glimlach van de martelaar. Die hoort bij onze afspraak. Het is een deel van onze beloning.'
Nazim stak zijn hand onder zijn jack en greep de kolf van zijn wapen stevig vast.
Beheerst stapte hij na Kharouf uit de auto.

'Wat doet u hier?' vroeg Andrea nogmaals, eerder boos dan verbaasd.

Bij hun vorige ontmoeting kroop Andrea met gevaar voor haar leven op een schuin dak van zes meter hoog, achtervolgd door een onwaarschijnlijke agressor. Pater Anthony Fowler had haar die dag weliswaar het leven gered, maar haar tegelijkertijd dat Grote Verhaal afhandig gemaakt, de droomreportage van elke journalist. Het was Woodward en Bernstein gelukt, het was Lowell Bergman[1] gelukt en het zou Andrea Otero gelukt zijn als die priester geen roet in het eten had gestrooid. Oké, ze had een uitnodiging gekregen – *ik mag doodvallen als ik weet waarom,* bedacht Andrea – voor een exclusief interview met president Bush en dankzij dat interview zat ze nu op dit schip. Dat dacht ze tenminste. Maar dat verhaal was oud nieuws en het heden liet zich gelden. Andrea was niet van plan zich opnieuw een wereldkans door de neus te laten boren.

'Ik vind het ook leuk u weer te zien, juffrouw Otero. Wat fijn dat uw litteken zo goed geheeld is.'

De jonge vrouw wreef instinctief over haar voorhoofd, over de plek waar Fowler zestien maanden geleden vier hechtingen had aangebracht. Er was amper een dun, wit streepje te zien.

'U kunt goed hechten. Maar ik weet nog steeds niet wat u hier doet. Bespioneert u me soms? Komt u me weer dwarszitten?'

'Ik ben uitgenodigd om deel te nemen aan de expeditie als waarnemer van het Vaticaan. Niets bijzonders.'

De jonge vrouw nam de priester achterdochtig op. Vanwege de hitte combineerde hij zijn priesterboord met een overhemd met korte mouwen en een bandplooibroek, allebei gitzwart. Andrea kon voor het eerst een blik werpen op de bruine armen van de priester. Ze zagen er gespierd uit, met aderen zo dik als kabels.

Dat zijn niet de armen van een zwartrok.

'Waarom stuurt het Vaticaan een waarnemer naar een archeologische opgraving?'

---

1 Woodward en Bernstein legden het schandaal bloot van de illegale afluisterapparatuur tijdens de presidentsverkiezingen onder Richard Nixon, het zogenaamde Watergateschandaal. Lowell Bergman bracht belastend materiaal aan het licht over de Amerikaanse tabaksindustrie.

Voordat de priester antwoord kon geven, werden ze onderbroken door een opgewekte stem.

'Goed zo, jullie hebben al kennisgemaakt.'

Dokter Harel kwam de achtersteven op met een glimlach van oor tot oor. Andrea lachte niet terug.

'Zoiets, ja. Pater Fowler stond op het punt me uit te leggen waarom hij zich daarnet als de nieuwe Brett Favre opwierp.'

'Eigenlijk is Brett Favre een quarterback. Die tackelen niet,' bracht Fowler fijntjes naar voren.

'Wat is er gebeurd, pater?' vroeg Harel.

'Juffrouw Otero was de achtersteven op gekropen om Mr. Kayn uit het vliegtuig te zien stappen. Ik vrees dat ik haar op een enigszins onbeleefde manier heb tegengehouden. Het spijt me.'

Harel knikte.

'Ik snap het al. Ze heeft de vergadering over de beveiliging tenslotte niet bijgewoond. Het geeft niet, pater.'

'Hoezo, het geeft niet? Zijn jullie nou helemaal gek geworden?'

'Rustig nu maar, Andrea. Je bent de afgelopen twee dagen ziek geweest en daardoor ben je nergens van op de hoogte. Ik zal je in het kort uitleggen hoe het zit. Kijk, Raymond Kayn heeft pleinvrees.'

'Dat zei die vleugelverdediger hier ook al.'

'Pater Fowler is niet alleen priester, maar ook psycholoog. Wilt u me verbeteren als ik het niet helemaal goed uitleg, pater? Wat weet je van pleinvrees, Andrea?'

'Dat je dan bang bent voor open ruimtes.'

'Dat is een veelgehoorde misvatting. Mensen met pleinvrees of agorafobie lijden aan een paniekstoornis die veel ingewikkelder is dan dat.'

Fowler schraapte zijn keel.

'Personen die aan agorafobie lijden zijn vooral bang de controle te verliezen,' zei de priester. 'Ze zijn bang om alleen te zijn, bang om in situaties terecht te komen waaruit ze niet kunnen ontsnappen en bang om nieuwe mensen te ontmoeten. Daarom gaan ze dit soort situaties het liefst uit de weg en sluiten ze zich soms gedurende lange periodes in huis op.'

'Wat gebeurt er als ze ergens de controle over verliezen?'

'Dat is deels afhankelijk van de mate waarin de aandoening gevorderd is. Mr. Kayn lijdt aan een ernstige vorm van agorafobie, dus ik ga ervan uit dat hij in zo'n geval geplaagd wordt door paniekaanvallen, alle gevoel voor werkelijkheid verliest en last krijgt van trillingen, duizelingen en hartkloppingen.'

'Jeetje, een baantje op de beurs is dus niet voor hem weggelegd?'

'Neurochirurg kan hij ook beter niet worden,' grapte Harel. 'Maar ze kunnen een normaal leven leiden. Er zijn beroemde gevallen bekend, zoals Kim Basinger en Woody Allen, die decennialang tegen agorafobie hebben gestreden en als winnaars uit de strijd zijn gekomen. Mr. Kayn is met niets begonnen en heeft een imperium gesticht. De afgelopen vijf jaar is zijn ziekte echter verergerd.'

'Ik vraag me af wat er zo verdomd belangrijk kan zijn dat een zieke man het risico neemt om uit zijn beschermde holletje te kruipen.'

'Daarmee leg je de vinger op de zere plek, Andrea,' zei Harel. Het viel Andrea op dat de arts haar op een vreemde manier aankeek.

Er viel een korte stilte, tot Fowler het gesprek weer oppakte.

'Ik hoop dat u me wilt vergeven dat ik u zo stevig heb aangepakt.'

'Ik weet het nog niet... U brak mijn nek zowat!' Andrea wreef met een pijnlijk gezicht over haar nek.

Fowler keek Harel aan, die instemmend knikte.

'Juffrouw Otero... Hebt u de heren die uit de BA-609 zijn gestapt kunnen zien?'

'Ik heb een jonge, donkere vent gezien met een bril op. Een leuke man om te zien. Een andere gozer van een jaar of vijftig, helemaal in het zwart gekleed en met een enorm litteken op zijn gezicht. En een magere man met wit haar, die volgens mij Mr. Kayn moet zijn.'

'De jongeman met de bril is de directiesecretaris van Mr. Kayn, Jacob Russell. De man met het litteken heet Mogens Dekker, hij is hoofd beveiliging van Kayn Industries. Als u Kayn benaderd zou hebben met uw... gebruikelijke enthousiasme, was hij enorm van slag geraakt. En geloof me, daar zit u niet op te wachten.'

Er klonk een sirene over het schip die van achtersteven tot boeg te horen moest zijn.

'Tijd voor de kennismakingssessie,' zei Harel. 'Dan zullen we eindelijk iets meer horen over het grote mysterie. Gaan jullie mee?'

'Waar gaan we naartoe?' vroeg Andrea, terwijl ze achter de arts aan drentelde.

Ze keerden terug naar het middendek en gingen dezelfde gang in waar de journaliste enkele minuten geleden doorheen geglipt was.

'Alle deelnemers van de expeditie zijn uitgenodigd voor een kennismakingssessie. Ze gaan ons vertellen wat iedereen doet en hopelijk ook... wat we precies zoeken in Jordanië.'

'Dokter Harel, wat is jouw specialisatie eigenlijk?' vroeg Andrea, terwijl ze de vergaderzaal binnenliepen.

'Oorlogsgeneeskunde,' antwoordde Harel nonchalant.

ONDERDUIKADRES VAN HET GEZIN COHEN
Wenen

Februari 1943

Jora Meyer maakte zich zo ongerust dat ze er misselijk van werd. Ze had zo'n bittere smaak achter in haar keel dat ze bijna moest overgeven. Dat had ze al veertien jaar niet meer gehad, niet sinds haar vlucht voor de pogroms in Odessa, Oekraïne, in 1906, arm in arm met haar grootvader. Ze had geluk gehad. Ze was al jong als dienstmeisje aangenomen door de Cohens, een Weense fabrikantenfamilie. Josef was de oudste zoon. Toen de shadchan, *de koppelaarster, een goede Joodse vrouw voor hem had gevonden, ging Jora met hem mee als kindermeisje. Ze kon de eerstgeborene, Elan, de eerste jaren van zijn leven vertroetelen en verwennen. De kleine Yudel daarentegen...*
Het jongetje lag in elkaar gekropen op zijn geïmproviseerde bed van twee dekens op de vloer. Tot gisteren aan toe had hij er samen met zijn broer in gelegen. De kleine Yudel bood een droevige aanblik zoals hij lag. Zonder zijn ouders leek de verstikkende ruimte enorm groot.
Arme Yudel. Deze vier vierkante meter was praktisch sinds zijn geboorte zijn complete universum geweest. De avond waarop hij ter wereld kwam was de hele familie inclusief Jora in het ziekenhuis geweest. Niemand keerde terug naar het luxueuze appartement in de Rienstrasse. Het was 9 november 1938, de dag die weken later de wereld in zou gaan als de Kristallnacht, *de nacht waarin de ruiten sneuvelden. De grootouders van Yudel behoorden tot de eerste slachtoffers. Het pand aan de Rienstrasse brandde samen met de belendende synagoge tot de grond toe af, terwijl de brandweer er lachend bij stond te drinken.*
De Cohens bezaten niets anders meer dan de kleren die ze aanhadden en een geheimzinnig pakje waarmee Yudels vader een ceremonie had uitgevoerd toen de kleine geboren was. Jora wist niet wat de ceremonie inhield, omdat hij erop had gestaan dat zij allen de ziekenhuiskamer verlieten, zelfs Odile, die amper op haar benen kon staan.
Berooid als hij was durfde Josef Cohen het land niet uit. Hij geloofde, zoals zovelen in die tijd, dat de storm wel zou overwaaien en zocht zolang onderdak voor zijn dierbaren in het huis van bevriende katholieke Oostenrijkers. Hij vergat Jora niet, iets wat de oude juffrouw Meyer op haar beurt nooit zou vergeten. Slechts weinig vriendschappen houden stand onder zulke gruwelijke omstandigheden als in het bezette Oostenrijk. Eén vriendschap deed dat echter wel. De bejaarde rechter Rath besloot hen te helpen, al moest hij het met zijn leven bekopen. Hij bouwde eigenhandig een bakstenen muur in een van de ruime kamers van zijn huis, zodat er een schuilplaats ontstond, met een nauwe uitsparing als ingang. Daar zette hij een boekenkastje voor.

Op een nacht in december 1939 gingen ze levend die grafkelder binnen, in de veronderstelling dat de oorlog niet langer dan enkele weken zou duren. Hun enige bezittingen waren een olielamp en een emmer. Elke nacht om één uur precies kregen ze voedsel en konden ze wat frisse lucht happen, twee uur nadat het dienstmeisje van de rechter naar huis was gegaan. Zo rond halfeen 's nachts begon de rechter langzaam de boekenkast weg te slepen. Gezien zijn leeftijd duurde het bijna een halfuur voordat hij hem voldoende opzij had geschoven en ze er allemaal uit konden.

Ook rechter Rath was een gevangene in zijn eigen huis. Hij wist dat de echtgenoot van het dienstmeisje lid was van de nazipartij. Hij had haar enkele dagen op vakantie naar Salzburg moeten sturen om de schuilplaats te bouwen en haar bij haar terugkeer op de mouw gespeld dat ze de gasleidingen hadden omgelegd. Hij durfde haar niet te ontslaan, want dat zou tot geruchten kunnen leiden. Hij kon het ook niet riskeren om grote hoeveelheden voedsel in te slaan, en sinds het voedsel op de bon was werd het steeds moeilijker om vijf extra monden te voeden. Jora had medelijden met hem, want hij had alles verkocht wat van waarde was om op de zwarte markt vlees en aardappels te kunnen kopen, die hij verstopte in een berghok in het gebouw. 's Nachts, als iedereen op zijn sokken naar buiten kwam als bizarre, fluisterende spoken, ging hij dat voedsel voor hen halen.

De Cohens durfden slechts een paar uur buiten hun schuilplaats te blijven. Jora waste de kinderen en zorgde dat ze wat beweging kregen, terwijl Josef en Odile zachtjes met de rechter spraken. Gedurende de dag spraken ze geen woord en hielden ze zich muisstil. Ze brachten de tijd meestal slapend of in een staat van halfslaap door, wat een ware kwelling betekende voor Jora, totdat de berichten over de kampen Treblinka, Dachau en Auschwitz hen bereikten.

Zelfs de simpelste handelingen van het leven veranderden in uiterst gecompliceerde operaties. De lichamelijke behoeften, drinken en zelfs het verschonen van de luiers van de kleine Yudel werden langdurige, ingewikkelde processen in dat hol, voorafgegaan door allerlei gebaren en mimiek. Jora bleef zich verbazen over het uitdrukkingsvermogen van Odile, die een ingewikkeld systeem had ontwikkeld van tekens die ze voor het overgrote deel gebruikte voor lange en bittere discussies met haar man.

Er ging drie jaar in stilte voorbij, waarin Yudel niet meer dan vier of vijf woorden leerde spreken. Het was een geluk dat hij rustig van aard was. Als baby huilde hij nauwelijks en hij voelde zich prettiger in de armen van Jora dan in die van zijn moeder, iets wat Odile niet leek te deren. Zij had uitsluitend aandacht voor Elan, die het meest onder de opsluiting leed. Hij was een druk en verwend jongetje van vijf jaar toen de pogroms van 1938 uitbraken. Na ruim duizend dagen in deze cel stonden zijn ogen verloren en verbijsterd. Elke nacht wilde hij pas als laatste de schuilplaats weer in en de laatste tijd weigerde hij zelfs terug te gaan en klemde hij zich vast aan de ingang. Als dat gebeurde ging Yudel naar hem toe en pakte hem bij de hand, om hem over te halen naar binnen te gaan voor de oneindig lange uren in duistere opsluiting.

Totdat hij er zes nachten geleden niet meer tegen had gekund. Toen ze allemaal het *gat in waren gekropen, schoot Elan de deur uit. De door artritis aangetaste vingers van de rechter gleden slechts langs zijn bloesje toen hij hem wilde vastgrijpen en de jongen rende de trap af en het huis uit. Toen Josef de straat op kwam, was er geen spoor van de jongen te zien.*

Ze lazen het berichtje drie dagen later in de Kronen Zeitung. *Een Joods jongetje, geestelijk gehandicapt en waarschijnlijk wees, was opgenomen in het* Kinderspital AM Spiegelgrund. *De rechter was geschokt. Toen hij hun met een brok in zijn keel uitlegde wat het vermoedelijke lot van hun zoon zou zijn, liet Odile alle voorzichtigheid varen.*

Jora's onrust en duizeligheid begonnen toen mevrouw Cohen de deur uit ging. Onder haar arm hield ze het pakje dat ze meegenomen hadden naar de schuilplaats, hetzelfde voorwerp dat ze jaren geleden meegenomen hadden naar het ziekenhuis. Haar echtgenoot ging na luid protest met haar mee, maar voordat hij vertrok gaf hij Jora een envelop.

'Dit is voor Yudel. Hij mag het pas openmaken op zijn bar mitswa.'

Inmiddels waren er twee gruwelijke nachten voorbijgegaan. Jora snakte naar nieuws, maar de rechter was nog zwijgzamer dan anders. De vorige dag had ze allerlei vreemde geluiden gehoord in huis. En toen, voor het eerst in drie jaar, was de boekenkast bij helder daglicht verschoven en verscheen het gezicht van de rechter voor het gat.

'Eruit, snel. Er is geen seconde te verliezen.'

Jora knipperde met haar ogen. Het kostte haar moeite om dat felle licht buiten hun schuilplaats te herkennen als zonlicht. Yudel had het nog nooit gezien. Hij dook geschrokken in een hoekje van het hol.

'Het spijt me, Jora. Ik wist gisteren al dat Josef en Odile gearresteerd zijn, maar ik heb het u niet verteld om u niet ongerust te maken. U kunt hier niet langer blijven. Ze zullen hen ondervragen en ook al houden ze het nog zo lang vol, uiteindelijk zullen ze doorslaan en vertellen waar Yudel is.'

'Dat zou mevrouw nooit doen, daar is ze veel te sterk voor.'

De rechter schudde zijn hoofd.

'Ze zullen haar beloven de oudste in leven te laten in ruil voor de jongste, of iets wat nog gruwelijker is. Ze weten mensen altijd aan het praten te krijgen.'

Het dienstmeisje begon te huilen.

'Er is geen tijd voor tranen, Jora. Ik heb een vriend bij het Gezantschap van Bulgarije. Toen Josef en Odile niet terugkeerden, ben ik naar hem toe gegaan en heb ik twee uitreisvisa weten te bemachtigen op naam van Bilyana Bogomil, onderwijzeres, en Mikhail Zhivkov, zoon van een hoge Bulgaarse diplomaat. U neemt de jongen mee terug naar school nadat hij de kerstdagen bij zijn ouders heeft doorgebracht.' Hij liet haar twee kaartjes zien. 'Dit zijn de kaartjes voor de trein naar Stara Zagora. U komt daar echter nooit aan.'

'Ik begrijp u niet,' zei Jora.

'Dat is de officiële bestemming van uw reis. U reist echter niet verder dan Cernavoda. Daar maakt de trein een tussenstop. U stapt uit om de jongen zijn benen te laten strekken, glimlachend en zonder een koffer of wat dan ook mee naar buiten

*te nemen. Zodra u kunt, maakt u zich uit de voeten. Constanta ligt op zestig kilo-
meter ten oosten van Cernavoda. U zult die afstand lopend moeten afleggen, tenzij
u van deze of gene een lift krijgt.'*
'Constanta,' herhaalde Jora, die haar uiterste best deed om alles te onthouden.
'Dat lag eerst in Roemenië, maar tegenwoordig valt het onder Bulgarije. Morgen
kan het weer anders zijn. Waar het om gaat is dat het een zeehaven is waar de
nazi's niet alle controle over hebben. Daar kunt u een boot nemen naar Istanbul.
En van Istanbul naar waar u maar wilt.'
'Maar ik heb geen geld. Ik kan geen tickets kopen.'
'Hier zijn vast wat marken voor het eerste traject, en in deze envelop zit genoeg
voor alle passages.'
De dienstmeid keek om zich heen. In het hele huis stond geen enkel meubelstuk
meer en Jora begreep waar die geluiden vandaan waren gekomen die ze de vorige
dag had gehoord: de oude heer had alles verkocht om hun een kans te geven het te
overleven.
'Hoe kunnen we u ooit bedanken, edelachtbare?'
'Dat hoeft niet. Het wordt een gevaarlijke reis. Ik weet niet zeker of die uitreisvisa
veilig genoeg zijn. Moge God me vergeven, ik bid dat ik u niet een wisse dood tegemoet zend.'

*Twee uur later was Jora erin geslaagd het kind de trap af te slepen. Ze wilde net
naar buiten lopen toen er met piepende wielen een vrachtwagen voor het huis
stopte. Iedereen die onder het juk van de nazi's leefde kende die lugubere klaagzang. Hij begon met een knarsend geluid, gevolgd door een schreeuw en het doffe
geroffel van laarzen over de sneeuw. Na het geroffel zwollen de klanken aan als de
zolen van die laarzen over de houten vloeren marcheerden. Dan hoopte je dat het
lied snel voorbij zou zijn. Er volgden een crescendo en een kort intermezzo, wanneer de muzikanten op een deur bonkten. Na het intermezzo klonk er een koor van
weeklachten, dat soms eindigde met een mitrailleur. Het slot van het lied was dat
de lichten weer aangingen, de bewoners rond de tafel groepten en de moeders glimlachend deden of er niets was gebeurd.
Jora, die het klappen van de zweep maar al te goed kende, verstopte zich onder de
trap bij het horen van de eerste klanken. Een van de soldaten ijsbeerde geagiteerd
door de duistere gang, terwijl zijn maten de deur van Rath intrapten. Hij had een
zaklamp in zijn hand en het licht gleed zoekend door de duisternis. Het gleed al
over Jora's versleten, grijze schoen. Yudel klemde zich zo stevig aan haar vast dat ze
zich op de lippen moest bijten om het niet uit te schreeuwen van pijn. De soldaat
stond zo dichtbij dat ze zijn leren jas en de kille, metaalachtige, vette geur van de
loop van zijn geweer konden ruiken.
Het geluid van een schot weerkaatste door de gang. De soldaat staakte zijn zoektocht en rende naar zijn maten, die luidkeels schreeuwden. Jora nam Yudel in haar
armen en liep de straat op, waarbij ze zich tot het uiterste inspande om niet te gaan
rennen.*

AAN BOORD VAN DE *BEHEMOT*
Golf van Akaba, Rode Zee

Dinsdag, 11 juli 2006, 18.03 uur

De zaal werd vrijwel geheel in beslag genomen door een langwerpige tafel met keurig gerangschikte kartonnen mappen erop, waar een man of twintig omheen zat. Harel, Fowler en zij waren als laatsten binnengekomen en moesten de stoelen nemen die nog over waren. Andrea kwam tussen een Afro-Amerikaanse jonge vrouw in het uniform van een paramilitair en een oudere man met een grijze snor terecht. De vrouw negeerde haar en kletste door met een paar mannen links van haar, die net zo gekleed waren als zij. De oudere man stak haar een hand toe met ruwe, dikke vingers, samengeperst als een blikje knakworst.

'Tommy Eichberg, chauffeur. U moet juffrouw Otero zijn.'

'Jeetje, u weet ook al wie ik ben. Aangenaam.'

Eichberg glimlachte haar toe. Hij had een vriendelijk, rond gezicht en was al een beetje kalend.

'Ik hoop dat u zich wat beter voelt.'

Andrea wilde daar net op ingaan, maar werd afgeleid door een luid en onaangenaam gekuch, afkomstig van een oude man van ver in de zeventig die juist de zaal binnentrad. Zijn ogen lagen diep in hun gerimpelde kassen en leken nog kleiner door het brilletje dat hij droeg. Hij had een dikke bos haar en een lange, grijze baard, die als een aswolk om zijn mond zat. Hij droeg een kakishort en overhemd met korte mouwen en zware, zwarte bergschoenen. Zijn stem was doordringend en onaangenaam als het lemmet van een operatiemes tegen je tanden. Hij begon al te praten voordat hij aan het hoofd van de tafel was aanbeland, waar een draagbaar elektronisch schoolbord stond. De directiesecretaris van Kayn gaf hem een knikje.

'Dames en heren, ik ben Cecyl Forrester, hoogleraar bijbelse archeologie aan de universiteit van Massachusetts. Het is wel niet de Sorbonne, maar het is thuis.'

De assistenten van de professor lachten beleefd, hoewel ze dat grapje vast al honderden keren hadden gehoord.

'Sinds u aan boord bent gekomen, hebt u weinig anders gedaan dan speculeren over het doel van deze reis. Ik hoop dat u er vóór die tijd het zwijgen toe hebt gedaan, want uw overeenkomst, of beter gezegd ónze overeenkomst met Kayn Industries, is strikt vertrouwelijk. We worden geacht te zwijgen vanaf het moment dat we het contract hebben ondertekend tot het uur waarin onze schepper ons komt halen. In mijn contract is echter tot mijn spijt tevens opgenomen dat ik u in de komende anderhalf uur van de nodige informatie moet voorzien. Val me niet in de rede, tenzij u een intelligente vraag wilt stellen. Aangezien de heer Russell zo vriendelijk is geweest me uw dossiers ter hand te stellen, weet ik alles van u, van uw favoriete merk condooms tot uw IQ. Derhalve kunnen de teamleden van de heer Dekker er beter van afzien vragen te stellen.'

Andrea hoorde een kwaad gemompel achter zich. De mensen in uniform schoven onrustig heen en weer op hun stoel.

'Die klojo denkt dat hij slimmer is dan wie dan ook,' hoorde ze iemand fluisteren. 'Nog even en ik sla zijn tanden uit zijn bek.'

'Stil.'

De stem klonk zacht, maar er lag zo'n dreiging in dat Andrea er kippenvel van kreeg. Toen ze zich omdraaide, bleek het de stem van Mogens Dekker te zijn, de man met het litteken. Hij stond een paar meter achter haar tegen de wand geleund. De soldaten zwegen onmiddellijk.

'Goed. Nu iedereen op zijn plaats is geweest,' vervolgde Cecyl Forrester, 'zal ik u aan elkaar voorstellen. We zijn in totaal met drieëntwintig man om de grootste ontdekking aller tijden te doen en u speelt daar allen een rol in. U kent de heer Russell al, hier aan mijn rechterzijde. Hij is verantwoordelijk voor de samenstelling van het team.'

Kayns assistent knikte minzaam bij wijze van begroeting.

'Rechts van hem zit pater Anthony Fowler, in zijn functie als waarnemer van het Vaticaan, met naast hem het werkvolk: Nuri Zayit, onze kok, zijn keukenhulp Rani Peterke en onze kwartiermeesters, Robert Frick en Brian Hanley.'

De twee koks waren allebei al wat ouder. Zayit liep tegen de zestig, een schraal mannetje met een treurige mond. Zijn assistent was iets jonger, hoewel Andrea niet precies kon inschatten hoeveel. Hij was in elk geval een stuk dikker dan de kok. De twee kwartiermeesters waren jong en even zwart als hij.

'Behalve dat dikbetaalde personeel hebben we mijn werkschuwe sukkels van assistenten. Ze hebben allemaal een graad behaald aan een dure universiteit en denken dat ze meer weten dan ik: David Pappas, Gordon Durwin, Kyra Larsen, Stowe Erling en Ezra Levine.'

De jonge archeologen gingen rechtop zitten en probeerden een professioneel gezicht te trekken. Andrea had medelijden met hen. Ze liepen alle vijf tegen de dertig, maar Forrester hield ze stevig in de greep van de angst en daardoor leken ze jonger en onzekerder dan ze waren. Precies het tegenovergestelde van de andere kant van de tafel, waar zijzelf tussen de soldaten zat.

'Achterin staat de heer Dekker met zijn waakhonden: de tweeling Aldis en Alryk Gottlieb, Tewi Waaka, Paco Torres, Marla Jackson en Louis Maloney. Zij waken over onze veiligheid en voegen wapens van groot kaliber toe aan het materiaal van deze expeditie. Wat een ironie, nietwaar?'

Geen van de soldaten reageerde hierop, maar Dekker kwam naar voren en boog zich over de tafel.

'We reizen naar een grensgebied in een islamitisch land. Gezien de aard van onze... missie zou de lokale bevolking agressief kunnen reageren. Ik weet zeker dat ook de heer Forrester het kaliber van onze wapens zal waarderen als de nood aan de man komt.'

Forrester keek of hij wat terug wilde zeggen, maar iets in het gezicht van Dekker weerhield hem ervan om hem van repliek te dienen.

'Rechts van hem ziet u Andrea Otero, onze officiële kroniekschrijfster. Ik verzoek u al haar aanvragen om een interview in te willigen, opdat zij onze complete geschiedenis wereldkundig kan maken.'

Andrea keek met een glimlach om zich heen, die door enkelen werd beantwoord.

'De man met de snor is Tommy Eichberg, onze chauffeur. En ten leste hebben we daar onze pillendraaier, Doc Harel.'

'Maakt u zich geen zorgen als u al die namen niet zo snel kunt onthouden,' zei de arts, terwijl ze haar hand opstak. 'We zullen heel wat dagen op elkaar aangewezen zijn in een gebied dat niet bepaald bekendstaat om zijn vertier, dus we leren elkaar vanzelf goed kennen. U kunt voorlopig het beste het naamplaatje dragen dat de bemanning in uw hut heeft neergelegd.'

'Het maakt mij niet uit of u weet hoe iedereen heet, zolang u uw werk naar behoren uitvoert,' interrumpeerde de professor. 'Als u nu zo vriendelijk wilt zijn naar het bord te kijken, zal ik u een verhaaltje vertellen.'

Het scherm lichtte op met beelden van een stad uit de oudheid, gecreëerd aan de hand van computeranimatie. Boven een vallei verhief zich een stad met okerkleurige muren en terracotta daken, omringd door driedubbele stadswallen. In de straten wemelde het van de mensen die met hun dagelijkse dingen bezig waren. Andrea had grote bewondering voor de details van de presentatie, waar elke Hollywoodproductie trots op kon zijn, maar ze vond het jammer dat de professor zijn eigen stem als voice-over van de documentaire had gebruikt. *Die vent is zo van zichzelf overtuigd dat hij niet eens weet wat een afschuwelijke stem hij heeft. Ik krijg er hoofdpijn van*, dacht ze.

Welkom in Jeruzalem. Het is april in het jaar onzes heren 70. De stad is sinds vier jaar in handen van opstandige zeloten. De Romeinen, de officiële heersers over Israël, kunnen de situatie niet langer door de vingers zien en Rome draagt Titus op om het verzet neer te slaan.

Het vredige tafereel van vrouwen die hun kruiken vulden bij de waterput en de spelende kinderen om hen heen werd onderbroken toen er een woud van banieren gesierd met adelaars aan de horizon verscheen. Er klonk trompetgeschal en de kinderen verdwenen haastig naar binnen.

De stad wordt binnen enkele uren omsingeld door vier legioenen. Dit is het vierde beleg van de stad en de bewoners hebben de eerdere pogingen van de Romeinen om de stad te heroveren met succes afgeslagen. Titus past echter een behendige tactiek toe. Hij staat toe dat de pelgrims die naar Jeruzalem komen voor het paasfeest de stad binnen mogen. Na de feestelijkheden sluit hij de gele-

deren. Titus laat de pelgrims niet vertrekken en nu telt de stad bijna het dubbele aantal inwoners. De water- en voedselvoorraden slinken in rap tempo. De Romeinse legioenen voeren een aanval uit op het noordelijke gedeelte van de stad, waarbij ze de derde muur neerhalen. Het is half mei en de val van de stad is slechts een kwestie van tijd.

Op het scherm verschijnen beelden van een stormram die de muur neerhaalt en van een groepje priesters dat vanaf een helling boven de stad machteloos toekijkt, met tranen in hun ogen.

De stad valt in september en Titus richt het bloedbad aan dat hij Vespasianus had beloofd. Het merendeel van de inwoners wordt aan het mes geregen of op de vlucht gedreven, hun bezittingen worden geplunderd, hun tempel verwoest.

Enkele soldaten stappen over de lijken heen om een gigantische zevenarmige kandelaar uit de brandende tempel te halen. De generaal kijkt glimlachend toe vanaf de rug van zijn paard.

De tweede Tempel van Salomo werd met de grond gelijkgemaakt en is tot op de dag van vandaag nooit herbouwd. Veel van de schatten uit de tempel werden geplunderd. Veel, maar niet allemaal. Na de val van de derde muur bedacht een priester met de naam Yirmāyáhu een plan om een deel van de schat in veiligheid te brengen. Hij koos twintig dappere mannen uit en gaf ze pakketten mee, met duidelijke instructies aan de eerste twaalf waar ze naartoe moesten en wat ermee moest gebeuren. Die pakketten bevatten de 'gebruikelijke' tempelschatten: grote hoeveelheden zilver en goud.

Een oude priester met een witte baard, gekleed in een zwart gewaad, sprak met twee jongeren, terwijl anderen hun beurt afwachtten in een stenen ruimte, verlicht door toortsen.

Yirmāyáhu had de laatste acht mannen uitverkoren voor een bijzondere taak. Tien keer gevaarlijker dan die van de anderen.

De priester begeleidt met een toorts in zijn hand acht mannen, die met behulp van een draagbaar een zware bundel door een ingewikkeld gangenstelsel dragen.

Yirmāyáhu maakte gebruik van de geheime gangen onder de tempel en leidde hen onder de muren door, tot voorbij het Romeinse kamp. Die zone, in de achterhoede van Legio X Fretensis, werd om de zoveel tijd gecontroleerd door patrouilles, maar de uitverkorenen van de priester wisten hun zware last ongemerkt de stad uit te brengen en arriveerden tegen het ochtendgloren van de volgende dag in Yheiho, het huidige Jericho. Daar verdwijnt elk spoor.

De professor drukte op een knop en het scherm ging uit. Hij wendde zich tot zijn publiek, dat zwijgend afwachtte wat er komen zou.

'Die mannen hebben een ongelooflijk huzarenstukje uitgehaald. In hooguit negen uur sleepten ze een loodzwaar voorwerp over een afstand van 22 kilometer naar Jericho. En dat was nog maar het begin van de reis.'

'Wat was het voor iets, professor?' vroeg Andrea.

'Kennelijk iets heel kostbaars,' constateerde Harel.

'Alles op zijn tijd, dames. Yirmāyáhu keerde terug naar de stad en besteedde de dagen daarop aan het schrijven van een zeer bijzonder manuscript op een buitengewone drager. Het betrof een gedetailleerde kaart met instructies om alle plaatsen terug te vinden waar gedeeltes van de tempelschat die hij had weten te redden waren verborgen... maar dat kon hij niet alleen doen. Het betrof een uiterst minutieuze kaart, geschreven in bas-reliëf op een koperrol van drie meter lang.'

'Waarom koper?' klonk een vraag van iemand achterin.

'In tegenstelling tot papyrus of perkament is koper duurzaam materiaal. Het is echter heel moeilijk om erop te schrijven. Er waren vijf mensen nodig om de gehele tekst in één ruk door op te schrijven, waarbij ze elkaar af en toe afwisselden. Toen ze klaar waren, verdeelde Yirmāyáhu de tekst in twee delen en stuurde hij een boodschapper uit met instructies om het ene deel in veiligheid te brengen in Yisseyitas, een nederzetting niet ver van Jericho. Hij gaf het andere deel in bewaring bij zijn zoon, evenals hijzelf een *kohanim*, een priester. We hebben dit verhaal uit de eerste hand, want zo schreef Yirmāyáhu het in zijn manuscript. Vervolgens raken we het spoor 1882 jaar lang bijster.'

De oude archeoloog pauzeerde even om op adem te komen en een slok water te drinken. Heel even zou je denken dat hij een gewoon mens was, in plaats van de arrogante kwast die er eerder had gestaan.

'Dames en heren, u weet nu meer van de wereldgeschiedenis dan welke geleerde ook. Niemand weet hoe het manuscript geschreven is. Toch is het beroemd geworden toen een van de twee delen in 1952 plotseling opdook in een grot in Palestina. Het manuscript bevond zich onder de bijna 85.000 tekstfragmenten die tot dusver in Qumran zijn aangetroffen.'

'Gaat het om de Dode Zeerollen?' vroeg dokter Harel verbijsterd.

De archeoloog klikte het bord weer aan, waarop het beeld verscheen van een fragment van de beroemde koperrol. Een gebogen plaat van donkergroen metaal, met vrijwel onleesbare tekens erop.

'Zo worden ze genoemd. Ze trokken onmiddellijk de aandacht van de onderzoekers, zowel om de bijzondere inhoud – die trouwens niemand op de juiste manier wist te vertalen – als om de koperen drager. Het was vanaf het begin duidelijk dat het een lijst kostbaarheden betrof, bestaande uit ten minste 64 voorwerpen. De tekst gaf een indicatie van hetgeen er gezocht moest worden en waar, zoals bijvoorbeeld...

Onder de grot die zich bevindt op veertig passen van de Toren van Achor graaft u tot één meter diepte. Daar stuit u op zes staven goud.

… maar de aanwijzingen waren vaag en de beschreven hoeveelheden leken niet reëel. Het zou om ongeveer 200 ton goud en zilver gaan en dus besloten de "serieuze" onderzoekers dat het een mythe betrof, een verhaaltje, een vervalsing, een grap.'

'Wel een hoop gedoe voor een grap,' vond Tommy Eichberg.

'Juist! Heel goed, Mr. Eichberg. Briljant, zeker voor zo'n eenvoudige chauffeur,' knikte Forrester, die niet in staat leek te zijn iets te zeggen zonder beledigend te zijn. 'In het jaar 70 waren er nog geen smederijen en zo'n enorme plaat koper kostte een fortuin. Niemand zou het in zijn hoofd halen om zomaar een verhaaltje te schrijven op zo'n kostbare drager. Er blonk hoop aan de horizon. Item nummer 64 was volgens de rol "een tekst zoals deze, met instructies en een code om de beschreven voorwerpen te achterhalen".'

Een van de soldaten stak zijn hand op.

'Dus die ouwe hoe heet hij, Yermiyaju…'

'Yirmāyáhu.

'Hoe dan ook, die ouwe deelde het manuscript in tweeën en de ene helft was de sleutel om de andere helft terug te vinden en andersom?'

'Juist. En als ze allebei terecht waren kon de schat gevonden worden. Maar zonder de tweede rol was er geen enkele hoop om het manuscript te ontcijferen. Acht maanden geleden gebeurde er echter iets…'

Pater Fowler merkte glimlachend op: 'Ik denk dat de luisteraars liever de korte versie willen horen, professor.'

De archeoloog staarde hem enkele seconden nadenkend aan. Andrea kon zien dat hij noeste pogingen deed om zijn verhaal te vervolgen en vroeg zich af wat er precies gebeurde tussen deze twee mannen.

'Ja… uiteraard. Wel, laat ik volstaan met te zeggen dat het tweede deel van het manuscript uiteindelijk is opgedoken, dankzij de inzet van het Vaticaan. Het is eeuwenlang als heilig voorwerp van vader op zoon overgegaan. Het was de plicht van de familie om het veilig te bewaren tot het juiste moment was aangebroken. Daarom verstopten ze het in een waskaars, maar door de eeuwen heen vergaten ze wat erin zat.'

'Dat verbaast me niets. Om hoeveel generaties gaat het? Zeventig? Tachtig? Het is een wonder dat ze nog wisten dat het hun plicht was om de kaars te bewaren, al wisten ze niet waarom,' zei iemand die voor Andrea zat. Ze dacht dat het Brian Hanley was.

'Wij Joden zijn een geduldig volk,' merkte Harel op. 'We wachten al drieduizend jaar op de Messias.'

'En jullie hebben nog zeker drieduizend jaar te gaan,' spotte een van de soldaten. Er volgde een koor van gelach en enthousiast geklap uit die hoek na deze smakeloze grap. Niemand anders lachte. Gezien hun namen dacht Andrea dat vrijwel alle deelnemers aan de expeditie van Joodse afkomst waren, behalve de paramilitairen. Ze voelde de spanning even duidelijk als het gezoem van een wesp boven een bruidstaart.

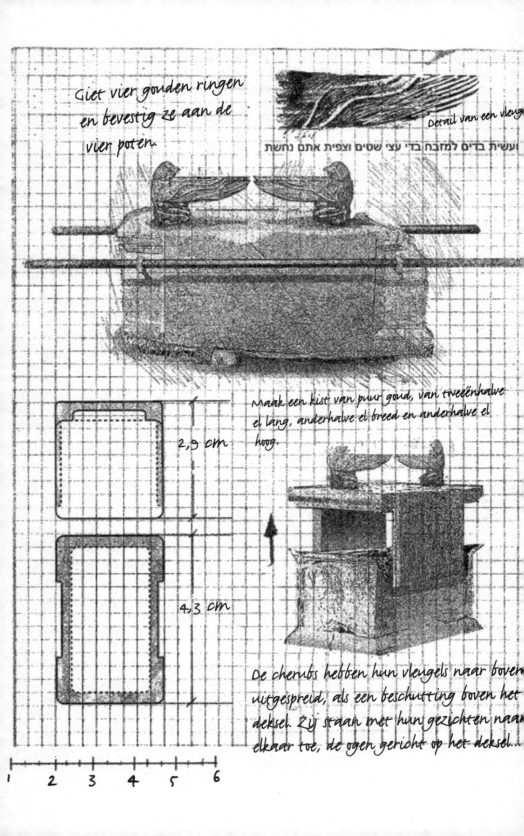

Giet vier gouden ringen en bevestig ze aan de vier poten.

Detail van een vleugel

ועשית בדים למזבח בדי עצי שטים וצפית אתם נחשת

Maak een kist van puur goud, van tweeënhalve el lang, anderhalve el breed en anderhalve el hoog.

2,9 cm

4,3 cm

De cherubs hebben hun vleugels naar boven uitgespreid, als een beschutting boven het deksel. Zij staan met hun gezichten naar elkaar toe, de ogen gericht op het deksel...

1   2   3   4   5   6

'We gaan door,' bromde Forrester, die de grappen van de soldaten negeerde. 'Ja, het was zeker een wonder. Wacht maar af.'

Een van de assistenten kwam naar voren met een houten plaat van een meter lang, waarop achter glas een plaatje koper was aangebracht dat vol stond met tekens in het Hebreeuws. Allen, zelfs de soldaten, staarden ernaar en leverden fluisterend commentaar.

'Het ziet er nieuw uit.'

'Ja, de Koperrol is ouder. Die glimt niet zo en is ook niet in kleine stukjes gesneden.'

'De Koperrol lijkt ouder, omdat hij blootgesteld was aan de lucht,' verduidelijkte de professor, 'en hij is in kleine stukjes gesneden omdat de onderzoekers hem anders niet konden openen om hem te kunnen lezen. Deze rol was beschermd tegen oxidatie door de was waarin hij verborgen zat. Daarom is hij vrijwel in dezelfde staat gebleven als toen hij beschreven werd. Onze eigen schatkaart.'

'Hebben ze hem weten te ontcijferen?' vroeg Andrea.

'Toen we het tweede manuscript eenmaal gevonden hadden, was het kinderspel om de tekst te ontcijferen. Het is echter een hele toer geweest om de inhoud geheim te houden. Brengt u me alstublieft niet in verlegenheid door me te vragen hier dieper op in te gaan, aangezien ik niet gemachtigd ben u iets te onthullen. U zou er trouwens toch niets van begrijpen.'

'Dus we gaan op zoek naar een hele berg goud. Is dat niet een beetje gewoontjes voor zo'n pretentieuze expeditie? Of voor iemand die zo bulkt van het geld als Mr. Kayn?' vroeg Andrea.

'Juffrouw Otero, we gaan niet op zoek naar een berg goud. We hebben trouwens al het een en ander gevonden, wat dat betreft.'

De oude archeoloog gaf een teken aan een van zijn assistenten, die een zwarte vilten lap op tafel legde en er met veel inspanning een glanzend voorwerp op deponeerde. Het was de grootste goudstaaf die Andrea ooit in haar leven had gezien. Hij was zo lang als een onderarm en was niet uitgehouwen, maar gegoten. Hij was nogal gedeukt en gehavend, maar ondanks dat was hij schitterend. Alle ogen boorden zich in de staaf goud en er klonk waarderend gefluit.

'Aan de hand van de verborgen code in de tweede koperrol hebben we een van de schuilplaatsen gevonden die erop beschreven werden. Dat was in maart van dit jaar, ergens in Cisjordanië, de huidige westelijke Jordaanoever. Er lagen zes van deze goudstaven.'

'Wat is de waarde hiervan?'

'Ongeveer 300.000 dollar.'

Het gefluit ging over in kreten.

'Maar geloof me, dat is niets vergeleken bij de waarde van het voorwerp dat wij gaan zoeken. Het machtigste object uit de geschiedenis van de mensheid.'

Op een gebaar van Forrester verwijderde een van zijn assistenten de staaf goud, maar hij liet de viltlap liggen. De archeoloog haalde een vel ruitjespapier tevoorschijn en legde het op de plek waar even tevoren het goud had gelegen.

Zijn toehoorders strekten hun hals om te zien wat het was. Iedereen zag onmiddellijk wat de schetsen op het blad papier voorstelden.

'Dames en heren, u behoort tot de 23 uitverkorenen die de mensheid de Ark des Verbonds zullen teruggeven.'

AAN BOORD VAN DE *BEHEMOT*
Golf van Akaba, Rode Zee

Dinsdag 11 juli 2006, 19.17 uur

Er ging een golf van verbazing door de zaal. Iedereen begon door elkaar heen te praten en de oude archeoloog werd bestookt met vragen.
'Waar ligt de Ark?'
'Wat zit erin?'
'Kunnen we helpen?'
Andrea stond versteld van de reacties van de assistenten, maar ook van die van haarzelf. Die drie woorden, Ark des Verbonds, gaven onmiddellijk een mystieke lading aan de grote archeologische ontdekking die het opgraven van deze relikwie uit de oudheid betekende.
Dit is nog beter dan een interview met Kayn. Russell had gelijk. Als we de Ark vinden, is dat het nieuws van de eeuw. Het bewijs dat God werkelijk bestaat...
Haar hart ging sneller kloppen en ze wilde Forrester wel honderd vragen tegelijk stellen, maar ze wist al meteen dat ze dat beter kon laten. De archeoloog had hun gegeven wat hij noodzakelijk achtte en liet hen verder aan hun lot over, jankend om meer.
Een slimme manier om zich te vergewissen van onze medewerking.
Als om Andrea's woorden te bevestigen keek de archeoloog hen aan met het gezicht van een kat die zojuist een kanariepietje heeft verschalkt. Hij gebaarde dat ze moesten zwijgen.
'Dit is genoeg voor vandaag. Meer kunnen uw hersenen niet verstouwen. U wordt verder geïnformeerd als het moment daar is. Voorlopig geef ik het woord aan...'
Andrea viel hem in de rede.
'Nog één ding, professor. U zegt dat we een groep vormen van drieëntwintig uitverkorenen. Ik tel er hier maar tweeëntwintig. Ontbreekt er nog iemand?'
'De drieëntwintigste persoon die deel uitmaakt van deze expeditie is de heer Raymond Kayn.'
Er viel een verbouwereerde stilte.
'Wat is dit nu weer voor gelul?' vroeg een van de huursoldaten.
'De mecenas van deze expeditie, die zoals u allen weet enkele uren geleden is gearriveerd, maakt deel uit van de expeditie. Vindt u dat zo vreemd, meneer Torres?'
'Jezus christus, die vent schijnt knettergek te zijn. Het is al lastig genoeg om normale mensen te beschermen, maar gekken beschermen is onbegonnen werk,' mopperde Torres, zo te zien een Zuid-Amerikaan. Hij was klein, stevig

gebouwd en had een zeer donkere huid. Hij sprak Engels met een sterk Latijns-Amerikaans accent.

'Torres.'

De huursoldaat kromp ineen op zijn stoel. Hij draaide zich niet om. Dekkers stem achter hem behoedde hem voor verdere blunders.

Forrester was intussen gaan zitten en nu stond Jacob Russell op. Het viel Andrea op dat zijn witte jasje geen kreukje vertoonde.

'Goedenavond, allemaal. Fijn dat u er bent. Mede namens Kayn Industries wil ik professor Cecyl Forrester bedanken voor zijn boeiende presentatie. Ik heb er weinig aan toe te voegen, afgezien van enkele zeer belangrijke details. Ten eerste: elk contact met de buitenwereld is vanaf nu strikt verboden. Dat geldt zowel voor mobiele telefoons, e-mails als verbale communicatie. Vanaf dit moment totdat onze missie ten einde is gebracht is dit uw wereld. U zult begrijpen dat deze maatregel van groot belang is, niet alleen voor het welslagen van deze missie, maar tevens om onze veiligheid te garanderen.'

Er klonken enkele flauwe protesten. Ze waren hier al van op de hoogte, want het stond met dikke letters in het contract dat ze allen hadden ondertekend.

'Het tweede punt is minder aangenaam. Een van onze veiligheidsmensen heeft ons gemeld dat een islamitische terroristische groepering op de hoogte schijnt te zijn van onze missie; een aanslag wordt gevreesd.'

'Maar hoe…?'

'Geintje, zeker…?'

'… gevaarlijk…'

De secretaris hief zijn handen in een kalmerend gebaar. Hij verwachtte een storm van vragen, dat was duidelijk.

'Maakt u zich niet ongerust. Ik wil alleen dat u alert blijft en geen onnodige risico's neemt. U ziet hoe belangrijk het is om alle contacten met de buitenwereld te verbreken. Ik weet niet waar het lek zit, maar geloof me, daar komen we wel achter.'

'Kan het via de Jordanese regering zijn gebeurd?' vroeg Andrea zich hardop af.

'Een groep als de onze trekt nu eenmaal de aandacht.'

'De Jordanese regering weet niet beter of we zijn een handelsmissie, op zoek naar de rentabiliteit van een fosfaatmijn in een bepaald gebied in het zuidoosten van Jordanië. U hoeft nergens een douanepost te passeren, dus over onze dekmantel hoeft u zich geen zorgen te maken.'

'Ik maak me ook geen zorgen over mijn dekmantel, ik maak me zorgen over die terroristen,' zei Kyra Larsen, een van de assistentes van professor Forrester.

'Hoeft niet hoor, schat. Wij zijn hier om je te beschermen,' grapte een van de soldaten.

'Zolang het niet bevestigd wordt, is het niet meer dan een gerucht. Geruchten doen geen kwaad,' zei Russell met een brede glimlach.

Dat weet ik nog niet zo zeker, dacht Andrea.

De bijeenkomst werd even later officieel afgesloten. Russell, Dekker, Forrester en een paar anderen trokken zich terug in hun hut. Bij de deur van de zaal stonden twee karretjes met enkele koude gerechten, die een van de matrozen daar discreet had neergezet.

De achterblijvers leverden druk commentaar op alles wat ze zojuist hadden gehoord en vielen gretig op het voedsel aan. Andrea sprak langdurig met dokter Harel en Tommy Eichberg, onder het genot van een paar broodjes rosbief en wat biertjes.

'Ik ben blij dat je weer wat eetlust hebt, Andrea.'

Dank je, Doc. Het vervelende is alleen dat ik na elke maaltijd een fikse dosis nicotine nodig heb.'

'Je mag alleen buiten roken,' zei Tommy. 'Je weet…'

'… orders van Mr. Kayn!' riepen ze in koor en barstten in lachen uit.

'Ja ja, ik weet het. Ik ben zo terug. Kan ik meteen even kijken of er nog iets sterkers op dat karretje staat dan bier.'

Buiten bleek het al donker te zijn. Andrea ging het bovendek op en kuierde op haar gemak naar de boeg. Ze had beter een trui mee kunnen nemen, want de temperatuur was flink gedaald. Ze kreeg kippenvel van de wind en dook rillend in elkaar.

Ze haalde het verkreukelde pakje Camel uit haar ene broekzak en haar geluksaansteker uit de andere. Het was niets bijzonders: een doodgewone rode wegwerpaansteker, bedrukt met bloemetjes. Hij was niet meer dan een paar euro waard, maar het was het eerste cadeautje geweest dat ze van Eva had gekregen. Door de wind moest ze het een keer of tien opnieuw proberen voordat haar sigaret eindelijk brandde. Toen het eindelijk gelukt was, inhaleerde ze vol genot. Ze had niet meer gerookt sinds ze aan boord van de *Behemot* was gestapt; daar was ze te zeeziek voor geweest.

Genietend van het geluid van de golven tegen de boeg groef de jonge journaliste in haar geheugen naar gegevens over de Dode Zeerollen en de Koperrol. Veel kon ze niet vinden. Gelukkig hadden de assistenten haar een spoedcursus beloofd, opdat ze het belang van de ontdekking zo goed mogelijk zou kunnen overbrengen.

Op dat moment beschouwde Andrea zichzelf als een geluksvogel. Deze expeditie was nog mooier dan ze had verwacht. Zelfs als ze de Ark niet zouden vinden, wat ze goed mogelijk achtte, zou een reportage over de twee koperrollen en de ontdekking van een deel van de schat zo interessant zijn dat alle kranten over de hele wereld haar verhaal zouden willen hebben.

Ik kan het best een agentschap zoeken om het complete verhaal te verkopen. Zal ik het exclusief aan een van de groten verkopen, zoals National Geographic *of de* New York Times*, of aan een heleboel kleinere bladen of kranten tegelijk? Voorlopig zal ik in elk geval weinig last meer hebben van rode cijfers en geblokkeerde creditkaarten*, bedacht ze.

Ze nam een laatste trek van haar sigaret en ging naar bakboord om de peuk overboord te gooien. Ze liep voorzichtig, want ze had het incident van die middag nog helder voor ogen staan en veel vertrouwen had ze niet in die lage reling. Ze haalde uit om de peuk flink ver de zee in te werpen, toen ze het gezicht van dokter Harel voor zich zag en haar zorgen om het milieu.

Tjonge Andrea, er is nog hoop voor deze wereld als jij iets goeds doet terwijl er niemand kijkt, dacht ze wrang, terwijl ze de peuk tegen de reling uitdrukte en in de zak van haar spijkerbroek stak.

Toen werd ze stevig bij haar enkels gegrepen en bekeek ze de wereld ondersteboven. Andrea maaide met haar armen om zich heen in een wanhopige poging zich ergens aan vast te grijpen, maar er was niets dan lucht.

Voordat ze naar beneden viel, meende ze de contouren te zien van een donkere gedaante die haar nakeek.

Even later lag ze in het water.

Ondergedompeld in de Rode Zee

Dinsdag 11 juli 2006, 21.43 uur

Het eerste wat Andrea voelde was zo'n doordringende kou dat ze haar ledematen amper nog kon bewegen. Ze deed verwoede pogingen om naar boven te komen, maar het duurde even voordat ze wist wat boven of onder was. Ze had nauwelijks lucht meer en ademde voorzichtig uit om te zien waar de belletjes naartoe gingen, maar ook dat lukte niet. Het was aardedonker. Ze had nu al geen kracht meer. Haar longen bonsden en brandden in haar borst, snakkend naar lucht. Ze zette haar tanden op elkaar om de neiging haar mond open te sperren te onderdrukken, en trachtte na te denken.

Verdomme. Dit kan niet waar zijn. Zo wil ik niet eindigen.

Ze bewoog nogmaals haar armen, in de hoop dat ze naar boven zwom, toen ze werd meegezogen door een onweerstaanbare kracht.

Even later voelde ze de lucht op haar gezicht en ademde ze gretig en rochelend in. Iemand hield haar stevig vast. Ze probeerde zich om te draaien.

'Zo min mogelijk bewegen. Adem rustig in en uit,' schreeuwde pater Fowler in haar oor. Het geluid van de schroeven was oorverdovend. Tot haar schrik zag Andrea dat de stroming hen naar de achterboeg zoog. 'Luister goed. Niet omdraaien, want dan zijn we er allebei geweest. Niet bewegen. Trek je schoenen uit. Trappel heel zachtjes met je benen. Over vijftien seconden zitten we op het dode punt van de boeggolven. Dan laat ik je los en zwem je weg, zo hard als je kunt.'

Ze trok haar schoenen uit en keek strak de dood in de ogen, in de vorm van grijsschuimend water waar ze langzaam maar zeker naartoe werd gezogen. Ze lagen nog geen twaalf meter van de schroef in de zee. Ze onderdrukte de neiging om zich los te rukken en de andere kant op te zwemmen. De schroefbladen gonsden en die vijftien seconden leken een eeuwigheid te duren.

'Nu!' schreeuwde Fowler.

Andrea voelde de zuigkracht wegvallen. Ze zwom bij de schroef vandaan, weg van dat helse kabaal. Twee minuten later greep de priester haar bij de arm.

'Gelukt.'

Andrea keek achterom naar het schip. Het was al aardig ver weg en nu zag ze dat er zoeklichten over het water schenen. Ze wisten dus dat ze overboord geslagen waren en waren naar hen op zoek.

'Shit!' Alle kracht trok uit haar lichaam en ze kon zichzelf niet meer boven water houden. Weer ging ze kopje-onder. Fowler greep haar vast voordat ze naar de bodem zonk.

'Rustig blijven. Ik hou je vast.'

'Shit!' herhaalde Andrea. Ze spuwde een mond zeewater uit en liet zich door de priester op haar rug draaien, tot hij haar in de klassieke houding van een drenkeling had gemanoeuvreerd.

Even later werd Andrea verblind door een van de zoeklichten. Ze hadden hen gevonden. Het fregat naderde hen en draaide bij in de juiste positie. Aan weerskanten van het schip stonden matrozen, die opgewonden kreten slaakten en naar hen wezen. Twee van hen wierpen hun reddingsbanden toe. Andrea was uitgeput en volkomen verstijfd van de kou nu de adrenaline van de doodsangst niet meer door haar lijf joeg.

'Hoe krijgt u het voor elkaar om zomaar overboord te vallen, juffrouw Otero?' vroeg de priester, terwijl ze aan boord gehesen werden.

'Ik ben niet gevallen, pater. Ik ben overboord gegóóid.'

'Bedankt. Ik had niet gedacht dat ik dit zou kunnen navertellen.'
Ze zat bibberend op het dek, met een deken om haar schouders geslagen. Fowler zat haar bezorgd aan te kijken. De bemanning ging bij hen uit de buurt, want het was hun strikt verboden om met de leden van de expeditie te praten.
'U hebt geen idee wat een geluk we hebben gehad. De schroeven stonden praktisch in de ruststand. Volgens mij zat Anderson aan het roer.'
'Waar hebt u het over?'
'Ik ging naar buiten om een luchtje te scheppen, toen ik u een nachtelijke duik zag nemen. Ik heb de eerste de beste intercom gegrepen, "*man overboord aan bakboord*" geroepen en ben u nagesprongen. Ze hadden een complete cirkel richting bakboord moeten maken, niet richting stuurboord, zoals Anderson heeft gedaan.'
'Want?'
'Want anders is de kans groot dat je de drenkeling in mootjes hakt. Dat was ook bijna gebeurd.'
'Ik was echt niet van plan om als visvoer te eindigen.'
'Weet u heel zeker wat u daarnet zei?'
'Zo zeker als twee maal twee vier is.'
'Hebt u gezien wie het was?'
'Nee, alleen een schaduw.'
'Als dat waar is, kan het zijn dat ook die halfslachtige reddingsactie geen vergissing is geweest...'
'Misschien hebben ze u verkeerd verstaan[1], pater.'
Fowler zweeg bijna een minuut voordat hij verder sprak.
'Juffrouw Otero, wilt u uw vermoedens alstublieft voor u houden? Als iemand ernaar vraagt, zegt u maar gewoon dat u gevallen bent. Als er werkelijk een moordenaar onder de bemanning is die het op u heeft voorzien, is het beter dat...'
'... dat die klootzak niet weet dat we hem doorhebben.'
Fowler knikte.
'U hoeft niet bang te zijn, pater,' zei Andrea met trillende lippen. 'Die schoenen waren van Armani en ik heb er de hoofdprijs voor betaald. Dankzij die hufter liggen ze nu op de bodem van de zee, dus reken maar dat ik hem dat betaald wil zetten.'

---

1 In het Engels, de voertaal bij Expeditie Mozes, lijken de woorden voor bakboord (larboard) en stuurboord (starboard) veel op elkaar.

APPARTEMENT VAN TAHIR IBN FARIS
Amman, Jordanië

Woensdag 12 juli 2006, 01.32 uur

Tahir ging bevend van angst het donkere huis in. Er kwam een onbekende stem uit de salon: 'Kom verder, Tahir.'
De schriele ambtenaar moest al zijn moed verzamelen om de drempel over te stappen naar de kleine salon. Hij zocht op de tast naar het lichtknopje, maar het werkte niet. Op dat moment werd hij bij de schouder gegrepen en tegen de grond gedrukt, zodat hij op zijn knieën kwam te liggen. In het aardedonker klonk de stem nu vlak bij zijn oor.
'Je hebt gezondigd, Tahir.'
'Nee heer, niet doen. Alstublieft. Mijn leven staat in het teken van de *taqwa*, ik ben een eerzaam man. De westerlingen hebben vaak geprobeerd me te verleiden, maar ik ben er nooit voor bezweken. Nooit, heer. Dit is mijn eerste en enige dwaling.'
'Heb je niet gezondigd, Tahir?'
'Nee, heer. Ik zweer het in naam van Allah.'
Toch heb je die *kafirun*, die ongelovigen, een stuk grond van ons land in handen gegeven.'
Degene die hem bij de schouder hield verstevigde zijn greep. Tahir liet een kreet van pijn ontsnappen.
'Niet gillen, Tahir. Als je van je gezin houdt, hou je je gemak.'
Tahir legde zijn andere hand voor zijn mond en beet in de mouw van zijn jack. De druk werd nog harder.
Er klonk een angstaanjagend gekraak.
Tahir viel huilend op zijn buik, zonder geluid te maken. Zijn rechterhand hing langs zijn lichaam als een sok, gevuld met vlees.
'Goed gedaan, Tahir. Gefeliciteerd.'
'Heer, alstublieft. Ik heb uw instructies opgevolgd. De komende weken zal er niemand bij het gebied van de opgraving in de buurt komen.'
'Weet je dat heel zeker?'
'Ja, heer. Er gaat trouwens toch nooit iemand naartoe.'
'Heb je aan de woestijnpolitie gedacht?'
'De dichtstbijzijnde weg is een zandpad, zes kilometer verderop. De politie komt er hooguit driemaal per jaar langs. Als de Amerikanen hun kamp opzetten, zijn ze helemaal alleen. Ik zweer het.'
'Goed, Tahir. Heel goed.'
Op dat moment werd de stroom weer aangezet en floepte het licht in de salon

aan. Tahir kroop een beetje overeind, tot hij iets zag wat het bloed in zijn aderen deed stollen.

Zijn dochter en zijn vrouw, Myiesha en Zaina, zaten gebonden en gekneveld op de bank. Daar schrok hij niet echt van, want dat was al zo geweest toen hij vijf uur geleden vertrok om aan de eisen van de gemaskerde mannen te voldoen.

De schrik sloeg hem om het hart omdat ze niet langer gemaskerd waren.

Tahir ontweek de blik van de man die tussen zijn vrouw en dochter in zat, die opgezwollen ogen hadden van het huilen.

'Alstublieft, heer,' smeekte hij.

De man hield iets in zijn hand. Het was een pistool, waar met plakband iets aan vast zat gebonden. Aan de loop zat een lege plastic Coca-Colafles van een halve liter. Tahir wist precies waar die voor diende: het was een primitieve, maar efficiënte geluidsdemper.

De ambtenaar trilde als een espenblad.

'Je hoeft nergens bang voor te zijn, Tahir,' zei de man, zich vooroverbuigend om Tahir iets toe te fluisteren. 'Allah zorgt goed voor eerzame mannen.'

Het geluid van het schot was kort en droog. Het duurde even voordat het werd gevolgd door twee identieke geluiden. Het kost tenslotte tijd om een Coca-Colafles aan de loop van een pistool te binden.

Aan boord van de *Behemot*
Golf van Akaba, Rode Zee

Woensdag 12 juli 2006, 09.47

Andrea werd wakker in de ziekenboeg van het schip, een grote, lichte ruimte met een aantal bedden, enkele glazen kasten en een schrijftafel. Dokter Harel had er bezorgd op gestaan dat ze daar de nacht zou doorbrengen. De arts had zelf niet veel geslapen, constateerde Andrea, want toen ze haar ogen opsloeg, zat ze met haar rug naar haar toe aan de schrijftafel. Ze nam kleine slokjes van haar koffie en zat rustig te lezen. Andrea geeuwde luidruchtig.

'Goedemorgen, Andrea. Je mist mijn mooie land.'

In haar ogen wrijvend stapte Andrea uit bed. Het enige wat ze zag was het koffieapparaat op tafel. De arts keek geamuseerd toe hoe de koffie zijn magische werk deed in het lichaam van de journaliste.

'Je mooie land?' vroeg Andrea toen ze wakker genoeg was om iets te zeggen. 'Zijn we in Israël?'

'Technisch gesproken bevinden we ons in de wateren van Jordanië. Kom, dan gaan we naar buiten en zal ik het je laten zien.'

Toen ze de ziekenboeg uit liepen, die aan bakboord lag, hief Andrea haar gezicht naar de ochtendzon. Het beloofde een warme dag te worden. Ze ademde de zilte lucht genietend in en rekte zich uit in haar pyjama, waarbij ze haar armen wijd uitstrekte. Dokter Harel zei berispend: 'Kijk nou uit, straks val je weer.'

Andrea rilde in het besef dat ze van geluk mocht spreken dat ze nog leefde. De vorige avond, met de opwinding van de redding en de schaamte waarmee ze moest bekennen dat ze overboord was gevallen, was er geen ruimte geweest voor angst. Nu pas, in het heldere daglicht, stonden het gonzende geluid van de schroeven en de zwarte kou van het water haar weer helder voor de geest. Ze schudde de duistere kilte van zich af en probeerde zich te concentreren op de schoonheid van het landschap dat voor haar lag.

De *Behemot* naderde kalm de kade, voorafgegaan door het scheepje van de havenloods van Akaba. Harel wees over de boeg van het schip.

'Dat is Akaba, Jordanië. En dat is Eilat, Israël. Kijk maar eens hoe de twee steden elkaar als het ware spiegelen. Vanaf het water is het niet zo goed te zien, maar als je eroverheen vliegt, zie je duidelijk dat de golf een vierkante kust heeft gevormd. De oostelijke hoek wordt door Akaba ingenomen, de westelijke door Eilat.'

'Nu je het zegt, waarom zijn we eigenlijk niet per vliegtuig gegaan?'

'Omdat het een illegale archeologische opgraving betreft. Mr. Kayn wil de Ark opgraven en meenemen naar de Verenigde Staten. Daar zou Jordanië onder geen enkel beding mee akkoord gaan. Daarom komen we over zee, net als ieder ander die op zoek gaat naar fosfaat. In Akaba worden dagelijks honderden tonnen fosfaat op schepen geladen, bestemd voor landen over de hele wereld. Wij vormen slechts een nederig onderzoeksteam. Daarbij hebben we onze eigen vervoermiddelen meegenomen in het ruim.'

Andrea knikte nadenkend en keek rustig uit over de kustlijn, in de richting van Eilat. Een flottielje van recreatiebootjes wolkte eromheen, als witte duiven rond een groen nest.

'Ik ben nog nooit in Israël geweest.'

'Dat moet je dan echt een keer doen,' zei Harel met een droeve glimlach. 'Het is een schitterend land. Een tuin, ontworsteld aan de woestijn. Van zand en bloed.'

De journaliste keek Harel aandachtig aan. Het krullende haar en de donkere huid van de arts waren mooier dan ooit in dit licht, alsof alle kleine onvolmaaktheden werden weggevaagd bij het zien van haar vaderland.

'Ik geloof dat ik begrijp wat je bedoelt, Doc.'

Andrea haalde een verkreukeld pakje Camel uit haar pyjamazak en stak een sigaret op.

'Hoe kom je erbij om daarmee in bed te kruipen?'

'Tja, ik rook nu eenmaal.'

'Ik weet het. Mag ik er ook een?'

'Alsjeblieft. Dat doet me plezier.'

'Hoezo?'

'Ik vind het heerlijk als ik een arts zie roken. Dan zie ik de krassen en deuken in hun harnas van zelfgenoegzaamheid.'

Harel schoot in de lach.

'Ik mag je wel. Daarom vind ik het ook zo naar dat je in zo'n rotsituatie zit.'

'Rotsituatie?' vroeg Andrea met opgetrokken wenkbrauwen.

'Ik heb het over die aanslag van gisteravond.'

'Wie heeft je dat verteld?'

'Fowler.'

'Zijn er nog meer mensen die het weten?'

'Nee. Maar ik ben blij dat hij het me heeft verteld.'

'Ik vermoord hem,' zei Andrea, terwijl ze de as aftikte aan de reling. 'Ik schaamde me kapot, zoals iedereen me gisteravond aankeek…'

'Ik weet dat hij je heeft gevraagd om erover te zwijgen. Voor mij ligt dat anders, je kunt me vertrouwen.'

'… dat stomme wicht! Eerst is ze zeeziek, dan verliest ze haar evenwicht!'

'Nou ja, zo heel ver van de waarheid ligt het nu ook weer niet, weet je nog?'

Andrea kreeg een kleur toen ze eraan dacht dat Harel haar bij haar bloesje had gegrepen om haar binnenboord te houden toen de BA-609 boven het landingsplatform hing.

'Maak je geen zorgen,' vervolgde Harel. 'Fowler heeft het me niet zonder reden verteld.'

'Die alleen hij kent, zeker. Ik vertrouw hem niet, Doc. Ik kende hem hiervoor al…'

'Toen heeft hij je ook het leven gered.'

'Dus dat weet je ook al. Ik vraag me tussen twee haakjes af hoe hij erin is geslaagd me uit het water te vissen.'

'Pater Fowler heeft bij de Amerikaanse luchtmacht gezeten. Hij maakte deel uit van een elitekorps, de *Pararescuemen* genaamd.

'Daar heb ik weleens iets over gelezen. Dat zijn toch commando's die verdwenen soldaten redden uit bezet gebied?'

Harel knikte.

'Ik heb het idee dat hij een zwak voor je heeft opgevat. Ik denk dat je hem aan iemand doet denken.'

Andrea bleef haar peinzend aankijken. Er was een link die ze niet begreep en ze was vastbesloten erachter te komen wat het was. Ze raakte er steeds meer van overtuigd dat haar reportage over de zoektocht naar een relikwie uit de oudheid of haar interview met een van de meest terughoudende miljonairs ter wereld slechts was bedoeld als afleidingsmanoeuvre van het hoofdthema. En als klap op de vuurpijl hadden ze haar overboord gesmeten.

Ik mag hangen als ik begrijp wat er hier aan de hand is. Maar het antwoord ligt bij Fowler en Harel… Hoeveel zouden ze me willen vertellen? bedacht de journaliste.

'Je schijnt hem goed te kennen.'

'Pater Fowler reist veel.'

'Kun je iets duidelijker zijn, Doc? De wereld is groot.'

'Niet de wereld waarin hij zich beweegt. Hij heeft mijn vader nog gekend, weet je.'

'Een buitengewoon mens,' mengde pater Fowler zich in het gesprek.

Ze draaiden zich geschrokken om. De priester stond achter hen.

'Staat u daar al lang?' wilde Andrea weten. Een domme vraag die iemand alleen stelt als hij iets heeft gezegd wat de ander niet mag horen. Pater Fowler negeerde haar vraag. Hij keek ernstiger dan ooit.

'We moeten dringend iets doen.'

De cia-agent begeleidde de dodelijk geschrokken Orville Watson door de hal van zijn zwartgeblakerde kantoor. Er hingen nog wat slierten rook in de lucht, maar het ergste was de geur van roet, vuil en lijken. Het tapijt ging schuil onder een centimeter modderachtig water.
'Voorzichtig, Mr. Watson. We hebben de stroom afgesloten wegens het gevaar voor kortsluiting. We moeten ons behelpen met zaklantaarns.'
In het licht van hun krachtige Maglites liepen ze de gangen door. Orville kon zijn ogen niet geloven. Telkens wanneer de lichtcirkel van de zaklantaarn op een gekanteld bureau, een verschroeid gezicht of een rokende berg papier viel had hij de neiging om in tranen uit te barsten. Dit waren zijn werknemers. Dit was zijn leven. Terwijl de agent – Orville dacht dat het dezelfde was die hem had gebeld toen hij amper het vliegtuig uit was, maar hij wist het niet zeker – hem de gruwelijke details van de aanslag uit de doeken deed, klemde Orville in geschokt zwijgen zijn kaken op elkaar.
'De terroristen kwamen door de hoofdingang naar binnen. Ze hielden de receptioniste onder schot, trokken de telefoonkabels eruit en begonnen om zich heen te schieten. Tot overmaat van ramp zat iedereen op dat moment op zijn werkplek. U had zeventien werknemers, klopt dat?'
Orville knikte. Zijn blik viel vol afgrijzen op de barnstenen halsketting van Olga, van de afdeling boekhouding. Orville had haar die ketting twee weken geleden voor haar verjaardag gegeven. De lichtkring gaf de stenen een onwerkelijke glans. In de duisternis ving hij een glimp op van haar zwartgeblakerde handen, gekromd als klauwen.
'Ze hebben ze allemaal vermoord, een voor een, in koelen bloede. Ze konden geen kant uit. De hoofdingang is de enige uitgang en deze kantoortuin is zo'n… vijftig vierkante meter? Ze konden zich nergens verschuilen.'
Logisch. Omdat Orville van open ruimtes hield. Het hele kantoor was één grote, lichte ruimte van chroom, glas en tropisch hardhout. Er zaten geen deuren of aparte kamers in. Alleen licht.
'Toen ze klaar waren, plaatsten ze een bom in de kast tegen de achterwand en een tweede bij de ingang. Zelfgemaakte explosieven. Ze waren niet zo heel krachtig, maar legden wel alles in de as.'
De computers. Een miljoen dollar aan hardware en miljoenen aan onschatbare informatie, het kostbare resultaat van jaren werk. Allemaal weg. De vorige maand waren ze voor hun back-upsysteem overgestapt op Blu-ray. Ze hadden

tweehonderd schijfjes gekopieerd, ruim tien terabyte aan informatie, opgeslagen in een brandbestendige kast... die nu openstond en een gapende leegte vertoonde. Hoe hadden ze verdomme geweten waar ze moesten zoeken?

'Ze hebben de bommen met mobiele telefoons tot ontploffing gebracht. De hele actie heeft niet langer dan drie, hooguit vier minuten geduurd. Toen de politie gealarmeerd werd, waren de terroristen allang gevlogen.'

Een kantoor in een gebouw zonder verdiepingen, in een wijk buiten het centrum met alleen wat kleine middenstanders en een Starbucks in de buurt. De ideale plek om rustig te kunnen werken, zonder angst. Zonder achterdocht. Zonder getuigen.

'De eerste agenten die op de plaats delict arriveerden hebben de straat afgezet, de brandweer gewaarschuwd en de nieuwsgierigen op afstand gehouden. Even daarna arriveerde ons *damage control team*. We hebben naar buiten gebracht dat er een gastank was ontploft en dat er één dode is gevallen. Niemand mag weten wat hier vandaag heeft plaatsgevonden.'

Het zouden duizend organisaties geweest kunnen zijn. Al Qaida, de Al-Aqsa Martelaren Brigade, de Turks-islamitische terreurgroep IBDA-C... Om het even welke van deze groeperingen die een vermoeden had gekregen van de werkelijke activiteiten van GlobalInfo zou dit bloedbad de hoogste prioriteit hebben gegeven. Orvilles bedrijf bracht hun zwakste punt naar voren: hun manier van communiceren. Hij vermoedde echter dat er achter deze aanslag iets schuilging wat dieper ging en vele malen geheimzinniger was: zijn laatste klus voor Kayn Industries. En een naam. Een dreigende, levensgevaarlijke naam.

Huqan.

'Wat een geluk dat u op reis was, Mr. Watson. Maakt u zich vooral geen zorgen, wij nemen de zaak in handen. U komt onder bescherming van de CIA te staan.'

Toen sprak Orville zijn eerste woorden sinds hij de drempel van zijn bedrijf was over gestapt.

'Uw bescherming betekent een enkele reis naar het mortuarium. Laat me in godsnaam met rust. Ik duik een paar maanden onder.'

'Dat zal niet gaan, Mr. Watson,' zei de CIA-agent. Hij deed een stapje achteruit en legde zijn hand op zijn holster. Met de andere hand richtte hij zijn zaklantaarn op Orvilles borst. Het gebloemde overhemd van de jongeman stond in schril contrast met die omgeving van rook en dood, als een clown op een begrafenis.

'Waar hebt u het over?'

'Langley wil u spreken, meneer.'

'Ik had het kunnen weten. Ze zijn bereid me enorme geldsommen te betalen. Ze zijn bereid om de herinnering van mijn jongens en meiden te bezoedelen door te zeggen dat ze ten gevolge van een of ander klote-ongeval zijn doodgegaan, in plaats van vermoord door de vijanden van dit land. Waar ze niet toe bereid zijn is dat de informatiekraan dichtgaat, is het niet zo, agent? Al moet ik het met mijn leven bekopen!'

'Daar weet ik allemaal niets van, meneer. Ik heb orders gekregen u gezond en wel over te brengen naar Langley. Werkt u alstublieft een beetje mee.'

'Oké, dan. Ik ga al mee. Ik heb toch geen keus.'

De agent glimlachte opgelucht en haalde zijn zaklantaarn van Orvilles borst. 'Ik ben blij dat te horen, meneer. Ik wilde u liever niet in de boeien slaan, gezien de situatie…'

Hij had het net een seconde te laat in de gaten. Orville liet zich met zijn volle gewicht op hem vallen. In tegenstelling tot de agent was de jonge Californiër totaal niet getraind in welke sport of gevechtstechniek dan ook. Hij wist niets van de martiale kunsten en had geen idee hoe je iemand met blote handen kon vermoorden. Orville was slechts met één vorm van geweld bekend: de spelletjes op zijn PlayStation.

Hij had echter één ding mee, namelijk de 109 kilo pure wanhoop en woede waarmee hij de agent tegen een gekanteld bureau wierp. Het brak prompt in tweeën. De man probeerde overeind te krabbelen en greep naar zijn wapen, maar Orville was sneller. Hij boog zich over hem heen en mepte hem met de zaklantaarn in het gezicht. De armen van de agent verslapten en hij bleef doodstil liggen.

Orville sloeg geschrokken zijn handen voor zijn gezicht. Dit ging veel te ver. Nog geen twee uur geleden was hij met het gevoel dat hij de hele wereld aankon het vliegtuig uit gestapt. En nu mepte hij een agent tot die… dood was? Hij legde zijn vingers tegen de keel van de man en voelde de geruststellende klop van zijn hartslag. God zij geloofd en geprezen.

Oké. Oké. Denk na. Wegwezen hier. Snel. Een toevlucht zoeken. Kalm blijven. Ze mogen je niet te pakken krijgen.

Met dat dikke lijf van hem, die paardenstaart en dat hawaïshirt zou hij niet ver komen. Hij ging bij het raam staan om te bedenken wat hij moest doen. Enkele brandweerlieden stonden bij de deur water te drinken of zetten hun tanden in partjes sinaasappel. Dat was precies wat hij nodig had. Hij ging de deur uit met een kalmte die hij niet bezat en liep naar het hekje bij het raam. De brandweerlieden hadden hun jassen en helmen, die met deze warmte veel te zwaar waren eroverheen gehangen. Ze stonden met hun rug naar hem toe grappen te maken. Biddend dat ze hem niet zouden zien greep Orville een brandweerjas en een helm en keerde op zijn schreden terug, met de bedoeling het kantoor weer binnen te gaan.

'Hé, jij daar.'

Orville draaide zich geschrokken om.

'Bedoelt u mij?'

'Ja, wie anders?' vroeg een van de brandweerlieden met een kwaad gezicht. 'Waar dacht je heen te gaan met mijn jas?'

Geef antwoord, jochie. Verzin iets. Iets aannemelijks.

'Sorry. We moeten de ruimte waar de server stond onderzoeken en de politie vindt dat ik niet voorzichtig genoeg kan zijn, dus…'

'Heeft je moeder je niet geleerd dat je eerst moet vragen voordat je iets pakt?'

'Sorry, het spijt me. Mag ik hem even lenen?'

De brandweerman ontspande zich en begon te glimlachen.

'Jawel, hoor. Laten we maar eens kijken of het je maat is.' Hij hield hem de jongeman voor en Orville stak braaf zijn armen in de mouwen. De brandweerman knoopte de jas dicht en zette hem zijn helm op. Orville trok zijn neus op bij de geur van zweet en roet die erin hing. 'Hij staat hem geweldig, hè jongens?'

'Net een echte brandweerman, behalve die sandalen dan,' zei een van de anderen. Ze lachten smakelijk om de blote voeten van de jongen.

'Dank u, dank u wel. Mag ik u trakteren op een rondje sinaasappelsap om mijn dankbaarheid te tonen?' grapte Orville met hen mee.

Onder luid applaus lieten ze Orville de straat op gaan. Hij legde de tweehonderd meter die hem scheidden van het veiligheidstape in alle rust af. Daarachter stond een twintigtal nieuwsgierigen en een handjevol cameramensen en fotografen die opnamen probeerden te maken. Van die afstand leek het niet meer dan een saaie gasexplosie te zijn, dus Orville vermoedde dat ze niet al te lang zouden blijven hangen. Hij betwijfelde of er ook maar één minuut aandacht aan besteed zou worden op het journaal. Nog geen halve kolom in de *Washington Post*, dacht hij. Maar eerst moest hij een dringend probleem het hoofd bieden: hij moest hier weg.

Alles gaat best, zolang je geen andere CIA-*agent tegen het lijf loopt. Hou die stomme glimlach op je smoel. Vrolijk kijken, niks aan de hand.*

'Hoi, Bill,' groette hij de agent die bij het veiligheidstape postte, alsof hij hem al zijn hele leven kende. 'Ik ga even wat verse jus halen voor de jongens.'

'Ik ben Mac.'

'O ja, sorry. Ik zag het niet zo snel.'

'Jij zit toch bij het 54e?'

'Nee, het 8e. Stewart,' zei Orville en hij wees naar de naam die op de borst van zijn jas stond. Hij hoopte dat de agent niet naar zijn voeten zou kijken.

'Ga er maar langs,' zei de agent. Hij hield het tape wat omhoog, zodat Orville er makkelijker onderdoor kon. 'Neem even iets te eten mee, als je eraan denkt.'

'Doe ik,' zei Orville. En met die woorden liet hij voor altijd de rokende resten van zijn kantoor achter zich en verdween hij achter het groepje ramptoeristen.

'Ik denk er niet over,' zei Andrea. 'Het is gekkenwerk.'

Fowler zocht hoofdschuddend de blik van Harel, smekend om hulp. Dit was zijn derde poging om de journaliste over te halen.

'Luister nou, lieverd,' zei de arts, terwijl ze zich naar Andrea toe boog. Die zat op de grond met haar rug tegen de muur, haar linkerarm om haar benen geslagen en de zoveelste sigaret in haar rechterhand. 'Wat jou gisteren is overkomen is een duidelijk bewijs dat er iemand is geïnfiltreerd in de expeditie. Ik snap niet waarom ze jou moesten hebben, maar waar het om gaat is dat we in elk geval over dezelfde informatie willen beschikken als Russell. Ze zullen het ons niet zomaar geven, dat is zeker. Daarom moet jij een kijkje nemen in die dossiers.'

'Kan ik ze niet gewoon uit Russells hut halen?'

'Nee, dat gaat niet. Ten eerste bevindt Russells hut zich in de vertrekken van Kayn en daar is de beveiliging het zwaarst. En ook al lukt het je om binnen te komen, het is een grote hut vol paperassen en dossiers. Ze hebben alles meegenomen, want ze moeten Kayns imperium vanaf hier draaiende houden.'

'Kan best, maar die engerd... Ik heb gezien hoe hij naar me kijkt. Ik blijf het liefst zo ver mogelijk bij hem uit de buurt.'

'Mr. Dekker kent de complete werken van Schopenhauer uit zijn hoofd. U vindt vast wel iets om over te praten,' zei Fowler in een poging tot een grapje.

'Pater, dat helpt niet echt,' mopperde Harel.

'Waar heeft hij het over, Doc?' vroeg Andrea.

'Als hij gestrest is, haalt Dekker citaten aan uit Schopenhauer. Daar staat hij om bekend.'

'Ik dacht dat hij erom bekendstond dat hij prikkeldraad eet als ontbijt. Kunt u zich voorstellen wat hij met me doet als hij me snapt terwijl ik in zijn hut aan het spioneren ben? Ik ga ervandoor.'

'Andrea!' Harel greep haar bij de arm. 'Dat was het oorspronkelijke plan, dat je zou vertrekken. Pater Fowler en ik wilden proberen je over te halen om met de een of andere smoes de expeditie te verlaten in de eerste de beste haven die we zouden aandoen. Jammer genoeg zal niemand er vrijwillig uit kunnen stappen nu het doel van de expeditie eenmaal onthuld is.'

Lekker dan. Ik zit gevangen met het verhaal van mijn leven. Een leven dat hopelijk niet al te kort zal zijn.

'U zit er tot over uw oren in, of u het wilt of niet, juffrouw Otero. Dokter

Harel en ik kunnen op geen enkele manier de hut van Dekker binnendringen. Ze houden ons constant in de gaten. Dat geldt echter niet voor u. Het is een kleine hut en veel zal er niet liggen. Ik weet zeker dat de enige dossiers die u er zult aantreffen de briefing van de expeditie bevatten. Ze zijn waarschijnlijk zwart, met het logo van een berenklauw op de voorpagina.'

'Hoezo zwart?'

'Dekker werkt voor een beveiligingsbedrijf dat goed-getrainde huursoldaten levert. Het heet Blackwater[1]. Erg creatief zijn ze kennelijk niet.'

Andrea dacht koortsachtig na. Hoe bang ze ook was voor Mogens Dekker, ze kon niet langer de andere kant op kijken, haar reportage schrijven en er het beste van hopen nu ze wist dat er een moordenaar aan boord was. Ze moest doen wat ze kon en het was nog niet zo'n gek idee om zich aan te sluiten bij Harel en pater Fowler.

In elk geval zolang het me uitkomt en ze niet tussen mijn camera en de Ark gaan staan.

'Goed dan. Laten we hopen dat die neanderthaler me niet verkracht of vieren-deelt, want dan kom ik de rest van jullie leven verzieken als spook.'

Andrea wandelde naar het midden van gang 7. Het plan was doodsimpel. Harel had Dekker gespot op de commandobrug en zou hem een tijdje bezig-houden met vragen over eventuele vaccinaties voor zijn mannen. Fowler zou de wacht houden tussen het eerste en het tweede dek. De hut van de huursol-daat lag op het tweede niveau. De deur stond open.

Arrogante eikel, dacht Andrea.

De sobere hut was praktisch identiek aan de hare. Een smal bed, keurig opge-maakt.

Precies de paus. Hufter van een militair.

Een ijzeren kast, een kleine toiletruimte en een bureau. Daar lag een stapeltje zwarte dossiers op.

Bingo. Dat verloopt soepel.

Ze wilde er net eentje openslaan toen een zijdezachte stem haar zowat tegen het plafond joeg.

'Wel, wel, wel... Wie hebben we daar?'

---

1 Blackwater USA is de grootste particuliere militaire uitvoerder ter wereld. Het hoofdkantoor is gevestigd in North-Carolina en zijn grootste, hoewel zeker niet enige klant, is de Ameri-kaanse regering. Blackwater beschikt over een leger van duizenden mensen, een eigen scheepsvloot, helikopters en tanks. Tijdens de oorlog in Irak kwam het bedrijf in opspraak.

AAN BOORD VAN DE *BEHEMOT*
Kade van Akaba, Jordanië

Woensdag 12 juli 2006, 11.32 uur

Andrea verzamelde al haar krachten om het niet uit te schreeuwen en slaagde erin zich glimlachend om te draaien.
'Hallo, meneer Dekker. Of moet ik commandant Dekker zeggen? Ik was naar u op zoek.'
De huursoldaat was zo groot en stond zo dichtbij dat Andrea haar hals moest strekken om niet tegen zijn borstkas aan te kletsen.
'Meneer Dekker is prima. Hebt u iets nodig... Andrea?'
Bedenk een smoes. Een heel goeie smoes, dacht Andrea koortsachtig en ze keek hem zo onschuldig mogelijk aan.
'Ik wilde u mijn excuses aanbieden voor mijn gedrag van gisteren tijdens de landing van de heer Kayn.'
Dekker zei niets en liet alleen een instemmend gegrom horen. Die gorilla nam de complete deuropening in beslag met zijn forse lijf. Nu hij zo dichtbij stond kreeg Andrea een duidelijker beeld dan haar lief was van het donkere litteken dat over zijn gezicht liep, zijn kastanjebruine haar, zijn blauwe ogen, zijn baard van twee dagen en zijn aftershave.
Mijn god, hij gebruikt Armani. Liters, lijkt wel.
'Accepteert u mijn excuses niet?'
'Ik heb nog niets gehoord, Andrea. U bent toch gekomen om uw excuses aan te bieden?'
Andrea had ooit een documentaire gezien op National Geographic, waarin een cobra op een cavia zat te loeren. Deze situatie leek daar veel op.
'Neem me niet kwalijk.'
'Het is in orde. Gelukkig heeft uw vriend Fowler de situatie gered. Maar u zou voorzichtiger moeten zijn. Bijna al ons verdriet komt voort uit onze relaties met anderen.'
Dekker deed een stap naar voren. Andrea week achteruit.
'Dat klinkt erg diepzinnig. Schopenhauer?'
'Zo, zo, u kent uw klassiekers. Of krijgt u privéles aan boord?'
'Ik ben altijd autodidact geweest.'
'De grote meester zegt: "Kijk altijd naar het gezicht, want dat zegt meer dan woorden." Ik zie aan uw gezicht dat u zich schuldig voelt.'
Andrea keek met een schuin oog naar de mappen, om dat onmiddellijk daarna te betreuren. Ze wilde Dekker niet op het goede spoor brengen. Maar het was al te laat.

'De grote meester heeft eveneens gezegd: "Elke man gaat ervan uit dat de beperkingen van zijn eigen blikveld voor de hele wereld gelden."'

Dekker ontblootte zijn tanden in een zelfingenomen grijns.

'Daar zit veel waarheid in. U kunt zich beter gaan klaarmaken, we gaan binnen een uur van boord.'

'Ja, natuurlijk. Neem me niet kwalijk,' zei Andrea in een poging hem voorbij te lopen.

In eerste instantie bewoog Dekker zich niet. Toen kwam de betonnen muur die zijn lichaam vormde een klein beetje in beweging en wrong Andrea zich met moeite door de opening tussen zijn lijf en het bureau.

Wat er daarna gebeurde wilde Andrea zich later altijd graag herinneren als een slimme zet, een geniale actie om de informatie die ze nodig had voor zijn ogen aan de Zuid-Afrikaan te ontfutselen. De werkelijkheid was wat prozaïscher.

Ze struikelde.

Haar linkerbeen bleef haken achter de linkervoet van Dekker, die geen krimp gaf. Andrea daarentegen verloor haar evenwicht en viel voorover, waarbij ze zich vastgreep aan het bureau om te voorkomen dat ze haar hoofd tegen de rand zou stoten. De mappen gleden van de tafel en alle papieren kwamen verspreid over de vloer terecht.

Andrea keek verbijsterd naar de vloer en vervolgens naar Dekker, die haar aankeek of hij haar levend wilde villen.

'Oeps.'

'… Dus ik mompelde een excuus en ben er als een haas vandoor gegaan. Jullie hadden zijn gezicht moeten zien. Ik zal het nooit vergeten.'

'Het spijt me dat we u niet meer konden waarschuwen,' zei pater Fowler hoofdschuddend. 'Hij ging de brug af en verdween via een van de personeelsingangen naar binnen.'

Ze zaten wederom met z'n drieën in de ziekenboeg. Andrea zat op een van de bedden en Fowler en Harel keken haar bezorgd aan.

'Ik hoorde hem niet eens aankomen. Niet te geloven dat iemand met zijn postuur zich zo stiekem kan voortbewegen. Al die moeite is voor niets geweest. Trouwens, nog bedankt voor die informatie over Schopenhauer, pater. Ik had hem even helemaal plat.'

'Graag gedaan. Ik vind het persoonlijk een saaie filosoof. Ik kan nooit een citaat van hem onthouden.'

'Heb je nog iets kunnen zien toen al die mappen op de grond vielen?' vroeg Harel.

Andrea sloot haar ogen om zich beter te concentreren.

'Er waren foto's van de woestijn, plattegronden van iets wat huizen kunnen zijn… Ik weet het niet, alles lag door elkaar en overal stonden aantekeningen op gekrabbeld. Er zat één andere map tussen, geel met een rood logo.'

'Wat voor logo?' wilde de arts weten.

'Wat doet het er nog toe?' mopperde Andrea.

'Het zou u verbazen hoeveel oorlogen er gewonnen worden dankzij onbelangrijke details.'

Andrea probeerde zich opnieuw te concentreren. Ze had een uitstekend geheugen, maar ze had slechts een korte blik kunnen werpen op de papieren die over de vloer verspreid lagen en dat terwijl ze zich lam was geschrokken. Ze zette haar vingers tegen het puntje van haar neus, kneep haar ogen stijf dicht en begon allerlei rare geluidjes uit te stoten die nergens toe dienden. Net toen ze dacht dat ze het helemaal kwijt was, kwam het beeld haar weer helder voor de geest.

'Het was een vogel. Een uil of zo, aan de ogen te zien. Een vogel met gespreide vleugels.'

Fowler glimlachte tevreden.

'Dat is vrij bijzonder, daar zouden we iets aan kunnen hebben.'

De priester pakte zijn koffertje en haalde er een mobiele telefoon uit, uitgerust met een forse antenne. Voor de verbaasde ogen van de beide vrouwen zette hij hem aan.

'Ik dacht dat elk contact met de buitenwereld verboden was,' zei Andrea.

'Klopt. Als ze het merken hebben we een probleem.'

Fowler keek aandachtig naar het scherm van zijn mobiele telefoon tot hij bereik had. De telefoon was niet aangesloten op het normale netwerk, maar werkte via een satelliet van Globalstar en kon rechtstreeks verbinding maken met het netwerk van communicatiesatellieten. Hij had een bereik van 99 procent van het totale aardoppervlak.

'Daarom was het zo belangrijk om juist vandaag zo veel mogelijk informatie te achterhalen, juffrouw Otero,' zei de priester, terwijl hij een nummer intoetste dat hij uit zijn hoofd kende. 'We zijn in bewoond gebied en een signaal als dit zal vanaf het schip ongemerkt opgaan in alle signalen van de stad Akaba. Als we eenmaal in de woestijn zijn, op de plaats van de opgraving, wordt het een stuk riskanter om de telefoon te gebruiken.'

'Maar wat...'

Fowler hief een waarschuwende vinger. Hij had verbinding.

'Albert, ik heb je hulp nodig.'

Woensdag 12 juli 2006, 05.16 uur

De jonge priester sprong nog half in slaap zijn bed uit. Hij wist meteen wie het was. Die mobiele telefoon rinkelde alleen als het zeer dringend was. Hij had een andere ringtone dan de andere mobieltjes die hij in gebruik had en er was maar één persoon op de hele wereld die het nummer had. Iemand voor wie pater Albert zonder met zijn ogen te knipperen zijn leven zou geven.

Pater Albert was natuurlijk niet altijd als pater Albert door het leven gegaan. Twaalf jaar geleden, toen hij veertien was, noemde hij zich *FrodoPoison* en behoorde hij tot de grootste cybercriminelen van de Verenigde Staten.

Als kind was Al erg eenzaam. Zijn ouders werkten allebei buitenshuis en hadden het te druk met hun carrière om aandacht te besteden aan een mager, blond jochie dat er zo fragiel uitzag dat je wel uitkeek om de ramen in het appartement tegen elkaar open te zetten, uit angst dat hij zou wegwaaien. Albert had echter geen wind nodig om via de cyberruimte overal ter wereld naartoe te vliegen.

'Het is een onverklaarbaar talent,' zei een van de FBI-agenten enkele uren na zijn arrestatie. 'Niemand heeft het hem geleerd. Als dat kind naar een computer kijkt, ziet hij heel wat anders dan twintig kilo koper, silicium en plastic. Hij ziet alleen poorten.'

Albert had er heel wat opengemaakt. Zomaar voor de lol. Onder andere de virtuele kluizen van de Chase Manhattan Bank, de Mitsubishi Tokyo Financial Group en de BNP. In de drie weken van zijn criminele carrière wist hij beslag te leggen op achthonderd en drieënnegentig miljoen dollar door de bank opdracht te geven geld over te maken via een niet-bestaande bank, de Albert M. Bank, gevestigd op de Kaaimaneilanden. Een bank met slechts één cliënt. Het was niet zo heel slim om die bank zijn eigen naam te geven, maar per slot van rekening was Albert nog maar net in de puberteit. Het joch besefte tijdens het avondeten dat hij iets doms had gedaan, toen er twee complete SWAT-eenheden het huis binnenvielen, het tapijt in de salon vernielden en de staart van de kat platwalsten.

Albert zou echter nooit een gevangeniscel van binnen zien, waarmee maar weer eens bewezen is dat misdaad loont. Maar terwijl hij geboeid en wel aan de tand werd gevoeld in een verhoorkamertje van de FBI, maalde het weinige dat hij op televisie had gezien van het Amerikaanse strafsysteem door zijn hoofd. Albert had eruit begrepen dat de gevangenis een plek is waar ze je laten verkommeren en waar ze *sodomie* met je bedrijven. Hij wist niet precies wat dat was, maar het zou vast heel erg pijn doen.

De FBI-agenten keken naar dat kwetsbare, gebroken jongetje en begonnen nerveus te zweten. Hij had heel wat mensen beziggehouden de laatste tijd en het was ontzettend lastig geweest om hem te pakken te krijgen. Als hij niet zo onhandig was geweest om zijn eigen naam te gebruiken, had hij de grootste banken ter wereld nog een aardige poot kunnen uitdraaien. Ze hadden er totaal geen belang bij deze kwestie te laten uitlekken, dat mocht duidelijk zijn. Dit soort zaken wekte altijd een hoop onrust onder beleggers.

'Wat moeten we met een atoombom van veertien jaar?' vroeg een van de agenten zich hardop af.

'Hem leren wat hij moet doen om te voorkomen dat de boel ontploft,' antwoordde de ander, in een vlaag van creativiteit.

En zo droegen ze de zaak over aan de CIA, die wel raad wist met een ruwe diamant als hij. Zij lichtten op hun beurt een agent van zijn bed om met het joch te praten, een man die in 1994 in ongenade was gevallen bij de Company, een oudere aalmoezenier van de luchtmacht met een graad in de psychologie.

Toen Fowler die nacht slaperig de verhoorkamer binnenstapte en Albert uitlegde dat hij kon kiezen tussen een flinke tijd achter de tralies of zes uurtjes per week werken voor de regering, huilde het kind van dankbaarheid.

Fowler kreeg de taak om als kindermeisje van dat spichtige joch op te treden als straf opgelegd, maar zelf beschouwde hij het als een bonus. Mettertijd sloten ze een onverbrekelijke vriendschap en kregen ze groot respect voor elkaar, wat Albert ertoe bracht katholiek te worden en zelfs naar het seminarie te gaan. Toen hij tot priester werd gewijd, bleef hij sporadisch als vrijwilliger werkzaam voor de CIA, hoewel hij nu meer fungeerde als contactpersoon van de Heilige Alliantie, de spionagedienst van het Vaticaan waar ook Fowler lid van was. Sinds die dag had die hem regelmatig lastiggevallen met nachtelijke telefoontjes, deels uit wraak voor die nacht in 1994 toen ze elkaar hadden leren kennen.

'Hé, Anthony.'

'Albert, ik heb je hulp nodig.'

'Kun je niet op een normaal tijdstip bellen?'

'Wees dus waakzaam, want jullie weten niet op welke dag jullie Heer komt, sprak de Heer.'

'Zit niet te zaniken, Anthony,' zei de jonge priester, terwijl hij naar de koelkast liep. 'Ik ben kapot, dus schiet op. Zit je al in Jordanië?'

'Ken jij een beveiligingsbedrijf dat als logo een rode uil heeft met gespreide vleugels?'

Albert schonk een glas melk in en nam het mee terug naar de slaapkamer.

'Maak je een geintje of zo? Dat is het logo van GlobalInfo. Die jongens waren de nieuwe sterren aan het firmament van de Company[1]. Ze verdienden een

---

1 De naam waaronder de CIA bekendstaat in spionagekringen.

lieve duit met het vergaren van informatie voor de afdeling islamitische terreurgroepen. Ze gaven consulten aan Amerikaanse particulieren en bedrijven en zelfs Tony Blair heeft weleens van hun diensten gebruikgemaakt.'

'Waarom praat je in de verleden tijd?'

'Er is een paar uur geleden een interne memo uit gegaan. De een of andere terreurbeweging heeft gisteren alle werknemers van het bedrijf in Washington met kogels doorzeefd en vervolgens het hele kantoor opgeblazen. De pers is niet ingelicht. Ze gaan het naar buiten brengen als een gasexplosie. De pers heeft de laatste tijd veel kritiek op de Company, omdat die op het gebied van terreurbestrijding te veel op externe bronnen zou steunen. Door een aanslag als deze zouden ze wel heel kwetsbaar overkomen.'

'Overlevenden?'

'Eentje. Orville Watson, de oprichter en baas van het spul. Na de aanslag zei hij dat hij geen behoefte had aan de bescherming van de CIA en is hij ervandoor gegaan. De bobo's in Langley zijn woest op de twee eikels die hem hebben laten ontsnappen. Het heeft de hoogste prioriteit om Watson te vinden en te laten beveiligen.'

Fowler bleef ruim een minuut zwijgen. Albert bleef rustig wachten, gewend als hij was aan de lange, bedachtzame pauzes van zijn oude vriend.

'Hoor eens, Albert,' zei Fowler uiteindelijk. 'We zitten hier flink in de nesten en Watson weet iets. Je moet hem vinden, voordat de CIA hem vindt. Hij verkeert in levensgevaar. En wat erger is, wij ook.'

Het zou overdreven zijn om die smalle, harde greppel in het zand waar het konvooi overheen sukkelde een weg te noemen. In vogelvlucht of gezien vanaf een van de hoge zandheuvels in dat desolate landschap zouden de acht voertuigen een vreemdsoortige, stoffige aanblik bieden. De opgraving lag slechts op 162 kilometer afstand van Akaba, maar gezien het ruige terrein en het slechte zicht dat de chauffeurs vanaf het derde voertuig hadden door de stofwolken die ze vormden, kostte het hun vijf uur om de plek te bereiken.

De stoet werd geopend door twee terreinwagens van het type Hummer H3, allebei met vier personen aan boord. Deze H3's, wit gespoten en voorzien van het rode logo met de opengespreide hand van Kayn Industries op de portieren, behoorden tot een beperkte oplage en waren speciaal gebouwd om de moeilijkste omstandigheden van het aardoppervlak het hoofd te bieden.

'Wat een geweldige auto,' bleef Tommy Eichberg maar uitroepen. Hij zat achter het stuur van de tweede H3, met een dodelijk verveelde Andrea naast zich. 'Wat zeg ik, een auto? Het is een tank. Hij kan over 40 centimeter hoge muren en klimt met gemak tegen een helling van 60 graden.'

'Hij is vast duurder dan mijn hele appartement.' Nu het onmogelijk bleek te zijn foto's te nemen vanuit de auto knoopte ze maar een praatje aan met Stowe Erling en David Pappas, die achterin zaten.

'Bijna 300.000 euro. Hij kan overal overheen, zolang je er maar benzine in stopt.'

'Daarom hebben we dat benzineblik op wielen toch bij ons?' zei David. Het was een donkere jongen, met een platte neus en zo weinig voorhoofd dat zijn wenkbrauwen tegen zijn haarlijn aan zaten als hij grote ogen opzette van verbazing, iets wat hij regelmatig deed. Andrea mocht hem wel, in tegenstelling tot Stowe, die er ondanks zijn lengte en zijn knappe voorkomen, met zijn blonde haar gebonden in een staartje, uitzag als het prototype van een engerd.

'Logisch, David. Geen domme vragen stellen, jongen. Dat is slecht voor je image. Assertiviteit, weet je nog? Daar gaat het om.'

'Je hebt een erg grote bek als de professor er niet bij is, Stowe,' zei David beledigd. 'Ik vond jou vanochtend ook niet zo assertief, toen hij je op de vingers tikte omdat je berekeningen niet klopten.'

Stowe stak zijn kin in de lucht en trok een gezicht van 'dat geloof je toch niet?' naar Andrea. Ze negeerde hem en klikte haar camera open om de geheugenkaart te verwisselen. Elke kaart van 4 gigabytes had een geheugen voor 600

foto's met de hoogste resolutie. Als een ervan vol zat zette ze alles op een draagbare harde schijf, speciaal voor foto's, met een capaciteit van 12.000 opnamen en een 7-inch lcd-scherm om ze te bewerken. Ze had het liefst haar laptop meegenomen, maar die waren strikt verboden bij deze expeditie. Alleen het team van Forrester had toestemming gekregen er een paar mee te nemen.

'Hoeveel benzine hebben we bij ons, Tommy?' vroeg ze de chauffeur.

De man streek met een kalm gebaar over zijn snor. Andrea had plezier in zijn rustige stem en de manier waarop hij praktisch elke zin begon met een langgerekt 'nou-ou...'

'In die twee vrachtwagens achter ons zitten onze voorraden. Het zijn Russische Kamazlegertrucks. Robuuster worden ze niet gemaakt. De Russen gebruikten ze voor het eerst in Afghanistan. Nou-ou... daarachter zitten de twee tankwagens. Er zit 40.000 liter water in de watertank en ongeveer 35.000 liter benzine in die kleinere tank.'

'Dat is een hoop brandstof.'

'Nou-ou... we zitten daar wel een week of drie. We hebben ook elektriciteit nodig.'

'We kunnen altijd terugvallen op het schip, als we meer nodig hebben.'

'Nou-ou... nee, meisje, dat zal niet gebeuren. Als we eenmaal in het kamp zijn moeten we het zien te rooien. Contact met de buitenwereld is verboden.'

'Maar stel dat er een noodgeval is?' vroeg Andrea gealarmeerd.

'We kunnen onszelf op alle vlakken bedruipen. We hebben zo veel bij ons dat we het maandenlang kunnen uithouden en er is werkelijk aan alles gedacht. Dat weet ik, want als chauffeur en mecanicien had ik de leiding over de voertuigen en de lading. Dokter Harel heeft de beschikking over een compleet hospitaal. Nou-ou... en als er iets is wat verder gaat dan een gebroken enkel ligt het dorp Al Mudawwarah slechts 75 kilometer verderop.'

'Dat is een hele opluchting. Hoeveel zielen telt dat dorp? Twaalf?'

'Leren ze je zo te katten op de School voor Journalistiek?' vroeg Stowe van de achterbank.

'Ja. Dat college heet Sarcasme 101.'

'Dat was vast uw enige voldoende.'

Misselijke wijsneus die je bent. Ik hoop dat je flauwvalt van de hitte tijdens het graven. We zullen eens zien hoe hard je piept als je je niet goed voelt midden in de woestijn van Jordanië, eikel, dacht Andrea. Ze had nooit ergens goede cijfers voor gehaald. Beledigd bewaarde ze gedurende de rest van de tocht een hooghartig stilzwijgen.

'Welkom in Centraal-Jordanië, dames en heren,' riep Tommy zangerig. 'Het land van de samoen. Bevolking: niemand.'

'Wat is dat, de samoen?' wilde Andrea weten.

'Een enorme zandstorm. Het schijnt de moeite waard te zijn om eens mee te maken, heb ik gehoord. Nou, we zijn er.'

De H3 kwam tot stilstand. De vrachtwagens stelden zich naast elkaar op aan één kant van de hachelijke weg.

'Volgens mij zijn we bij de omleiding,' zei Tommy met zijn ogen op het scherm van zijn gps-systeem op het dashboard. 'We hebben nog maar drie kilometer te gaan, maar het zal wel even duren voor we er zijn. We moeten over die zandheuvels heen en dat wordt een hele klus voor de vrachtwagens.'

Toen het stof enigszins was neergeslagen, zag Andrea een enorm zandduin dat een heuvel vormde van roze gekleurd zand. Erachter verrees de Slenk van de Klauw, de kloof waar volgens Forrester de Ark des Verbonds al duizenden jaren begraven lag. De windvlagen boven het duin joegen het zand op en wenkten Andrea bijna smekend naar zich toe.

'Denkt u dat ik het laatste stuk lopend kan afleggen? Ik wil de aankomst van de expeditie graag fotograferen. Dan ben ik er vast eerder dan de auto's, zo te zien.'

Tommy keek haar bezorgd aan.

'Nou-ou... dat lijkt me niet zo'n goed idee. Het is niet makkelijk om die heuvel te beklimmen. In de auto is het koel, maar buiten is het 38 graden op dit moment.'

'Ik zal voorzichtig zijn. En daarbij houden we elkaar constant in het oog. Er kan me niets gebeuren.'

'Ik zou het u toch willen afraden, juffrouw Otero,' deed ook David Pappas een duit in het zakje.

'Kom op, Eichberg. Het is een grote meid,' vond Stowe, meer om David te stangen dan om Andrea te steunen.

'Ik moet het overleggen met Mr. Russell.'

'Zou u dat willen doen?'

Tommy pakte met tegenzin de walkietalkie op.

Twintig minuten later had Andrea spijt als haren op haar hoofd van deze beslissing. Vanaf het pad vormde de route naar de top van het duin eerst een diepe, holle afdaling van zo'n vijfentwintig meter, om vervolgens over te gaan in een steile helling van zo'n achthonderd meter hoog. De laatste vijftien meter hadden een verval van 25 procent. De top leek bedrieglijk dichtbij. Het zand was verraderlijk zacht.

Ze had een rugzak meegenomen met een tweeliterfles water erin. Die was al leeg voordat ze de top van de heuvel had bereikt. Ondanks haar zonnehoed had ze hoofdpijn gekregen en haar neus en keel brandden pijnlijk. Ze droeg een bloesje met korte mouwen, een short en een paar bergschoenen en hoewel ze zich goed met factor 80 had ingesmeerd voor ze uit de auto stapte, begonnen haar armen en benen nu al te steken.

Ik ben nog geen halfuur verder en ze kunnen me al opnemen in het brandwondencentrum. Ik mag hopen dat die auto's het niet begeven, want lopend komen we never nooit thuis, dacht Andrea.

Dat leek echter niet het geval te zijn. Tommy stuurde een van de vrachtwagens vakkundig naar de top van de heuvel. Dat was een klus voor een ervaren chauffeur, want de kans was groot dat de wagen zou kantelen. Hij reed eerst de twee Kamaztrucks met de voorraden naar boven en parkeerde ze netjes in een rij naast elkaar, vlak voor het punt waar de helling het steilst omhoogging. Daarna volgden de twee tankwagens. Intussen keek de rest van het personeel toe in de koelte van de H3's.

Andrea bekeek het hele tafereel door haar verrekijker. Telkens wanneer Tommy een wagen naar boven had gereden en uitstapte, zwaaide hij vanaf de heuvel naar haar. Andrea zwaaide terug.

Ten slotte reed hij de H3's de helling op. Hij wilde ze gebruiken om de zware vrachtwagens naar de top te slepen, die ondanks hun zware wielen niet genoeg kracht hadden om zo'n zanderige, steile helling te kunnen nemen.

Andrea nam een paar foto's van de klim van de eerste vrachtwagen. Een van de soldaten van Dekker zat aan het stuur van de terreinwagen en probeerde de Kamaz met een stevige kabel omhoog te trekken. Toen ze er met heel veel inspanning in waren geslaagd de enorme vrachtwagen naar de top van het duin te slepen en ze het punt bereikt hadden waar Andrea stond te kijken, verloor ze haar belangstelling. Ze richtte haar aandacht op de Slenk van de Klauw.

Op het eerste gezicht week de gigantische, rotsachtige bergengte niet af van de andere rotspartijen in de woestijn. Andrea ontwaarde twee steile wanden die een meter of vijftig van elkaar af lagen en zich vertakten. Onderweg had Eichberg haar een luchtfoto laten zien van de locatie: de bergkloof zag eruit als de klauw van een gigantisch roofdier met drie tenen.

Beide wanden waren tussen de dertig en veertig meter hoog en strekten zich uit over de volle lengte van de bergpas. Andrea richtte haar verrekijker op de punt van een van de rotswanden, zoekend naar een plek waar ze naar beneden kon en vanwaar ze een shot van bovenaf kon nemen.

En toen zag ze hem!

Het gebeurde in een flits. Een man, gekleed in kaki, die haar in de gaten hield. Verbaasd legde ze haar hoofd in haar nek om het zonder de verrekijker te bekijken, maar de afstand was te groot. Ze richtte haar verrekijker weer op de top van de bergengte.

Niets.

Ze ging iets verderop staan en zocht de rotswand centimeter voor centimeter af, maar zag niemand meer. Wie het ook was geweest, hij had haar gezien en zich vervolgens verstopt, wat geen goed teken was. Wat nu?

Ik kan beter wachten tot ik Fowler en Harel heb gesproken.

Ze ging in de schaduw van de eerste vrachtwagen staan. De tweede kwam er al aan. Een uur later was de complete expeditie op de top van het duin aangeland, aan de voet van de Slenk van de Klauw.

Mp3-bestand, kopie van de opnamen van Andrea Otero
ingenomen door de Jordanese woestijnpolitie na het debacle
van Expeditie Mozes

Titel, dubbele punt. *De teruggevonden Ark.* Nee, dat is niks, dat gaan we wissen. Titel... *de schat in de woestijn.* Nee, waardeloos. De Ark moet in de titel genoemd worden, de Ark verkoopt kranten. Goed, die titel komt later wel. Openingsalinea, dubbele punt. *Zijn naam roept de mythe op die telkens opnieuw opduikt in de geschiedenis van de mensheid. Hij staat aan het begin van de westerse beschaving en het is de belangrijkste relikwie van onze geschiedenis, waar archeologen wereldwijd al eeuwen naar op zoek zijn. Ik ben een van de deelnemers aan de geheime Expeditie Mozes en ik ben dwars door de woestijn in oostelijk Jordanië op weg naar de Slenk van de Klauw, de plek waar bijna tweeduizend jaar geleden een groep gelovigen de Ark des Verbonds verborg om hem te beschermen tegen de verwoesting van de tweede tempel van Salomo.* Het is wat koeltjes. Ik kan beter met het artikel zelf beginnen. Eerst het interview met de ouwe Forrester... Shit, ik krijg kippenvel van die vent met die piepstem. Het schijnt door zijn ziekte te komen. Noot: op internet opzoeken hoe je 'pneumoconiose' schrijft.

(...)

VRAAG: *Professor Forrester, de Ark des Verbonds prikkelt de fantasie van de mens sinds onheuglijke tijden. Waar komt die belangstelling vandaan?*
ANTWOORD: Kijk, als u wilt dat ik uw voorwoord voor u schrijf, hoeft u er niet zo omheen te draaien. Vraag wat u wilt en ik geef antwoord.
Geeft u veel interviews, professor?
Tientallen. Ik verwacht niet dat u met een originele vraag of met iets nieuws zult komen, want ik heb alles al een keer gehoord en elke vraag al eens beantwoord. Als we de beschikking zouden hebben over internet op de locatie zou ik u verzoeken er een op te zoeken en te kopiëren. Dat scheelt tijd en moeite.
Wat is er aan de hand? Bent u bang dat u zichzelf herhaalt?
Ik ben bang dat ik mijn tijd verspil. Ik ben 77 jaar en ik zoek de Ark al 43 jaar. Het is nu of nooit.
Die vraag had u vast en zeker nog nooit beantwoord?
Wat is dit? Doen we een wedstrijdje wie het origineelst kan zijn? Wacht, dan weet ik een goeie: er was een complot om Kennedy te vermoorden. Wat vindt u daarvan? Ongelooflijk, hè? Vindt u dat ik journalist moet worden?
Professor, doe me een plezier. U bent een intelligent mens, een man met passie. Wilt u niet een kleine poging doen om het publiek op de hoogte te stellen van uw zoektocht en misschien iets van uw passie op de mensen over te brengen?
(een korte pauze) Zoekt u een ceremoniemeester? Ik zal mijn best doen.
Dank u. De Ark...
Het machtigste voorwerp in de geschiedenis. Dat is geen toeval, in aanmerking genomen dat hij het begin markeert van de westerse beschaving.

Ik zou gezworen hebben dat de geschiedkundigen menen dat het begin van de beschaving in Griekenland ligt.

Stomkoppen. De mens houdt zich duizenden jaren bezig met het bewonderen van krijtvlekken in donkere grotten. Vlekken die ze goden noemen. De tijd verstrijkt en de vlekken veranderen van vorm, maar het blijven vlekken. Totdat Hij zich vierduizend jaar geleden aan Abraham openbaarde wisten we niet dat er slechts één God is. Wat weet u van Abraham?

Hij is de vader van het Israëlische volk.

Juist. En ook de vader van het islamitische volk. Twee appels van dezelfde boom, vrijwel identiek aan elkaar. De appels leerden al snel elkaar tot in het diepst van hun ziel te haten.

Wat heeft dat met de Ark te maken?

Vijfhonderd jaar nadat God zich openbaarde aan Abraham, kreeg de Almachtige er genoeg van dat Zijn volk Hem de rug toekeerde. Toen Mozes de Joden uit Egypte leidde openbaarde God zich opnieuw aan Zijn volk, op een plek die hier 230 kilometer vandaan ligt. En daar tekenden ze een contract.

Sorry, professor. Bedoelt u een belofte of hebt u het echt over een contract, zoals wanneer je een auto koopt?

Een bindend contract, met aan de ene kant de mensheid. Ze verplichtten zich om zich aan tien simpele clausules te houden.

De tien geboden.

En aan de andere kant staat God. Hij verplicht zich om de mens het eeuwige leven te geven. Dat is het belangrijkste moment in onze geschiedenis. Het moment waarop het leven transcendentaal wordt. 3500 jaar later heeft ieder mens dat contract nog altijd in zijn geheugen staan. Sommigen noemen het een natuurwet, anderen voeren verhitte discussies over het bestaan ervan en de betekenis. Ze zijn bereid ervoor te doden en te sterven. Hoe dan ook, op het moment waarop Mozes de Stenen Tafelen ontvangt uit handen van God begint onze beschaving.

En Mozes bewaarde de Tafelen in de Ark des Verbonds.

Met nog wat andere voorwerpen. Het werd een kluis om het contract met God in te bewaren.

Er wordt beweerd dat de Ark bovennatuurlijke krachten bezit.

Flauwekul. Voordat we morgen aan de slag gaan zal ik u en de anderen er meer over vertellen.

Gelooft u niet in bovennatuurlijke krachten van de Ark?

Met hart en ziel. Mijn moeder las me al voor uit de Bijbel toen ik nog in haar buik zat. Ik heb mijn leven gewijd aan het woord van God. Dat wil niet zeggen dat ik niet bereid ben om bijgeloof met wortel en tak uit te roeien.

Over bijgeloof gesproken… Uw zoektocht heeft door de jaren heen veel stof doen opwaaien in conventionele academische kringen. Veel academici hebben kritiek op het gebruik van teksten uit de oudheid om op zoek te gaan naar een schat. Er zijn over en weer beledigingen geuit.

Academici… Ze zijn nog niet in staat hun eigen kont te vinden met hun twee handen en een zaklantaarn. Zou Schliemann ooit de schatten van Troje hebben gevonden zonder de *Ilias* van Homerus? Zou Carter het graf van Toetanchamon gevonden hebben zonder de geheimzinnige papyrus van Ut? Beiden wekten veel kritiek in hun tijd doordat ze dezelfde technieken toepasten als ik. Niemand herinnert zich die kritiek nog, maar Carter en Schliemann zijn onsterfelijk. Ik zal voor eeuwig leven.

(hevige hoestbui)
Uw ziekte?

Je kunt niet jarenlang doorbrengen in vochtige tunnels en stof inademen zonder daar een prijs voor te betalen. Ik lijd aan chronische pneumoconiose. Ik heb altijd een fles zuurstof bij de hand. Ga door, alstublieft.

Waar waren we gebleven... O ja. Bent u altijd overtuigd geweest van het bestaan van de Ark des Verbonds of kwam dat pas nadat u de Koperrol had vertaald?

Ik ben opgevoed als christen, maar heb me op jonge leeftijd bekeerd tot het Jodendom. Toen ik begon met het bestuderen van de Rol van Qumran vond ik geen enkel bewijs dat de Ark werkelijk bestond. Ik wist het al. In de Bijbel staan meer dan tweehonderd verwijzingen naar de Ark. Er is geen voorwerp dat zo uitgebreid wordt beschreven. Toen ik de Rol in handen kreeg wist ik pas zeker dat ik de Ark zou vinden, dat wel.

In welk opzicht hielp de Tweede Rol bij het ontcijferen van de eerste?

Er was veel verwarring over gelijkluidende klanken als he, het, mem, kaf, wav, zayin en yod...

In gewonemensentaal, alstublieft.

Er was sprake van verwarrende medeklinkers die het ontcijferen van de Rol bemoeilijkten. Het vreemdste van alles was een reeks Griekse letters die zo op het oog op een willekeurige manier in de tekst was verwerkt. Met de juiste code begrepen we dat die letters de aanhef aangaven van de onderdelen die de volgorde veranderden en daarmee ook de inhoud. Het waren de opwindendste negentig dagen van mijn carrière.

Het moet frustrerend voor u zijn om 42 jaar van uw leven bezig te zijn geweest met het vertalen van de koperrollen, terwijl dat alles na de vondst van de tweede rol binnen drie maanden was opgelost.

Absoluut niet. De manuscripten van de Dode Zee, waarvan de rollen deel uitmaken, kwamen bij toeval aan het licht in een grot in Palestina doordat een herder er een steen in wierp en iets hoorde breken. Zo ontdekte hij de eerste bergplaats van de manuscripten. Dat is geen archeologie, dat is mazzel. Maar zonder die veertig jaar van onderzoek en studie zou ik nooit uitgekomen zijn bij de heer Kayn...

Bij de heer Kayn? Hoe bedoelt u? Stond de naam van deze multimiljonair dan vermeld in de Dode Zeerollen of zo?

Daar kan ik verder niets over zeggen. Ik heb mijn mond al voorbijgepraat.

De opgraving
Al Mudawarrah-woestijn, Jordanië

Woensdag 12 juli 2006, 19.33 uur

De uren daarop was het een komen en gaan in de slenk. Professor Forrester besloot het kampement op te slaan bij de ingang, beschut tegen de wind door de twee rotswanden die aan het begin van de kloof oprezen en zich verbreedden, om vervolgens 280 meter verderop kronkelend weer in elkaar te grijpen bij wat Forrester 'de Wijsvinger' noemde. Twee splitsingen van de kloof naar het oosten en het zuidoosten vormden de Middelvinger en de Duim.

De groep zou zijn intrek nemen in enkele tenten die speciaal door een Israëlisch bedrijf waren ontworpen tegen de hitte van de woestijn. Die avond hielden ze zich vrijwel allemaal voornamelijk bezig met het opzetten van de tenten, aangezien het werk om de vrachtwagens uit te laden geheel op de schouders van Robert Frick en Tommy Eichberg neerkwam, die met de hydraulische hijskranen waarmee de Kamaztrucks waren uitgerust, de enorme metalen containers uitlaadden waarin het materiaal voor de expeditie zat verpakt.

'2000 kilo voedsel, 100 kilo medicijnen, 1800 kilo archeologisch materiaal, 3000 kilo gereedschap en elektrische apparatuur, 1000 kilo stalen rails, een zware boormachine en een minigraafmachine. Het is wat, hè meid?'

Andrea trok een gepast bewonderend gezicht, terwijl ze de vakjes aanvinkte op de checklist die Tommy haar had gegeven. Aangezien ze geen idee had hoe ze een tent moest opzetten, had ze uit zichzelf aangeboden te helpen bij het uitladen en nu was het haar taak geworden om te controleren welke kist waarnaartoe moest. Ze had het niet uit behulpzaamheid gedaan, maar omdat ze dacht dat hoe eerder ze klaar waren, des te eerder ze met Harel en Fowler kon praten. De arts had het nu toch veel te druk met het opzetten van de tent waarin haar kliniek werd ondergebracht.

'Hier komt de 34, Tommy,' riep Frick, die achter op de laadbak van de tweede vrachtwagen stond. De ketting van de hijskraan, vastgehaakt aan de twee metalen handvatten aan beide zijden van de kist, kletterde luid toen hij de anderhalve meter naar de zanderige grond aflegde. 'Kijk uit, hij is loodzwaar.'

De journaliste bladerde verbaasd door de lijst, bang dat ze iets over het hoofd had gezien.

'De lijst klopt niet, Tommy. Er staan maar 33 kisten op.'

'Geeft niet, meid... Deze kist heeft een bijzondere bestemming. Ha, ze komen hem al halen,' zei Eichberg, die met de kettingen worstelde om ze los te maken.

Andrea keek op van de lijst en zag Marla Jackson en Tewi Waaka aankomen, twee van Dekkers soldaten. Ze gingen op hun knieën naast de kist zitten om de veiligheidsklemmen los te maken. Het deksel ging met een sissend geluid open, alsof die vacuüm was getrokken. Ze wierp een bescheiden blik in de kist, maar dat leek Waaka en Jackson niet te deren.

Het lijkt wel of ze juist willen dat ik kijk.

De inhoud was zo prozaïsch als het maar kon. Pakken rijst, koffie en groenten, per acht stuks verpakt in keurige rijen. Andrea begreep er niets van, vooral niet toen soldaat Jackson met elke hand een pakket pakte en in haar richting smeet. De spieren in haar armen zwollen onder haar zwarte huid.

'Vangen, Sneeuwwitje.'

Andrea moest het klembord met de lijst uit haar handen laten vallen om te voorkomen dat er twee pakken rijst op de grond zouden vallen. Waaka onderdrukte een spottend lachje, terwijl Jackson zonder de verbaasde journaliste verder een blik waardig te keuren haar hand in het gat stak waar eerst de rijst had gelegen en ergens hard aan trok. De rijen pakken met voedsel schoven opzij als een tweede deksel en lieten een inhoud zien die heel wat minder prozaïsch was.

Geweren, mitrailleurs en lichte vuurwapens lagen in rekken boven elkaar. Terwijl Jackson en Waaka de rekken uit de kist haalden, zes in totaal, en ze zorgvuldig op andere kisten uitstalden, kwamen Dekker en de andere soldaten eraan en werden de wapens verdeeld.

'Oké, dames en heren. Zoals de wijze zei: "Grote mannen zijn als adelaars... Ze bouwen hun nest in verheven eenzaamheid." De eerste wacht wordt gelopen door Jackson en de beide Gottliebs. Zorg dat je een positie inneemt waar je dekking hebt, daar, daar en daar,' zei Dekker, wijzend op enkele punten hoog tegen de wanden van de kloof. Het tweede punt was niet ver van de plek waar Andrea enkele uren geleden iemand gezien meende te hebben. 'De radio wordt uitsluitend gebruikt om elke tien minuten verslag uit te brengen. Dat is met name voor jou bedoeld, Torres. Als je nog eens recepten gaat uitwisselen met Maloney zoals in Laos, krijg je met mij te doen. Ingerukt.'

De tweeling Gottlieb en Marla Jackson vertrokken in drie verschillende richtingen, op zoek naar de beste plek om omhoog te klimmen en de uitkijkposten in te nemen die ze tijdens hun verblijf in de kloof goed zouden leren kennen. Toen ze de beste posities bepaald hadden, brachten ze lange touwladders met aluminium sporten aan en fixeerden die om de drie meter aan de rotsen, om het klimmen en afdalen te vergemakkelijken.

Intussen verbaasde Andrea zich over de wonderen van de moderne technologie. Ze had zelfs in haar stoutste dromen niet durven hopen dat haar lichaam de komende drie weken een douche zou meemaken. Maar tot haar verbazing bevatte de laatste container die van de Kamaztruck werd geladen twee douches en twee toiletunits van plastic en fiberglas.

'Wat is er, schoonheid? Ben je niet blij dat je niet in het zand hoeft te pissen?' grijnsde Robert Frick.

De magere jongen was een en al ellebogen en knieën. Andrea lachte hartelijk mee en hielp hem een handje om de wc's overeind te zetten.

'Je kunt je niet voorstellen hoe blij ik ben, Robert. En zo te zien hebben de dames nog een eigen unit ook.'

'Dat is niet eerlijk, want er zijn maar vier vrouwen en wij zijn met zijn twintigen. Maar ja, jullie moeten ook je eigen latrine graven en dat is dan weer minder leuk, met zijn vieren,' vond Frick.

Andrea trok wit weg. Ze was zo moe dat ze alleen al bij het idee dat ze een schop zou moeten hanteren de blaren in haar handen kreeg. Frick schaterde het uit.

'Ik zie niet wat er zo grappig is.'

'Dat bleke koppie van jou, witter dan het achterwerk van mijn tante Beulah. Dat is er zo grappig aan.'

'Let maar niet op hem, meid,' zei Tommy geruststellend. 'We pakken de graafmachine en dan is het zo gepiept.'

'Jij moet ook altijd de pret bederven, Tommy. Je had haar even moeten laten zweten,' vond Frick. Hij liet hen alleen achter en ging hoofdschuddend op zoek naar iemand anders om te plagen.

HUQAN

Hij was veertien toen hij begon te leren.
Hij moest natuurlijk eerst heel veel vergeten.
Om te beginnen alles wat hij op school en van zijn vrienden en familie had geleerd.
Er klopte niets van. Het waren allemaal leugens, verzonnen door de vijand, de
onderdrukkers van de islam. Want ze hadden een plan. Dat had de imam hem zelf
verteld, fluisterend in zijn oor.
'Eerst geven ze de vrouwen meer vrijheid. Ze stellen ze gelijk aan de mannen, om
ons te ondermijnen. Ze weten dat we sterker en beter zijn dan zij. Ze weten dat
onze band met God veel verhevener is. Vervolgens proberen ze ons te hersenspoelen
en weten ze zelfs onze heiligste imams te overtuigen. Ze vertroebelen ons beoorde-
lingsvermogen met smerige beelden van zondige begeerten en verloedering. Ze moe-
digen homoseksualiteit aan. Ze liegen, liegen en liegen. Ze liegen zelfs over de da-
tum. Ze beweren dat het vandaag 22 mei is. Maar jij weet wel beter welke dag het
vandaag is.'
'16 shawwal, meester.'
'Ze spreken over integratie, over in vrede samenleven. Maar jij kent de wil van
God.'
'Nee, meester...' stotterde de jongen angstig. 'Ik kan niet in Gods hart kijken.'
'God wil dat we de kruistochten wreken, die van duizend jaar geleden en die van
nu. God wil dat we het kalifaat in ere herstellen, dat zij in 1924 hebben verwoest.
Sinds die dag is de moslimsamenleving versnipperd over landen die geregeerd wor-
den door onze vijanden. We hoeven maar een krant open te slaan om te zien hoe
onze moslimbroeders leven: in een staat van onderdrukking, vernedering en volke-
renmoord. De grootste belediging van allemaal is die splinter die diep in het hart
van Dar-al-Islam¹ is gedrongen: Israël.'
'Ik haat de Joden, meester.'
'Nee. Dat denk je maar. Luister goed naar mijn woorden. Over enkele jaren zal de
haat die je nu meent te voelen een vonk zijn vergeleken bij een uitslaande bos-
brand. Alleen echte gelovigen zijn ertoe in staat. Jij behoort daartoe. Jij bent uit-
verkoren. Ik hoef je alleen maar in de ogen te kijken om te weten dat er een kracht
in jou schuilt die de wereld zal veranderen. Jij brengt de eenheid terug in de isla-
mitische samenleving. Jij herstelt de sharia² in Amman, Caïro, Beiroet. En vervol-
gens breng je haar naar Berlijn, Madrid, Washington.'
'Hoe gaan we dat doen, meester? Hoe kunnen we de sharia over de wereld versprei-
den?'

---

1 Het huis van de islam.
2 Islamitisch rechtssysteem, in de praktijk een koppeling van kerk en staat.

'Je bent nog niet klaar om het antwoord te horen.'
'Jawel, meester.'
'Wil je het met heel je hart en ziel weten, met alles wat je lief is?'
'Ik wil niets liever dan het Woord van Allah verspreiden.'
'Nee, je bent er nog niet klaar voor. Spoedig…'

Een uur later waren de tenten opgezet, stonden de toilet- en douchehokken op hun plaats en waren ze verbonden met de watertank. De civiele leden van de expeditie rustten uit op het piepkleine rechthoekige pleintje tussen de tenten. Andrea zat met een flesje Gatorade in de hand op de grond en besloot niet meer op zoek te gaan naar pater Fowler. Hij en dokter Harel waren nergens te bekennen en dus besloot Andrea de constructies van stof en aluminium nader te bekijken. Ze zagen er heel anders uit dan de weinige tenten die Andrea tot dusver in haar leven had gezien. De grootste ruimte had de vorm van een ronde toren, met een rechte deur en enkele ramen van plastic. De houten vloer rustte op een tiental pijlers van cement, zo'n veertig centimeter boven het zand om de ergste hitte tegen te gaan. Het plafond werd gevormd door een lap stof die bol hing en aan een van de kanten van de tent was vastgemaakt, eveneens voor een betere isolatie. Alle tenten waren verbonden met een generator die naast de olietank stond, zodat ze allemaal elektriciteit hadden.

Er waren zes tenten, waarvan drie een speciale functie hadden. De hospitaaltent was iets primitiever qua design, maar was beter afsluitbaar, had Harel haar uitgelegd. De andere was de kantine annex keuken, die voorzien was van airconditioning, zodat het team daar wat kon rusten tijdens de heetste uren van de dag. De laatste was de tent van Kayn. Hij stond een eindje bij de andere vandaan. Zo te zien zaten er geen ramen in en zijn terrein was afgezet met een ketting, als stille waarschuwing dat de multimiljonair niet gestoord wilde worden. Kayn was in zijn H3 blijven zitten, bestuurd door Dekker, totdat zijn tent klaar was, en hij was niet meer naar buiten gekomen.

Ik betwijfel of we hem nog te zien krijgen tijdens de expeditie. Ik vraag me af of hij een eigen toilet in zijn tent heeft, dacht Andrea, terwijl ze afwezig een slok uit het flesje nam. *Kijk, daar hebben we iemand die me dat kan vertellen.*

'Hallo, Mr. Russell.'

'Hoe gaat het ermee?' vroeg de secretaris met een beleefde glimlach.

'Heel goed, dank u. Hoor eens, wat het interview met Mr. Kayn betreft...'

'Ik ben bang dat dat voorlopig niet tot de mogelijkheden behoort,' antwoordde Russell afwerend.

'U hebt me toch niet meegenomen om te gaan zonnebaden, wel? U moet goed begrijpen dat...'

'Welkom, dames en heren.' De onaangename stem van professor Forrester onderbrak de klaagzang van de journaliste. 'Tegen alle verwachtingen in bent u erin geslaagd de tenten binnen de afgesproken tijd op te zetten. Gefeliciteerd. Geef uzelf een warm applaus.'

Het lauwe applaus dat volgde klonk bijna even akelig als de toon waarop Forrester zijn verhaal was begonnen. De man deed niets anders dan onzekerheid en onderdanigheid zaaien. Ondanks alles gingen de leden van de expeditie om de professor heen op de grond zitten, terwijl de zon achter de bergen zakte.

'Voordat ik begin met de indeling van de tenten wil ik mijn verhaal afmaken,' vervolgde de professor. Hij stond rechtop in een kring van afwachtende gezichten. 'Ik ben gebleven bij het punt waarop enkele uitverkorenen de relikwie uit de stad Jeruzalem hadden gesmokkeld. Wel, die groep dappere lieden...'

'Ik zit met een vraag, professor,' onderbrak Andrea de woorden van de professor, zonder acht te slaan op zijn woedende gezicht. 'U zei dat Yirmãyáhu de auteur van de tweede rol was. Dat hij hem schreef voordat de Romeinen de Tempel van Salomo verwoestten. Klopt dat?'

'Dat is juist, ja.'

'Heeft hij nog een ander document nagelaten?'

'Nee.'

'Hebben de mensen die de Ark uit Jeruzalem hebben gehaald documenten nagelaten?'

'Nee.'

'Maar hoe weet u dan wat er is gebeurd? Die mensen sjouwden een loodzwaar ding belegd met goud over een afstand van... wat was het? Driehonderd kilometer? Ik kwam amper het duin op vanmiddag en het enige wat ik bij me had was een camera en een fles water. En als het nou...'

Het gezicht van de archeoloog werd roder en roder, totdat hij van de kruin van zijn kale hoofd tot aan zijn kin zo paars zag als een kers op een bedje van katoen.

'Hoe hebben de Egyptenaren de piramiden gebouwd? Hoe hebben de oorspronkelijke bewoners van de Paaseilanden die enorme, loodzware beelden daar gekregen? Hoe hebben de Nabateeërs Petra gebouwd?' Hij boog zich naar Andrea toe, zo diep dat zijn gezicht het hare praktisch raakte en spuwde haar zijn woorden toe, evenals zijn speeksel. Andrea draaide haar hoofd weg om zijn zure adem niet te ruiken. 'Met vertrouwen. Met het geloof dat ze nodig hadden om 328 kilometer af te leggen, te voet, onder de brandende zon over een ruig terrein. Met het vaste vertrouwen dat ze nodig hadden, het geloof dat ze het zouden halen.'

'Dus afgezien van de tweede rol hebt u geen enkel bewijs?' vroeg Andrea, die zich weer eens niet kon inhouden.

'Nee, juffrouw. Maar ik heb een theorie. En laten we hopen dat ik gelijk heb, juffrouw Otero, of we moeten allemaal met lege handen terug naar huis.'

De journaliste wilde net iets terugzeggen, maar werd tegengehouden door een por in haar zij. Toen ze zich omdraaide, keek ze recht in het gezicht van pater Fowler, die haar stak aankeek, met een waarschuwende blik in zijn ogen.

'Waar zat u nou? Ik heb u overal gezocht. Ik moet met u praten.'

Fowler legde haar met een gebaar het zwijgen op.

'De acht mannen die Jeruzalem verlieten met de Ark bereikten Jericho de volgende ochtend.' Forrester stond weer kaarsrecht overeind en richtte zich tot de veertien mensen die aandachtig zaten te luisteren. 'Vanaf dit punt bewandel ik het terrein van de speculatie, maar het zijn de speculaties van een man die decennialang zijn hoofd heeft gebroken over dit thema. In Jericho werden ze voorzien van voedsel en water. Ze staken vlak bij Bethanië de Jordaan over en bereikten de Koningsroute bij de Neboberg, de oudste weg ter wereld die nog altijd wordt gebruikt, de weg die Abraham gebruikte op zijn tocht uit het land der Chaldeeën naar Kanaän. Deze acht Joden legden hem af tot de stad Petra, waar ze hem verlieten om verder te trekken in de richting van een mythische plaats, die voor de inwoners van Jeruzalem het einde van de wereld betekende. De plek waar wij ons nu bevinden.'

'Professor, hebt u enig idee in welk gedeelte van de kloof we moeten zoeken? Het is een enorm gebied,' interrumpeerde dokter Harel.

'Juist, mevrouw. Daar komt u allen in het spel en wel meteen vanaf morgenochtend vroeg. David, Gordon, show het materiaal.'

De twee assistenten kwamen naar voren in een vreemde uitdossing. Ze droegen een soort harnas over hun bovenlijf, waar een metalen apparaat aan vastgekoppeld was, iets wat eruitzag als een molentje. Er staken vier banden uit het harnas waar ter hoogte van de dijbenen een vierkante, metalen constructie aan hing. Aan de achterkant van die vierkante bak zaten twee ronde uitsteeksels, als de koplampen van een auto, behalve dat ze naar de grond wezen.

'Dit, dames en heren, wordt uw zomeroutfit voor de komende dagen. Het is een proton-precessie-magnetometer, oftewel een PPM.'

Er klonk bewonderend gefluit.

'Wat een gaaf ding, hè?' zei David Pappas.

'Stil, David. We zijn uitgegaan van de theorie dat de uitverkorenen van Yirmáyáhu de Ark in de kloof hebben verborgen, maar we weten niet waar. Dat moet de magnetometer ons vertellen.'

'Hoe werkt het, professor?' vroeg Tommy Eichberg.

'Het apparaat zendt signalen uit waarmee nauwkeurige metingen van het aardmagnetisch veld worden gedaan. Zo kunnen we bepaalde anomalieën in het veld, waaronder ondergrondse metaalafzettingen en bodemschatten, in kaart brengen. U hoeft niet te weten hoe het precies werkt, want het apparaat staat draadloos rechtstreeks in verbinding met mijn computer en stuurt alle informatie direct door. Als u iets vindt, weet ik het eerder dan u.'

'Is het moeilijk te bedienen?' vroeg Andrea.

'Niet als u kunt lopen. Ik wijs elk lid van de expeditie een bepaald gebied toe van enkele tientallen vierkante meters. U hoeft alleen maar op het knopje te drukken om hem aan te zetten, hier op het harnas, en dan zet u om de vijf seconden een stap.'

Gordon zette een stap naar voren en bleef staan. Na vijf seconden kwam er achter uit het apparaat een zachte zoemtoon. Toen Gordon weer een stap zette, hield het zoemen op. Na vijf seconden begon het weer.

'Dit gaat u twaalf uur per dag doen, een uur en een kwartier aan een stuk, met een kwartier pauze ertussen,' meldde Forrester.

Dat leidde tot een golf van protest.

'We hebben ook nog andere dingen te doen.'

'Dat doet u dan maar als u niet door de kloof hoeft te lopen, Mr. Frick.'

'Moeten we tien uur per dag in die brandende zon door de kloof lopen?'

'Ik raad u aan veel water te drinken. Minstens een liter per uur. Met een temperatuur van 44 graden verliest het lichaam veel vocht.'

'Maar als we nou geen tijd hebben om tien uur per dag door de kloof te lopen?'

'Dan loopt u 's nachts door, Mr. Hanley.'

'Leve de democratie!' mompelde Andrea. Niet zachtjes genoeg, want de professor hoorde het.

'Is het niet rechtvaardig volgens u, juffrouw Otero?' vroeg de archeoloog met een bedrieglijk zachte stem.

'Eerlijk gezegd niet, nee,' antwoordde Andrea brutaal. Ze rechtte haar schouders om zich teweer te stellen tegen de woede van de professor, maar er kwam niets.

'De Jordanese regering heeft ons een maand gegeven om hier in de kloof zogenaamd naar fosfaten te zoeken. Stelt u zich eens voor dat ik u alle tijd zou geven om rustig rond te lopen. Stelt u zich eens voor dat we de gegevens van de kloof pas na drie weken in kaart zouden hebben gebracht. Stelt u zich eens voor dat we de Ark zouden vinden, maar geen tijd meer hadden om hem op te graven. Zou dat rechtvaardig zijn?'

Andrea keek geïrriteerd naar de grond. Ze haatte die vent.

'Is er iemand die zich wil aansluiten bij de vakbond van juffrouw Otero?' vroeg Forrester, terwijl hij de leden van de expeditie een voor een strak aankeek. 'Niemand? Uitstekend. Vanaf nu bent u geen arts, priester, kok of chauffeur meer. Vanaf nu behoort u tot de muilezels van mijn kudde. Geniet ervan.'

DE OPGRAVING
Al Mudawarrah-woestijn, Jordanië

Donderdag 13 juli 2006, 12.27 uur

Stap – wacht – zoemtoon – stap.
Andrea had nooit een lijstje gemaakt van de drie afschuwelijkste ervaringen in haar leven. Ten eerste maakte ze nooit lijstjes, want daar had ze een hekel aan. Ten tweede was ze nooit zo tot zelfonderzoek geneigd, omdat ze ondanks haar intelligentie zelden een antwoord vond binnen zichzelf. En ten derde omdat ze gewend was heel hard weg te rennen als de problemen haar boven het hoofd groeiden.
Als Andrea de avond tevoren vijf minuten de tijd had genomen om dat lijstje te maken, had dat akkefietje met die witte bonen bovenaan gestaan.
Het was de laatste schooldag en ze liep naar huis met de stevige, vastberaden stappen van de puber die ze was. Ze had maar één ding in haar hoofd en dat was zo snel mogelijk naar het pasgeopende zwembad gaan om het in te wijden. Daarom at ze zo snel als ze kon, vastbesloten om eerder dan wie dan ook in haar badpak op de duikplank te staan. Ze had de laatste hap nog niet doorgeslikt of ze stond al overeind. En toen gooide haar moeder haar bom op tafel.
'Wie is er aan de beurt voor de afwas?'
Andrea reageerde niet eens, want haar oudste broer was aan de beurt, Miquel Ángel. Haar andere drie broers waren echter niet van plan om op die bijzondere dag op hun aanvoerder te moeten wachten. Ze antwoordden als uit één mond: 'Andrea!'
'Sodemieter op. Zijn jullie gek geworden of zo? Ik was eergisteren aan de beurt.'
'Andrea, denk erom! Anders spoel ik je mond met bleekwater.'
'Ja, mam, met bleekwater,' deden de jongens een duit in het zakje.
'Mam, ik ben echt niet aan de beurt,' stampvoette Andrea.
'Jij doet de afwas, of je nu aan de beurt bent of niet. Je doet het voor God, om je te vergeven voor al je zonden. Je zit in een moeilijke leeftijdsfase,' zuchtte haar moeder, terwijl Miquel Ángel zijn lachen probeerde in te houden en de andere broers elkaar onder tafel aanstootten om elkaar te feliciteren met deze overwinning.
Een uur later zou Andrea vijf antwoorden klaar hebben voor dat moment, want kort van de tongriem gesneden was ze niet. Maar op dat moment kwam er maar één tekst bij haar op: 'Mamaaaa!'
'Niks "mama". Jij doet de afwas, dan kunnen je broers vast naar het zwembad. Ze zitten te popelen.'

En toen begreep ze het.

Haar moeder wist het. Ze wist dat zij niet aan de beurt was.

Het is moeilijk om te begrijpen wat ze toen deed als je niet de jongste bent van vijf en nog het enige meisje ook. Als je niet uit een katholiek gezin komt, waar je al schuldig bent voordat je iets hebt misdaan. Als je niet de dochter bent van een militair van de oude stempel, die duidelijk laat merken wie hij liever heeft. Als je nooit vernederd, getreiterd en genegeerd bent omdat je een meisje bent. Of misschien begrijp je het wel, omdat je een kind bent. Of omdat je nog weet hoe het was om een kind te zijn.

Andrea liep terug naar de tafel en pakte de schaal met witte bonen en tomaten die ze als voorgerecht hadden gegeten. Hij was nog halfvol. Zonder ook maar een moment te aarzelen kieperde ze de schaal leeg over het hoofd van Miquel Ángel en plantte hem op zijn hoofd.

'Jij mag afwassen, klootzak.'

De straf was het zwaarst van alles. Behalve de afwas bedacht haar vader een creatieve straf. Niets in de trant van de hele zomer niet naar het zwembad. Die straf zou te licht zijn geweest. Hij zette haar aan de keukentafel, waar ze door het raam een schitterend uitzicht op het zwembad had, en legde drie kilo witte bonen op tafel.

'Tel ze maar. Zodra je weet hoeveel het er zijn, kun je naar het zwembad.'

Andrea spreidde de bonen uit over de tafel en gooide ze al tellend een voor een in een pan. Toen ze bij 1283 was aangeland, moest ze naar de wc.

Toen ze terugkwam was de pan leeg. Iemand had alle bonen weer bij elkaar op een hoop gegooid.

Rotzak. Denk maar niet dat je me zult horen huilen, papa!

Maar huilen deed ze. Wat ze ook probeerde, ze zat vijf dagen lang aan die tafel en moest drieënveertig keer opnieuw beginnen met tellen.

De avond tevoren zou Andrea hebben gezegd dat die ervaring de ergste was die ze in haar leven had meegemaakt, erger nog dan de afranseling van het jaar daarvoor in Rome. Die ochtend kwam haar ervaring met de magnetometer echter met stip boven aan de lijst te staan.

De dag was om vijf uur stipt begonnen, drie kwartier voor zonsopgang, met een afgrijselijk getoeter. Andrea had samen met dokter Harel en de archeologe Kyra Larsen in de hospitaaltent geslapen, ingedeeld naar geslacht dankzij de preutse schijnheiligheid van professor Forrester. Het peloton van Dekker zat samen in een tent, evenals het bedienend personeel; pater Fowler deelde er een met de assistenten van de archeoloog. De professor sliep liever apart in een tentje van zichzelf van tachtig dollar, dat hij op elke expeditie bij zich had. Kennelijk had hij weinig slaap nodig, want om klokslag vijf uur stond hij midden op het pleintje tussen de tenten in een toeter met perslucht te knijpen, tot hij meerdere malen met de dood was bedreigd en iedereen wakker was.

Andrea stond vloekend op en zocht op de tast naar haar handdoek en toilettas die ze naast haar luchtbed en slaapzak had klaargelegd. Ze was al onderweg naar de deur toen Harel haar naam riep. Ondanks het vroege tijdstip was ze helemaal aangekleed.

'Je was toch niet van plan om te gaan douchen?'

'Natuurlijk wel.'

'Je moet het zelf weten, maar de douches werken op een persoonlijke code en iedereen heeft dertig seconden douchetijd per dag. Als je het water nu verbruikt, ben je vanavond zo plakkerig dat je het hele team op je knieën smeekt om in godsnaam op je te spugen.'

Andrea plofte nijdig op haar luchtbed.

'Je wordt bedankt. Nu is mijn hele dag verpest.'

'Kan zijn, maar je avond is gered.'

'Ik zie er vreselijk uit.' Andrea kwam weer overeind en bond haar haren bijeen in een elastiekje, iets wat ze niet had gedaan sinds haar studietijd.

'Verschrikkelijk,' knikte de arts.

'Verdomme, Doc. Het is de bedoeling dat je dan "welnee" of "moet je mij zien" zegt. Dat heet vrouwelijke solidariteit.'

'Sorry, ik ben altijd anders geweest dan anderen,' zei Harel, terwijl ze Andrea strak in de ogen keek.

Wat bedoel je daar nou weer mee, verdomme? vroeg Andrea zich af, terwijl ze in haar korte broek en haar bergschoenen schoot. *Ben je wat ik denk dat je bent? En het belangrijkste van alles... durf ik het initiatief te nemen?*

Stap – wachten – zoemtoon – stap.

Stowe Erling had de opdracht gekregen Andrea naar haar plot te brengen en haar in het harnas te helpen. En daar stond ze dan, op een terrein van 15 vierkante meter, afgezet met een koord dat op 20 centimeter van de grond rond een aantal paaltjes geslingerd zat.

Ze leed.

Ten eerste onder het gewicht. 16 kilo lijkt in het begin niet zoveel, vooral niet als het netjes verdeeld is over een harnas. Maar ergens in het tweede uur begonnen haar schouders pijn te doen.

Ten tweede onder de hitte. Rond het middaguur was er geen sprake meer van zand, alleen nog van een rozerood gekleurde oven. Het water was na elke pauze binnen een halfuur op.

Ten derde onder de pauzes. Iedereen kreeg een kwartier rust na elk uur en een kwartier in zijn plot, maar daarvan gingen acht minuten op aan het lopen van en naar je terrein, twee minuten aan het halen van koel water en nog twee om je in te smeren met factor 60. Dan had je nog precies drie minuten over, waarin Forrester de hele tijd veelbetekenend zijn keel schraapte en op zijn horloge keek.

Maar het ergste was toch wel de dodelijke saaiheid van alles. Dat eeuwige stappen, wachten, zoemen en weer stappen.

In Guantánamo hebben ze het verdomme beter. Dat is ook een marteling in de brandende zon, maar dan zonder dat kloteharnas.

'Goeiemorgen. Warme dag, hè?' klonk een stem in het Spaans.

'Opzouten, pater.'

'Ik heb wat water voor u.' De priester bood haar een fles aan. Hij was gekleed in een spijkerbroek en zijn gebruikelijke zwarte overhemd met korte mouwen, priesterboord en al. Hij stapte haar stek weer uit en ging achter het koord in het zand zitten, waarbij hij haar geamuseerde blikken toewierp.

'Mag ik weten wie u hebt omgekocht om het juk niet te hoeven dragen?' vroeg Andrea voordat ze in één teug de hele fles water leegdronk.

'Professor Forrester heeft een diepgeworteld respect voor het priesterschap. Op zijn manier is hij ook een man van God.'

'Op een maniakale, zelfverheerlijkende manier.'

'Dat ook. En u?'

'Slavernij behoort niet tot mijn ondeugden.'

'Wat godsdienst betreft, bedoel ik.'

'Komt u zieltjes redden met een halveliterfles water?'

'Als dat volstaat.'

'Ik zou zeggen, met een hele liter komt u verder.'

Fowler lachte en gaf haar nog een fles.

'Als u het met kleine slokjes drinkt, werkt het beter tegen de dorst.'

'Dank u.'

'Gaat u mijn vraag nog beantwoorden?'

'Godsdienst gaat te diep voor mij. Ik kan beter fietsen en zo.'

De priester schoot weer in de lach en nam een slok van zijn eigen fles water. Hij zag er vermoeid uit.

'Wees nou maar niet jaloers dat ik niet als muilezel word ingezet. Denkt u dat die touwen rond de plots er zomaar vanzelf gekomen zijn?'

Het terrein lag op een meter of zestig van de tenten. De andere leden van de expeditie waren verdeeld over de gehele oppervlakte van de kloof, elk met zijn eigen stap – wachten – zoemtoon – staproutine.

Andrea bereikte het einde van het touw, zette een stap naar rechts, draaide zich 180 graden om en zette een nieuwe stap, met haar rug naar de priester.

'Ik kon u geen van beiden vinden... Dus dát hebben de dokter en u de hele nacht gedaan.'

'We waren met meerderen. U hoeft zich geen zorgen te maken.'

'Wat bedoelt u daarmee, pater?'

Fowler zweeg. Even was er niets anders te horen dan het ritme van *stap – wachten – zoemtoon – stap.*

'Hoe wist u dat?' vroeg Andrea benauwd.

'Ik vermoedde het. Nu weet ik het zeker.'

'Shit.'

'Sorry, het was niet mijn bedoeling uw privacy te schenden.'

'Nee, dat zal wel niet, verdomme.' Andrea stopte even en beet op haar duim. 'Een moord voor een peuk.'

'Wat let u?'

'Forrester zegt dat zijn apparatuur ervan gaat storen.'

'Voor iemand die zo graag in de contramine gaat bent u verrassend naïef, juffrouw Otero. Tabaksrook heeft geen enkele invloed op het aardmagnetisch veld.'

'Ouwe rotzak!'

Andrea haalde een pakje sigaretten tevoorschijn en stak er een op.

'Gaat u er iets over zeggen tegen Doc, pater?'

'Harel is een intelligente vrouw, intelligenter dan ik. Daarbij is ze een Jodin. Ze zit niet op een praatje met een oude priester te wachten.'

'Ik wel soms?'

'U bent katholiek.'

'Ik heb mijn vertrouwen in uw beroepsgroep op mijn veertiende verloren.'

'In welke? In die van de militairen of die van de Kerk?'

'Beide. Mijn ouders hebben me op alle fronten verneukt.'

'Dat doen alle ouders. Anders zouden er geen kinderen zijn.'

Andrea draaide haar hoofd naar hem toe tot ze hem net kon zien, vanuit de hoeken van haar ogen.

'Dus we hebben het een en ander met elkaar gemeen.'

'Meer dan u zich kunt voorstellen. Waarom zocht u ons gisteravond, Andrea?'

De journaliste keek argwanend om zich heen voordat ze antwoord gaf. Degene die zich het dichtst bij hen in de buurt bevond was David Pappas, die zijn bedaarde stappen op een meter of dertig van hen nam. Een hete windvlaag vanaf de ingang van de kloof blies rimpelige wolkjes zand van een oneindige schoonheid aan Andrea's voeten.

'Toen we gisteren bij de ingang van de kloof arriveerden, ging ik te voet het duin op. Eenmaal boven begon ik foto's te maken met de telelens en toen zag ik een man.'

'Waar?'

'Op de top van de steile rotswand achter u. Ik zag hem maar één seconde. Hij was in het bruin gekleed. Ik heb het tegen niemand gezegd, omdat ik niet weet of het iets te maken heeft met die vent die me probeerde te vermoorden op de *Behemot*.'

Fowler kneep zijn ogen tot spleetjes, streek met zijn hand over zijn kalende hoofd en zuchtte diep. Zijn gezicht stond donker. De rimpeltjes rond zijn ogen leken zich plotseling te verdubbelen.

'Juffrouw Otero, dat is levensgevaarlijk. Het is van het grootste belang voor het succes van de expeditie dat er niets over uitlekt. Als iemand erachter komt wat we hier werkelijk aan het doen zijn…'

'Zetten ze ons het land uit?'

'Vermoorden ze ons, allemaal.'

'O.'

Andrea keek op, zich sterk bewust van dit onherbergzame, verlaten gebied, waarin ze als ratten in de val zouden zitten als iemand het gebrekkige veiligheidskordon van Dekkers mannen wist te doorbreken.

'Ik moet Albert spreken. Zo snel mogelijk.'

'Ik dacht dat u de satelliettelefoon hier niet kon gebruiken. Dekker heeft toch een frequentiescanner?'

De priester keek haar alleen maar aan.

'Verdomme, nee. Niet weer,' vloekte Andrea.

'We doen het vannacht.'

Al Mudawarrah-woestijn, Jordanië

Vrijdag 14 juli 2006, 01.18 uur

De lange man die zich O. noemde zat te huilen. Hij was een eindje bij zijn vrienden vandaan gelopen om zich af te zonderen. Hij hield er niet van om zijn emoties te tonen en erover praten deed hij al helemaal niet. Ditmaal zou het zelfs gevaarlijk zijn als hij luidkeels verkondigde waarom hij huilde.

Eigenlijk kwam het door het meisje. Ze deed hem te veel aan zijn eigen dochter denken. Hij had het niet erg gevonden om Tahir te doden, dat was zelfs een opluchting geweest. Hij had zich zelfs toegestaan om ervan te genieten, een beetje met hem te spelen. Een voorproefje van de hel op aarde.

Het meisje was een ander verhaal. Ze was pas zestien jaar.

En toch waren D. en W. het met hem eens geweest. De missie was te belangrijk. Het ging niet alleen om het leven van de tien broeders die zich in de grot bevonden, de hele Dar al-Islam stond op het spel. De moeder en de dochter wisten te veel. Ze konden geen uitzonderingen maken.

'Verdomde, smerige oorlog,' bromde hij.

'Praat je in jezelf?'

Het was W., die zachtjes over de grond naar hem toe gekropen was. Hij nam nooit een enkel risico en sprak altijd fluisterend, zelfs in de grot.

'Ik was aan het bidden.'

'We moeten terug naar de schuilplaats. Stel dat ze ons zien!'

'Er staat alleen een schildwacht bij de westelijke wand en hij zit in een verkeerde hoek om ons te kunnen zien. Maak je geen zorgen.'

'Stel dat hij van plaats verwisselt? Ze dragen brillen met nachtzicht.'

'Maak je geen zorgen. Het is die grote neger maar. Hij zit de hele tijd te roken en door die gloeiende peuk ziet hij niets,' zei O., geïrriteerd doordat hij zoveel moest praten, terwijl hij zich had afgezonderd omdat hij alleen wilde zijn.

'Kom mee, we gaan naar de grot. Spelen we een potje schaak.'

Die W... Hij had allang door dat hij somber gestemd was. Afghanistan, Pakistan, Yemen. Ze hadden samen veel meegemaakt en hij was een goede vriend. Hoe onhandig ook, hij deed een poging hem op te vrolijken.

O. strekte zich in zijn volle lengte uit in het zand. Ze bevonden zich in een vallei aan de voet van een kleine rotsformatie. De grot lag vlak boven de grond, een kleine, natuurlijk gevormde ruimte van amper tien vierkante meter.

O. had hem drie maanden geleden gevonden, toen ze net begonnen waren met de voorbereidingen voor deze missie. Er was amper ruimte voor tien man, maar al was de grot honderdmaal groter geweest, dan nog zat O. liever buiten.

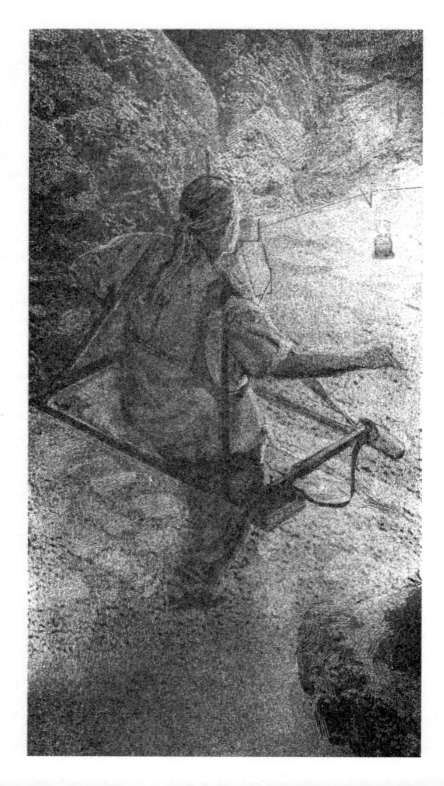

Hij voelde zich opgesloten in dat hol en had last van het gesnurk en de winde-righeid van zijn broeders.

'Ik denk dat ik nog even buiten blijf. Ik geniet van de koelte.'

'Verwacht je een teken van *Huqan*?'

'Dat zal nog wel even duren. De ongelovigen hebben nog niets gevonden.'

'Ik wilde dat ze een beetje opschoten. Ik heb er genoeg van om boven op elkaar te zitten, blikvoer te eten en in een emmer te pissen.'

O. gaf geen antwoord. Hij sloot zijn ogen en concentreerde zich op het gevoel van de frisse lucht op zijn huid. Het kwam hem juist goed uit om te moeten wachten.

'Blijven we hier zitten wachten zonder iets te doen? We zijn met z'n tienen, allemaal goed bewapend. We moeten ernaartoe om ze allemaal uit te moor-den,' vond W.

'We volgen de orders op van *Huqan*.'

'*Huqan* is verknipt.'

'Dat weet ik. Maar hij is slim. Hij heeft me een verhaal verteld. Weet je hoe een Bosjesman in de Kalahari water vindt als hij ver van huis is? Hij gaat op zoek naar een aap en houdt hem de hele dag in de gaten. Hij moet ervoor zorgen dat de aap hem niet ziet, want dan is het spel voorbij. Mettertijd zal het dier hem naar zijn waterplaats leiden. Een rotsspleet, een kleine groeve... plekken die de Bosjesman anders nooit gevonden zou hebben.'

'En dan?'

'Dan drinkt hij het water en eet hij de aap op.'

De opgraving
Al Mudawarrah-woestijn, Jordanië

Vrijdag 14 juli 2006, 01.18 uur

Stowe Erling beet nerveus op zijn balpen en vervloekte professor Forrester met hart en ziel. Tenslotte was het niet zijn schuld dat de data van die stek niet doorgekomen waren. Alsof hij nog niet genoeg aan zijn hoofd had, met al dat geklaag van iedereen die gedwongen het terrein moest verkennen, het helpen met hun harnassen, het vervangen van batterijen en het controleren dat niemand tweemaal op hetzelfde terrein liep.

Hij had zelf niemand om hem met zijn harnas te helpen. Alsof het zo makkelijk was om midden in de nacht een stek te lopen met alleen een gaslamp bij je. Forrester hield met niets of niemand rekening. Behalve met zichzelf natuurlijk. Hij was er na het avondeten achter gekomen dat er iets mis was gegaan en had Stowe eropuit gestuurd om plot 22K opnieuw te lopen. Het hielp geen donder, ook al had Stowe hem praktisch gesmeekt om het de volgende dag te mogen doen. Als de gegevens van de plots niet klopten, zou het programma vastlopen.

Pappas, lul die je bent. Zogenaamd de beste archeologische topograaf ter wereld, hè? Zogenaamd een deskundige systeembeheerder, hè? Een waardeloze lul, dat ben je. Je had in Griekenland moeten blijven, klojo. Ik heb verdomme de reet van die ouwe gelikt om de codes van de magnetometers te mogen instellen en wie krijgt die klus? Twee jaar, twee volle jaren, verdomme. Twee jaar waarin ik gegevens heb verzameld voor Forrester, zijn stomme fouten heb verbeterd, zijn medicijnen heb gehaald, zijn prullenbak vol smerige, bloederige zakdoekjes heb geleegd. Twee jaar en hij behandelt me nog steeds als een hond.

Eindelijk was hij klaar met zijn vreemde pantomime: de magnetometer zat op zijn plaats en stond aan. Stowe pakte de gaslamp op om hem halverwege de helling te zetten. Het terrein van plot 22K lag voor het grootste deel op een zanderige heuvel vol stenen, vlak bij de knokkel van de Wijsvinger.

Het terrein was daar anders: niet het sponzige, roze, zachte zand zoals onder in de kloof en ook niet de harde terracotta rotsgrond die het oosten vormde. Het zand van de helling, donkerder en met een hellingsgraad van 14 procent, bewoog onrustig als een muis in de taart onder zijn bergschoenen. Stowe moest tijdens het klimmen stevig aan de banden trekken die de magnetometer op zijn plaats hielden, anders zou hij achterovervallen. Zo hield hij het gewicht van het apparaat in evenwicht.

Toen hij zich vooroverboog om de gaslamp neer te zetten, haalde Stowe de huid van zijn rechterhand open aan de scherpe rand van een gietnaad van de magnetometer.

'Au, verdomme.'

Zuigend op het wondje begon hij het trage, dodelijk saaie ritme van het apparaat te volgen.

Het is niet eens een Amerikaan. Het is verdomme zelfs geen Jood. Het is gewoon een smerige Griek, een allochtoon, de hufter. Aan de naam te horen was hij orthodox voordat hij voor de professor ging werken. Toen hij drie maanden bij ons was, bekeerde hij zich tot het Jodendom. Een bekering in sneltreinvaart. Wat een handige zet. Ik ben kapot. Waarom doe ik dit? Ik hoop dat we de Ark vinden. Dan zullen alle faculteiten geschiedenis om me vechten. Kies ik de beste uit en ga ik lezingen geven. Die ouwe leeft niet meer zo lang, net genoeg om in het begin alle roem voor zichzelf op te eisen. Maar over een jaar of drie, vier is hij vergeten en is alle roem voor het team. Voor mij. Het zou het mooiste zijn als die kapotte longen van hem het deze nacht nog zouden begeven. Ik vraag me af aan wie Kayn dan de leiding over de expeditie zou geven. Pappas zeker niet. Hij schijt al bagger als hij naar de professor kijkt, dus één blik van Kayn en hij barst in janken uit. Ze hebben een sterke kerel nodig, iemand met charisma. Wat is dat toch voor een vent, die Kayn? Hij schijnt ernstig ziek te zijn. Waarom zou hij meegegaan zijn?

Stowe hield abrupt zijn pas in. Hij stond halverwege de helling, met zijn gezicht naar de wand van de kloof. Hij had iemand horen lopen, maar dat was onmogelijk. Hij keek in de richting van het kamp, maar alles was rustig en stil.

Logisch, ja. De enige die niet in zijn bed ligt ben ik. Nou ja, behalve de schildwachten, maar zij zitten lekker beschut en liggen vast te snurken. Als die ons moeten beschermen! Ze zouden beter...

Weer stopte hij. Hij hoorde echt iets en ditmaal verbeeldde hij het zich niet. Hij hield zijn hoofd scheef, maar het irritante gezoem van de magnetometer begon weer. Stowe zocht op de tast naar het knopje om het apparaat uit te zetten en drukte er licht op. Zo zette hij alleen de zoemtoon uit en niet het hele apparaat (dan zou Forresters computer een signaal geven). Die andere twaalf ezels zouden hun rechterarm hebben gegeven als ze vandaag hadden geweten hoe dat moest.

Het zal wel een van de soldaten zijn die de wacht overneemt. Kom op, ik ben te oud om bang te zijn in het donker.

Hij zette het apparaat uit en begon langzaam de helling af te lopen. Hij ging naar bed. Forrester kon zo kwaad worden als hij wilde, maar hij deed het morgen wel. Desnoods sloeg hij het ontbijt over.

Dat doe ik, ik sta eerder op dan die ouwe. Als het maar een beetje licht is.

Hij glimlachte. Hij was blij dat er niets was om bang voor te zijn, maar hij ging naar bed. Hij had slaap nodig, meer niet. Als hij opschoot kon hij nog drie uur slapen. De magnetometer bleef uit.

Toen werd er stevig aan zijn harnas gerukt. Stowe wankelde op zijn benen en maaide met zijn armen door de lucht in een poging zijn evenwicht te bewaren. Net toen hij dacht dat hij op zijn achterwerk terecht zou komen, werd hij door iemand opgevangen en stevig in de houdgreep genomen.

Hij voelde niets van de punt van het mes dat onder in zijn ruggengraat werd gestoken. De hand die hem bij het harnas vasthield trok hem met een ruk naar achteren. Stowe dacht aan zijn jeugd, toen hij met zijn vader naar het meer van Chebacco ging om op zwarte zeebaars te vissen. Zijn vader hield ze in zijn handen en reet in één vloeiende beweging hun buik open, met een vochtig, fluitend geluid. Het klonk vrijwel net zo als het laatste geluid dat Stowe in zijn leven hoorde.

De hand liet hem los en de jongeman zakte als een zoutzak naar de grond. Met het harnas om kon zijn lichaam niet rollen, dus gleed hij traag de helling af. Stowe stootte een gebroken doodskreet uit, een kort, droog gejank. En dat was dat.

De opgraving
Al Mudawarrah-woestijn, Jordanië

Vrijdag 14 juli 2006, 02.33 uur

Het eerste deel van het plan was dat ze op tijd wakker moest worden. Vanaf dat moment verliep alles rampzalig.

Andrea had het horloge tussen haar hoofd en haar wekker gelegd, met de wekker op halfdrie 's nachts. Ze had met Fowler afgesproken bij plot 14B, waar ze had gewerkt toen ze de priester vertelde dat ze iemand had gezien.

Ze wist alleen dat de priester haar hulp nodig had om Dekkers frequentiescanner uit te schakelen, maar hij had er niet bij gezegd waar dat ding stond en hoe ze dat zou moeten doen.

Om er zeker van te zijn dat ze zich niet zou verslapen had hij haar zijn horloge geleend, want dat van haar had geen wekker. Het was een zware, zwarte MTM met een band met klittenband en hij zag eruit of hij nog ouder was dan Andrea zelf. Er stond een inscriptie aan de achterkant: THAT OTHERS MAY LIVE.

Opdat anderen blijven leven. Wie draagt er nou zo'n horloge? Priesters in elk geval niet. Die dragen horloges van twintig euro, hooguit een goedkope Lotus met een imitatieleren bandje. Niet iets met zoveel persoonlijkheid, peinsde Andrea voordat ze in slaap viel. Toen het horloge afging, zette ze het snel uit en stopte ze het zorgvuldig bij zich, om twee redenen. Fowler had haar duidelijk verteld wat er met haar zou gebeuren als ze het kwijtraakte. En ten tweede was het horloge uitgerust met een led-lampje, dat ze hard nodig zou hebben om door de kloof te lopen. Die touwen waarmee de plots waren afgezet zaten verdomde laag en ze had geen zin om haar nek te breken.

Toen ze op de tast naar haar kleren zocht, spitste Andrea haar oren om te luisteren of er niemand anders wakker was geworden, maar het onmiskenbare gesnurk van Kyra Larsen stelde haar gerust. Ze besloot haar schoenen buiten aan te trekken en liep omzichtig naar de deur. Toen speelde haar spreekwoordelijke onhandigheid haar weer eens parten en liet ze het horloge uit haar handen glippen.

Ze deed haar best haar zenuwen de baas te blijven en probeerde zich te herinneren hoe de hospitaaltent in elkaar stak. Achterin stonden twee ziekbedden, een tafel en de medische apparatuur. De drie bewoonsters sliepen vlak bij de ingang, op zelfopblaasbare luchtbedden en slaapzakken. Andrea in het midden, Larsen links en Harel aan de andere kant.

Ze gebruikte Kyra's gesnurk als wegwijzer en begon de vloer af te tasten. Ze voelde de rand van haar eigen luchtbed. Een eindje verderop iets wat volgens haar de vuile sokken van Forresters assistente waren. Met een vies gezicht veegde ze haar hand af aan haar broek. Ietsje verder nog. Het luchtbed van Harel. Er lag niemand op.

Verbaasd haalde Andrea haar aansteker tevoorschijn en klikte hem aan, waarbij ze de vlam zorgvuldig bij Larsen vandaan hield. Harel was er niet. Fowler had nog wel gezegd dat ze niets tegen de dokter mocht zeggen over wat ze van plan waren.

De journaliste dacht er niet langer over na en liep de tent uit. Het was in het kamp zo stil als een kerkhof, maar Andrea was blij dat de hospitaaltent bij de noordwestelijke wand van de kloof lag, zodat ze niet per ongeluk iemand tegen het lijf kon lopen die naar het toilet moest.

Daar zal Harel wel zijn. Ik snap niet waarom zij niet mocht weten wat we gaan doen, want ze weet dat hij een satelliettelefoon heeft. Die twee spelen een raar spelletje.

Op dat moment klonk de toeter van de professor. Andrea bleef stokstijf stilstaan. De angst joeg door haar lijf als een cobra op weg naar zijn prooi. Ze dacht eerst dat Forrester haar had ontdekt, totdat ze besefte dat de claxon ver weg moest zijn. Het geluid klonk dof, maar leek van meerdere kanten te komen, alsof het weerkaatste tegen de wanden van de kloof.

Het geluid klonk twee keer en hield toen op.

Daarna begon de claxon te loeien om niet meer te stoppen.

Dit is een noodkreet. Zeker weten.

Andrea vroeg zich af wie ze moest waarschuwen. Harel was er niet, Fowler stond haar op te wachten bij plot 14B. Tommy leek haar de beste optie. Ze stond vlak bij de tent van het dienstpersoneel. Andrea liet zich bijlichten door het lampje in het horloge, trok de rits van de ingang open en ging de tent in.

'Tommy! Tommy, wakker worden.'

Zes hoofden keken slaperig over de rand van hun slaapzak.

'Het is twee uur 's morgens, verdomme,' zei Brian Hanley schor, terwijl hij in zijn ogen wreef.

'Maak Tommy wakker. Ik geloof dat de professor in de problemen zit.'

Tommy kroop al overeind.

'Wat is er?'

'De toeter van de professor. Hij blijft maar loeien.'

'Ik hoor niks.'

'Toe nou! Volgens mij zit hij aan het eind van de kloof.'

'Momentje dan.'

'Momentje? Moet ik wachten tot Chanoeka?'[1]

'Nee, tot ik iets heb aangetrokken. Ik slaap naakt.'

Andrea mompelde een verontschuldiging en ging buiten staan wachten. Het geluid hield aan, maar werd geleidelijk zwakker. De perslucht van de claxon zou wel op zijn, dacht ze.

---

1 Joods religieus feest, dat in december wordt gevierd.

Tommy kwam naar buiten, op de voet gevolgd door de anderen.

'Robert, jij kijkt in de tent van de professor,' zei Tommy tegen de magere jongen van de graafmachine. 'Brian, waarschuw de soldaten.'

Dat laatste was niet meer nodig. Dekker, Maloney, Torres en Jackson kwamen hun kant al uit. Niet geheel gekleed, maar wel met hun mitrailleurs in de aanslag.

'Wat is hier verdomme aan de hand?' vloekte Dekker. Hij had een walkietalkie in zijn kolenschoppen van handen. 'Volgens mijn jongens zit er iemand aan het einde van de kloof een herrie te schoppen van heb-ik-jou-daar.'

'Volgens juffrouw Otero is er iets met de professor aan de hand. Wat zeggen de uitkijkposten?'

'Het geluid komt precies uit een dode hoek. Waaka is op zoek naar een betere positie.'

'Hallo, wat is er aan de hand? De heer Kayn probeert te slapen,' zei Russell, die zich met verward haar in een beige zijden pyjama bij hen voegde. 'Ik dacht dat het...'

Dekker onderbrak hem met een gebaar. De walkietalkie kraakte en de volle, aangename stem van Waaka klonk over de luidspreker.

'Commandant, ik heb er nu zicht op. Ik zie Forrester en een lichaam dat op de grond ligt. Over.'

'Wat is de professor aan het doen, Post 1?'

'Hij zit op zijn knieën over het lichaam gebogen. Over.'

'Begrepen, Post 1. Blijf op je plek en geef ons dekking. Post 1 en 2, neem alle voorzichtigheid in acht. Als een muis een scheet laat, wil ik het weten.'

Dekker verbrak de verbinding en begon de anderen bevelen te geven. Tijdens zijn korte gesprek met Waaka was het hele kamp op de been gekomen. Tommy Eichberg stak een paar fikse halogeenlampen aan, die enorme schaduwen wierpen tegen de wanden van de kloof.

Andrea had zich ietwat buiten de kring mensen rond Dekker opgesteld. Vanuit haar ooghoeken zag ze Fowler aan komen lopen van achter de hospitaaltent, geheel gekleed. Hij maakte een rondje en ging achter de journaliste staan.

'Niets zeggen. We spreken elkaar straks.'

'Waar is Harel?'

Fowler keek haar met gefronste wenkbrauwen aan.

Hij heeft geen flauw idee.

Er kwam plotseling een angstig vermoeden bij Andrea op en ze wendde zich tot Dekker, maar Fowler hield haar bij haar arm tegen. Nadat hij enkele woorden met Russell had gewisseld, had de enorme Zuid-Afrikaan een besluit genomen. Hij liet de zorg voor het kamp over aan Maloney en ging samen met Torres en Jackson op weg naar plot 22K.

'Laat me los, pater. Hij had het over een lichaam.' Andrea worstelde zich los.

'Wacht nou.'

'Misschien is zij het wel.'

'Wacht.'

Intussen stak Russell bezwerend zijn armen in de lucht en begon de groep toe te spreken.

'Alstublieft, alstublieft. We zijn allemaal zenuwachtig, maar het heeft geen zin om als een kip zonder kop rond te rennen. Kijk allemaal om u heen en vertel me wie er ontbreekt. Meneer Eichberg? Brian?'

'Ze staan daar, bij het aggregaat. Het brandstofniveau is laag.'

'Mr. Pappas?'

'Iedereen is er, behalve Stowe Erling,' zei de Griek stotterend van de zenuwen. 'Hij moest plot 22K nalopen, want de gegevens waren niet goed doorgekomen op de computer.'

'Mevrouw Harel?'

'De dokter is niet present, meneer Russell,' zei Kyra Larsen.

'Wat? Weet iemand waar ze is?' vroeg Russell verbaasd

'Zoekt u mij?' klonk een stem achter Andrea. Die draaide zich snel om en de opluchting stond op haar gezicht te lezen. Daar stond Harel, met rode ogen en gehuld in een rode nachtpon die tot haar knieën reikte, en haar laarzen. 'Sorry, ik had een slaappil genomen en ik ben nog steeds groggy. Wat is er gebeurd?'

Russell bracht de arts op de hoogte, wat Andrea de tijd gaf om haar gemengde gevoelens op een rijtje zetten. Ze was dolblij dat Harel in orde was, maar ze vroeg zich af waar ze al die tijd gezeten had.

En ik ben niet de enige, dacht Andrea, terwijl ze aandachtig naar hun andere tentgenote keek. De archeologe wendde haar ogen geen seconde van Harel af. *Larsen vertrouwt de dokter voor geen meter. Ze weet dat ze daarnet nog niet in haar tent lag. Als haar ogen laserstralen waren, had de dokter nu een gat in haar rug zo groot als een pizza. Dat gaat problemen geven.*

De oude heer klom op een stoel en maakte een van de lussen los waarmee de zijwanden van de tent vastzaten. Hij knoopte hem weer vast, maakte hem nogmaals los en vervolgens weer vast.

'Meneer, u doet het wéér.'

'Een dode, Jacob. Een dode.'

'Meneer, die lus zit prima. Kom van de stoel af, het is tijd voor uw medicijnen.'

Russell reikte hem een papieren bekertje en een paar pillen aan.

'Ik neem ze niet. Ik moet alert blijven, want ik zou de volgende kunnen zijn. Vind je dit een mooie knoop?'

'Ja, meneer.'

'Het is een dubbele acht, een stevige knoop. Ik heb hem van mijn vader geleerd.'

'Een perfecte knoop, meneer. Wilt u alstublieft van de stoel af komen?'

'Ik moet me indekken. Ik maak hem nog een keer vast.'

'Meneer, het is een dwanghandeling.'

'Dat woord wil ik niet horen!'

Met de bedoeling hem de les te lezen draaide de oude heer zich zo snel om dat hij zijn evenwicht verloor. Jacob haastte zich om hem op te vangen, maar kon niet voorkomen dat hij op de vloer terechtkwam.

'Gaat het wel, meneer? Ik zal dokter Harel gaan halen.'

De oude man zat huilend op de vloer, maar zijn tranen vloeiden niet omdat hij gevallen was.

'Een dode. Een dode.'

DE OPGRAVING
Al Mudawarrah-woestijn, Jordanië

Vrijdag 14 juli 2006, 03.13 uur

'Hij is vermoord.'
'Weet u dat zeker, dokter?'
Het lichaam van Stowe Erling lag midden in een kring van gaslampen die een bleek licht verspreidden, doorschijnend als de vleugels van een vlinder. Buiten de lichtkring vervaagden de schaduwen van de omringende stenige grond, om geleidelijk over te gaan in een duistere nacht die plotseling een dreigend karakter had gekregen. Andrea onderdrukte een rilling toen ze naar het stoffelijk overschot in het zand keek.
Enkele minuten eerder hadden Dekker en zijn mannen de professor aangetroffen bij het lijk, met zijn rechterhand op die van Erling en de linker nog altijd stevig op de claxon, die allang geen geluid meer gaf. Dekker trok de professor ruw opzij en stuurde een van zijn mannen terug om dokter Harel te halen. De arts vroeg Andrea of ze met haar mee wilde gaan.
'Liever niet,' zei Andrea. Ze was misselijk en in de war sinds Dekker over de radio had laten weten dat ze Stowe Erling dood hadden aangetroffen en ze kon maar niet uit haar hoofd zetten dat ze met hart en ziel had gewenst dat hij opgeslokt zou worden door de woestijn.
'Alsjeblieft, Andrea. Ik ben zo nerveus, ik heb je nodig.'
De arts zag er inderdaad zeer verward uit en dus liep Andrea zonder er verder een woord aan vuil te maken met haar mee. Onderweg bedacht de journaliste hoe ze haar zou kunnen vragen waar ze verdomme had gezeten voordat al dat gedonder begon, maar ze kon niets verzinnen zonder zichzelf en haar eigen afwezigheid bloot te geven. Toen ze plot 22K bereikten had Dekker al een manier gevonden om het lijk bij te lichten, zodat de arts de doodsoorzaak kon vaststellen.
'Kijkt u zelf maar. Als dit geen moord is, is het een goed voorbereide zelfmoord. Er steekt een mes onder in zijn ruggengraat. Doodslag, absoluut.'
'En lastig te bewijzen,' zei Dekker somber.
'Hoe bedoelt u?' vroeg Russell. Hij was naast de commandant gaan staan. Een eindje verderop sloeg Kyra Larsen de professor een deken om en ging troostend naast hem zitten.
'Hij bedoelt dat het mes vlijmscherp was en op een perfecte plek in zijn rug is gestoken. Hij heeft amper gebloed,' antwoordde Harel, terwijl ze de latex handschoenen uittrok die ze droeg om de wond te onderzoeken.
'Het is een professional geweest, Mr. Russell.'

'Wie heeft hem gevonden?'

'Zodra een van de magnetometers niet meer uitzendt, geeft de computer van de professor een signaal af,' antwoordde Dekker met een knikje naar de professor. 'Hij ging naar Stowe toe om hem op zijn donder te geven. Toen hij hem op de grond zag liggen, dacht hij dat hij lag te slapen en hij begon tegen hem te schreeuwen, tot hij besefte dat er iets anders aan de hand was. Toen heeft hij net zo lang op die claxon gedrukt tot we allemaal wakker waren.'

'Ik moet er niet aan denken wat de heer Kayn hiervan zal zeggen. Waar zaten uw mannen, Dekker? Hoe heeft dit kunnen gebeuren?'

'Ze keken niet in de richting van de kloof, maar naar buiten. Dat was ook de opdracht. Het zijn alle drie ervaren mensen, maar het gaat om een groot gebied in een nacht zonder maan. We doen wat we kunnen.'

'Dat is dan niet veel,' zei Russell met een blik op Stowe.

'Ik heb het u van tevoren gezegd, Russell. Ik heb duidelijk aangegeven dat het gekkenwerk was om hiernaartoe te gaan met niet meer dan zes soldaten. Als ik ze indeel op vier uur wachtlopen staan er in het beste geval drie man op hun post. In een vijandig gebied als dit hebben we minstens twintig mensen nodig. Dus kom mij geen verwijten maken, alstublieft.'

'Dat is niet op zijn plaats. U weet wat er gebeurt als de Jordanese regering...'

'Hou onmiddellijk op met dat geruzie!' De professor kwam overeind, de deken gleed van zijn schouders en zijn stem trilde van woede. Nu hij over de eerste schok heen was, moest hij zijn razernij op een andere manier luchten. 'Een van mijn assistenten is dood. Ik heb hem hiernaartoe gestuurd. Hou op elkaar verwijten te maken.'

Russell keek enigszins beschaamd en tot Andrea's verrassing gold dat ook voor Dekker, hoewel hij het probeerde te maskeren door zich tot dokter Harel te richten.

'Kunt u er verder nog iets over zeggen?'

'Ik denk dat ze hem iets hogerop hebben vermoord en dat hij naar de voet van de heuvel is gegleden, aan de sporen in het zand te zien.'

'Denkt u dat?' vroeg Russell met opgetrokken wenkbrauwen.

'Het spijt me, maar ik ben arts, geen patholoog-anatoom. Ik ben weliswaar gespecialiseerd als oorlogsarts, maar dat betekent niet dat ik de sporen kan lezen op een plaats delict. Veel sporen zullen er trouwens niet zijn in deze zanderige grond vol stenen.'

'Weet u of Stowe vijanden had, professor?' vroeg Dekker.

'Hij kon het slecht vinden met David Pappas. Er bestond een rivaliteit tussen hen die ik graag voedde.'

'Hebt u ze weleens horen ruziemaken?'

'Vaak genoeg, maar het liep nooit hoog op.' Forrester zweeg en hief zijn vinger vlak voor Dekkers gezicht. 'U wilt toch niet beweren dat een van mijn jongens dit op zijn geweten heeft, wel?'

Andrea had het lichaam van Erling intussen aandachtig bekeken, met een mengeling van verbijstering en angst. Ze wilde een stapje naar voren doen, de lichtkring in stappen en hem aan zijn staartje trekken om te bewijzen dat hij niet dood was, dat het een bizarre grap van de professor was om hen te pesten. Ze was pas overtuigd van de ernst van de situatie toen ze zag hoe de fragiele professor met zijn vinger voor de neus van die reusachtige Dekker stond te zwaaien. Op dat moment kwam het geheim dat ze al twee dagen bewaard had naar boven als het water bij een kapotte stuwdam.

'Meneer Dekker.'

De Zuid-Afrikaan keek haar met een geërgerde blik aan.

'Juffrouw Otero, de grote Schopenhauer heeft gezegd dat de eerste blik op een gezicht een indruk geeft die ons altijd bijblijft. Voorlopig heb ik genoeg van uw gezicht gezien, oké?'

'Ik begrijp ook niet wat u hier komt doen. Dit wordt niet gepubliceerd, dat begrijpt u. Ga onmiddellijk terug naar het kamp,' voegde Russell eraan toe.

De journaliste zette een stapje achteruit, maar ze wist de blikken van de commandant en de secretaris te trotseren. Tegen alle adviezen van Fowler in gooide Andrea alles eruit.

'Ik ga niet. Het is misschien wel mijn schuld dat hij dood is.'

Dekker bracht zijn gezicht zo dicht naar het hare dat ze de warmte van zijn huid kon voelen.

'Vertel op.'

'Toen we bij de kloof aankwamen, zag ik iemand op de top van dat klif staan.'

'Wat? Hoezo hebt u daar niets van gezegd?'

'Ik dacht niet dat het belangrijk was. Het spijt me.'

'Mooi, het spijt u. Daarmee is alles opgelost. Verdómme!'

Russell schudde ontsteld het hoofd. Dekker krabde heftig over zijn litteken, in een poging te verstouwen wat hij zojuist had gehoord. De enige die reageerde was Kyra Larsen. Ze liet de professor staan, rende op Andrea af en mepte haar keihard in het gezicht.

'Trut!'

Andrea schrok zich wezenloos en keek haar verbluft aan. Toen zag ze het verdriet en de pijn in Kyra's ogen en begreep ze het. Ze liet haar armen zakken.

Het spijt me verschrikkelijk. Echt.

'Trut,' schreeuwde de archeologe nogmaals. Ze stortte zich op Andrea, stompte haar in haar gezicht, op haar borst, tegen haar schouders. 'Je had iedereen moeten vertellen dat we in de gaten gehouden werden. Snap je dan niet wat we hier zoeken? Snap je dan niet wat het belang daarvan is?'

Harel en Dekker grepen Larsen bij haar armen en trokken haar naar achteren. Ze liet hen begaan, maar toen de arts haar stevig bij haar schouders bleef vasthouden, rukte ze zich los en ging een eindje van haar vandaan staan.

'Hij was mijn vriend,' fluisterde ze.

Toen kwam David Pappas eraan, in vliegende haast. Er biggelden dikke druppels over zijn gezicht en armen en hij was duidelijk een paar keer gevallen, want zijn gezicht en zijn bril zaten onder het zand.

'Professor Forrester! Professor Forrester!'

'Wat is er, David?'

'De gegevens. De gegevens van Stowe!' bracht de jongen hijgend uit. Hij boog vlak voor de professor door de knieën en hapte naar lucht.

De professor maande hem met een misprijzend gezicht tot kalmte.

'Nu niet, David. Je vriend ligt hier nog koud te worden.'

'Maar professor, u moet naar me luisteren. De gegevens, ik heb ze verwerkt.'

David deed iets wat nooit bij hem opgekomen zou zijn als de omstandigheden in deze verschrikkelijke nacht anders waren geweest: hij greep de professor bij zijn deken en trok hem naar zich toe, tot hij hem recht aankeek.

'U begrijpt het niet. Hij slaat uit. Een 7911!'

Het duurde even voordat dit tot de professor was doorgedrongen. Toen begon hij uiterst traag en heel zachtjes te praten, zo zachtjes dat Pappas hem bijna niet kon horen.

'Hoe groot?'

'Enorm, professor.'

De professor viel op zijn knieën. Niet tot spreken in staat wiegde hij naar voren en naar achteren, in een stomme smeekbede die eerder gehuild dan gebeden werd.

'Wat is een 7911, David?' vroeg Andrea.

'Atoomgewicht 79. Positie 11 van de periodieke grafiek,' zei de jongen verward en met gebroken stem, alsof hij, nu hij zijn belangrijke boodschap had overgebracht, even leeg en overbodig was geworden als een verkreukelde envelop. Zijn ogen boorden zich in het lichaam van Stowe Erling.

'Maar wat…'

'Goud, juffrouw Otero. Stowe heeft de Ark van het Verbond gevonden.'

Enkele objectieve gegevens over de Ark des Verbonds
uit het moleskine notitieboekje van professor Cecyl Forrester

De Bijbel zegt: laat van acaciahout een ark maken, een kist van tweeënhalve el lang, anderhalve el breed en anderhalve el hoog. Overtrek die met zuiver goud, zowel vanbinnen als vanbuiten; aan de bovenkant moet je rondom een gouden sierlijst aanbrengen. Giet vier gouden ringen en bevestig ze aan de vier poten: twee ringen aan elke kant van de ark. Maak draagbomen van acaciahout, verguld ze en steek ze door de ringen aan weerszijden; zo kan de ark gedragen worden. De draagbomen moeten in de ringen blijven; ze mogen er niet uit gehaald worden.

Ik gebruik de gemene el als lengtemaat. Ik weet dat ik daar veel kritiek op zal krijgen, want weinig wetenschappers doen dat; zij zetten in op de Egyptische el of de heilige el, die veel meer glamour hebben. Maar ik heb gelijk.

Wat we zeker weten over de Ark:

- *bouwjaar: 1453 v.Chr. aan de voet van de berg Sinaï*
- *111 cm lang*
- *65 cm breed*
- *65 cm hoog*
- *385 liter inhoud*
- *265 kilo zwaar*

Er zijn schrijvers die beweren dat de Ark veel zwaarder is, misschien wel 500 kilo. Er is zelfs een idioot die het waagt te beweren dat de Ark meer dan een ton weegt. Dat is absurd. Dat noemt zich geleerd. Ze vinden het geweldig om het gewicht in goud eraan toe te voegen. Stomme idioten. Het komt niet bij ze op dat goud, hoe zwaar het ook is, heel zacht is en niet erg sterk. De ringen zouden zo'n gewicht nooit kunnen dragen, evenmin als de houten draagbomen waarmee hij door vier mannen werd vervoerd.

Goud is een metaal dat zich makkelijk laat bewerken. Vorig jaar heb ik een kamer gezien die van onder tot boven bekleed was met een laagje goud, afkomstig van één zware gouden munt, verwerkt aan de hand van methoden uit de bronstijd. De Joden waren kundige handwerkslieden en ze beschikten niet over zoveel goud in de woestijn. Bovendien konden ze het allemaal niet versjouwen als ze ongedeerd langs hun vijanden wilden komen.

Nee, ze gebruikten heel weinig goud en sloegen of smolten het tot een dunne laag die ze over het hout aanbrachten. Een stevige houtsoort die eeuwenlang goed blijft, bedekt met een dunne laag metaal dat niet roest en de tand des tijds doorstaat. Het is een voorwerp dat gebouwd is voor de eeuwigheid. Hoe kan het ook anders, als God zelf de instructies tot de bouw heeft gegeven?

De opgraving
Al Mudawarrah-woestijn, Jordanië

Vrijdag 14 juli 2006, 14.21 uur

'Er is dus met de gegevens geknoeid.'
'Iemand moet het geweten hebben, pater.'
'Daarom is hij vermoord.'
'Ik weet waar, hoe en wanneer. Vertel me waarom en door wie en u maakt me de gelukkigste vrouw ter wereld.'
'Er wordt aan gewerkt.'
'Denkt u dat het iemand van buitenaf is geweest? Die man die ik op de top van het klif heb gezien?'
'Ik heb u nooit voor dom gehouden, juffrouw Otero.'
'Ik voel me zo schuldig.'
'Niet doen. Ik had u verzocht erover te zwijgen. Maar geloof me: een van de leden van de expeditie is een moordenaar. Daarom moet ik zo snel mogelijk contact zoeken met Albert.'
'Ja, ja. Maar u weet meer dan u wilt zeggen. Veel meer. Het was gisteren heel wat drukker in de kloof dan anders op dat vroege tijdstip. De dokter lag ook niet in haar bed.'
'Zoals ik al zei… Er wordt aan gewerkt.'
'Verdomme, pater. U spreekt alle talen van de wereld en u zegt nooit iets.'
Pater Fowler en Andrea zaten in de schaduw van de oostelijke wand van de kloof. Niemand had die nacht veel geslapen en de dag was traag en zwaar op gang gekomen; iedereen was kapot van de dood van Stowe Erling. Toch raakte de tragedie enigszins ondergesneeuwd door het grote nieuws van de ontdekking van een berg goud, nota bene uit de gegevens van Stowes magnetometer. Professor Forrester wierp zich op als het rustpunt in de kolkende drukte rond perceel 22K: analyse van de samenstelling van het gesteente, meer testen met de magnetometer en met name metingen van de grondweerstand.
Bij deze procedure werd het terrein onder stroom gezet om te meten hoeveel elektrische spanning de grond kon opnemen. Een zandkuil heeft bijvoorbeeld een andere elektrische weerstand dan de vaste grond eromheen.
De resultaten van de tests waren overtuigend: het terrein was hoogst instabiel, wat Forrester woedend maakte. Andrea zag hem geagiteerd rondlopen, papieren wegsmijten en zijn personeel uitfoeteren.
'Waarom is Forrester zo geïrriteerd?' vroeg Fowler. Hij zat al een tijdje te rommelen met een schroevendraaiertje en wat kabels die hij uit de gereedschapskist van Brian Hanley had gepikt. De priester zat een halve meter hoger dan

Andrea op een platte steen en besteedde verder weinig aandacht aan wat er voor hun neus gebeurde.

'Ze hebben allerlei tests gedaan en nu blijkt dat ze niet zomaar aan het graven kunnen slaan,' antwoordde Andrea, die zojuist David Pappas had gesproken. 'Ze denken dat er een door de mens gegraven kuil in het terrein zit. Als ze de graafmachine gebruiken is de kans groot dat die holte instort.'

'Dan moeten ze eromheen. Dat kan weken duren.'

Andrea schoot nogmaals een serie foto's en keek op het display hoe ze waren geworden. Ze had een mooie opname van Forrester, die letterlijk het schuim om de mond had staan van woede. En een van Kyra Larsen, die geschrokken haar hoofd naar achteren gooide, met grote ogen van angst.

'Forrester blijft vrolijk doorschreeuwen. Ik snap niet hoe zijn assistenten het met hem uithouden.'

'Misschien is het precies wat ze vandaag nodig hebben.'

Andrea wilde net verbolgen uitroepen dat hij moest ophouden met die flauwe-kul, toen ze bedacht dat zij voorop liep als het ging om zelfbestraffing als bliksemafleider voor verdriet.

Die goeie ouwe RB was daar een levend voorbeeld van. Ik ben geen haar beter, ik had hem allang het raam uit moeten smijten. Rotkat. Laten we hopen dat hij van de shampooflesjes van de buurvrouw afblijft. Ik hoop in elk geval dat ze me er niet voor laat betalen.

Door zijn geschreeuw laaide de activiteit rond Forrester weer op. Mensen schoten alle kanten op, als kakkerlakken in een keuken waar plots het licht wordt aangeknipt.

'Misschien hebt u wel gelijk, pater. Maar ik vind het van weinig respect voor hun dode vriend getuigen om ze zo te zien werken.'

Fowler keek op van zijn schroevendraaier en keek haar verwijtend aan.

'Dat kan ik hen niet kwalijk nemen. Ze moeten opschieten, morgen is het zaterdag.'

'O ja, sabbat. Op vrijdag na zonsondergang mogen de Joden zelfs het licht niet meer aan- of uitdoen. Wat een onzin, zeg.'

'Ze geloven in elk geval ergens in. Waar gelooft ú in?'

'Ik ben altijd een nuchter mens geweest.'

'Atheïstisch, bedoelt u.'

'Nee, ik bedoel nuchter. Als ik twee uur per week in een ruimte moet zitten die naar wierook stinkt, kost me dat 343 dagen van mijn leven. Dat vind ik nogal wat, al verdien ik er het eeuwige leven mee.'

De priester grinnikte.

'Hebt u ooit ergens in geloofd?"

'In een relatie.'

'En, wat is er gebeurd?'

'Ik heb het verziekt. Laten we zeggen dat zij geloviger was dan ik.'

Fowler deed er het zwijgen toe. Andrea klonk wat geforceerd en ze besefte dat de priester haar alleen maar wilde helpen om haar hart uit te storten.

'Daarbij... denk ik niet dat het geloof de enige reden van deze expeditie is. De Ark is een fortuin waard.'

'Er is ongeveer 125.000 ton goud in de wereld. Denkt u dat iemand als de heer Kayn achter die dertien, veertien kilo van de Ark aan zit?'

'We hebben het over Forrester en zijn bezige bijtjes,' schamperde Andrea. Ze genoot van de discussie, maar baalde ervan dat alles wat ze naar voren bracht zo makkelijk van tafel werd geveegd.

'Dat is zo. Wilt u een praktische reden? De ontkenningsfase. Het werk geeft hun de kracht om door te gaan.'

'Waar hebt u het nu weer over?'

'Over de fasen van rouw van dr. Kübler-Ross.'

'O, dat. Ontkenning, woede, depressie... dat gedoe.'

'Juist. Ze zitten allemaal in de eerste fase.'

'Als je Forrester hoort schreeuwen, zou je denken dat hij al in de tweede fase zit.'

'Het zal vanavond wel beter met ze gaan. Professor Forrester spreekt de *hesped* uit, de rouwrede. Hij zal lovende woorden moeten spreken over iemand anders dan zichzelf. Dat kan interessant worden.'

'Wat gebeurt er met het lichaam, pater?'

'Dat wordt provisorisch begraven in een verzegelde, hermetisch afgesloten zak.'

Andrea schoot overeind en keek Fowler ongelovig aan.

'U maakt een geintje.'

'Dat is de Joodse wet. Een dode dient binnen 24 uur na het overlijden begraven te worden.'

'U weet best wat ik bedoel. Sturen ze het lichaam niet terug naar zijn familie?'

'Niets of niemand verlaat dit kamp, juffrouw Otero. Dat weet u toch?'

Andrea stopte haar camera in het hoesje en stak een sigaret op.

'Die lui zijn getikt. Ik hoop niet dat we deze primeur allemaal met de dood moeten bekopen.'

'U altijd met uw primeur. Ik begrijp nog steeds niet waar u zo wanhopig naar op zoek bent.'

'Naar roem en fortuin, pater. En u?'

'Ik doe mijn plicht. Als de Ark werkelijk bestaat, moet het Vaticaan daarvan op de hoogte zijn om hem later officieel te erkennen als het voorwerp dat de tien geboden bevat.'

Een simpele verklaring, heel onschuldig. En een dikke leugen, pater. Liegen gaat u slecht af. Laat ik maar net doen of ik het geloof.

'Kan zijn,' antwoordde Andrea na een tijdje. 'Maar waarom hebben ze u gestuurd in plaats van een geschiedkundige?'

Fowler liet haar zien waar hij al die tijd aan had zitten prutsen.

'Omdat een geschiedkundige hier geen kaas van heeft gegeten.'

'Wat is het?' vroeg Andrea nieuwsgierig. Het zag eruit als een simpele schakelaar waar een paar losse kabels uit staken.

'We moeten contact opnemen met Albert, maar niet volgens het plan van gisteravond. Sinds de moord op Erling staat iedereen op scherp. Dus we pakken het als volgt aan...'

DE OPGRAVING
Al Mudawarrah-woestijn, Jordanië

Vrijdag 14 juli 2006, 15.42 uur

Vertel me nog één keer waarom ik dit doe, pater.
Omdat u de waarheid wilt achterhalen. U wilt weten wat hier aan de hand is. U
wilt weten waarom u deze opdracht heeft gekregen, terwijl Kayn zonder een voet
buiten New York te zetten duizend beroemdere en betere journalisten had kunnen
kiezen dan u.
Het gesprek bleef in Andrea's oren rondzingen. Het was dezelfde vraag die een
Zwak Stemmetje achter in haar hoofd haar al dagenlang stelde. Ze had het
laten wegduwen door het Filharmonisch Orkest van de Trots, geholpen door
de heer Rekening van Visa, bariton, en juffrouw Roem tegen elke Prijs, so-
praan. Maar Fowlers woorden hadden het Zwakke Stemmetje naar het midden van het podium gehaald.
Andrea schudde het hoofd, in een poging zich te concentreren op haar opdracht. Het plan was om van de wisseling van de wacht te profiteren, als slechts
drie van Dekkers mensen op hun post stonden. De anderen deden hun siësta,
rustten wat of zaten te kaarten.
'Dan bent u aan de beurt,' had Fowler gezegd. 'Zodra ik u een seintje geef,
duikt u onder de tent.'
'Tussen de houten vloer en het zand? Bent u gek geworden?'
'De ruimte is groot genoeg. U moet ongeveer een halve meter kruipen om bij
het schakelpaneel te komen. De tent is via de oranje kabel met de generator
verbonden. Haal de stekker er snel uit, steek hem aan de ene kant aan mijn
kabel en stop hem in het stopcontact van het schakelpaneel. Daarna drukt u
drie minuten lang om de vijftien seconden op deze knop. En vervolgens maakt
u dat u wegkomt.'
'Wat gebeurt er dan precies?'
'Niets ingewikkelds. De stroom valt niet geheel uit, maar wordt wel zwakker.
De frequentiescanner gaat maar twee keer helemaal uit. De eerste keer als u de
verbinding verbreekt. De tweede keer als u hem terugtrekt.'
'En de rest van de tijd?'
'Dan is hij aan het opstarten. Net als een computer als hij aan het opladen is.
Zolang ze niet onder de tent gaan kijken is er geen enkel probleem.'
Dat was er echter wel.
De hitte.

Het was niet moeilijk om op het sein van Fowler onder de tent te verdwijnen. Ze bukte zich, deed net of ze haar veter vastmaakte, keek om zich heen en liet zich onder de houten vloer rollen. Het was alsof ze in een enorme klont hete boter terechtkwam. De lucht was ijl van de hitte, het zand en het aggregaat dat pal naast de tent stond en waarvan de ventilatoren ritmisch gloeiend hete windvlagen de kuil in zonden.

Ze schoof meteen naar het schakelpaneel, terwijl haar armen en gezicht brandden van de hitte. Ze haalde met haar rechterhand Fowlers schakelaar tevoorschijn en gaf tegelijkertijd met haar linkerhand een forse ruk aan de oranje kabel. Ze verbond hem met het ene einde aan die van Fowler, sloot de andere aan en wachtte af.

Er klopt niets van dat stomme horloge. Er zijn twaalf seconden voorbij en het lijken wel twaalf minuten. God, wat een hitte.

Dertien, veertien, vijftien.

Ze drukte de schakelaar in.

Boven haar hoofd hoorde ze het stemgeluid van de soldaten van toon veranderen.

Ze hebben iets gemerkt. Ik hoop niet dat ze er aandacht aan schenken.

Ze spitste haar oren om het gesprek op te vangen. In eerste instantie deed ze het om zichzelf af te leiden en te voorkomen dat ze zou flauwvallen van de hitte. Ze had die ochtend niet voldoende gedronken en daar moest ze nu voor boeten. Ze had droge lippen, haar keel brandde en ze was duizelig.

Een halve minuut later zat Andrea doodsbang te luisteren, zo geschrokken dat ze zich niet realiseerde dat de drie minuten voorbij waren. Ze zat nog steeds onder de tent, drukte om de vijftien seconden de schakelaar in en vocht tegen het gevoel dat ze elk moment het bewustzijn kon verliezen.

ERGENS IN FAIRFAX COUNTY, VIRGINIA

Vrijdag 14 juli 2006, 8.42 uur

'Heb je hem?'
'Ik geloof dat ik iets heb. Maar het is niet gemakkelijk geweest. Die vent weet zijn sporen handig te verdoezelen.'
'Ik moet meer hebben dan een vermoeden, Albert. Er beginnen hier doden te vallen.'
'Er vallen altijd doden, toch?'
'Ditmaal is het anders. Ik ben bang.'
'Jij bang? Daar geloof ik niets van. Toen met die Koreanen was je ook niet bang. En zelfs niet die keer…'
'Albert.'
'Sorry. Ik heb hier en daar wat gunsten gevraagd. De experts van de CIA hebben een deel van de gegevens van de computers van GlobalInfo terug kunnen halen. Orville Watson volgde het spoor van een terrorist met de naam *Huqan*.'
'Injectiespuit.'
'Is dat de vertaling? Kan zijn, ik spreek geen woord Arabisch. Het schijnt dat die vent een aanslag voorbereidde op Kayn.'
'Nog iets? Nationaliteit, groepering?'
'Niets dan vage aanwijzingen. E-mails van en naar het kantoor. Alle belangrijke gegevens zijn in vlammen opgegaan. Die harde schijven zijn nogal gevoelig, weet je.'
'Zorg dat je Watson vindt. Hij is de sleutel van alles. Je móét hem vinden.'
'Komt in orde.'

Marla Jackson las nooit een krant en daarom kwam ze in de gevangenis terecht. Marla dacht er uiteraard anders over. Zij dacht dat ze naar de gevangenis was gestuurd omdat ze een slechte moeder was.

Deze twee stellingen, die radicaal tegenover elkaar stonden, vormden het kader van Marla's leven, na een normale, zij het vrij arme jeugd. Zo normaal als een jeugd kan zijn in Lorton, Virginia, dat de bewoners zelf 'de Oksel van Amerika' noemen. Marla werd geboren in een zwart gezin van de lagere klasse, speelde met poppen, sprong touwtje, ging naar school en werd zwanger toen ze vijftien jaar en zeven maanden was.

De waarheid gebiedt me erbij te zeggen dat ze haar best heeft gedaan om dat te voorkomen. Hoe kon Marla weten dat Curtis het condoom had lekgeprikt? Dat kon ze onmogelijk weten. Ze had wel gehoord van dat absurde mannelijkheids-ritueel onder jonge negers om voordat ze van school af kwamen te zorgen dat ze een meisje zwanger hadden gemaakt. Maar dat was iets wat andere meisjes over-kwam. Curtis hield van haar.

Curtis nam de benen.

Marla ging van school af en sloot zich aan bij het weinig selecte groepje adoles-cente moeders. Het duurde niet lang voordat haar hele leven om de kleine Mae draaide, in goede en slechte tijden. Ze liet haar dromen om fotografe van stor-men en orkanen te worden varen. Marla vond werk in een kippenfabriek en naast de zorg voor haar kind restte haar weinig tijd om de krant te lezen. Daarom nam ze een beslissing van levensbelang zonder goed geïnformeerd te zijn.

Op een dag deelde haar baas haar mee dat hij haar shift had gewijzigd van de ochtend naar de avond. De jonge moeder had genoeg moeders uit de nacht-dienst zien komen, moeders die met hun blik op de grond gericht naar huis lie-pen, hun fabrieksuniform in een plastic tasje van de supermarkt, moeders wier kinderen alleen thuis moesten blijven, waardoor ze eindigden in het tuchthuis of ergens op straat, doorzeefd met kogels na een benderuzie.

Om dat te voorkomen meldde Marla zich aan bij de reservetroepen. Als ze reser-viste was kon haar baas haar shift niet veranderen, want ze moest twee uur per week naar de basis van Cresaptown om te trainen. Zo hoefde ze haar kind 's nachts nooit alleen te laten.

Marla nam deze beslissing op de dag nadat de volgende bestemming van de 372e Militaire Politie Compagnie van het Amerikaanse leger bekend was gemaakt: Irak. Een feit dat vermeld stond op pagina 6 van de *Lorton Chronicle*. In septem-ber 2003 wuifde Marla Mae gedag om in de legertruck van de basis te stappen. In de armen van haar oma huilde het kind met de hartverscheurende snikken waar alleen een zesjarig meisje toe in staat is. Ze stierven vier weken later, toen mevrouw Jackson, die in de verste verte niet zo'n goede moeder was als haar dochter, het lot tartte door voor de laatste keer van haar leven in bed te roken.

Na dat bericht kon Marla niet naar huis. Ze kon het simpelweg niet opbrengen en liet het aan haar ontzette zus over om de begrafenis te regelen. Marla vroeg verlenging aan in Irak en stortte zich met hart en ziel op haar werk als MP in de gevangenis van Abu Ghraib.

Een jaar later liet een aantal schrijnende foto's in het televisieprogramma *60 Minutes* duidelijk zien dat iets in Marla *krak* had gezegd. De goede moeder uit Lorton, Virginia, was veranderd in een vrouw die Irakese gevangenen martelde. Eén foto in het bijzonder, waarop de jonge vrouw lachend in de camera keek, wijzend op de genitaliën van een gevangene met een zak over zijn hoofd, werd door de publieke opinie als uiterst schokkend ervaren.

Marla was uiteraard niet de enige. Het feit dat ze haar dochter en haar moeder had verloren 'door de schuld van die vuile honden van Saddam' was alleen in haar eigen hoofd een rechtvaardiging. Daarom werd Marla oneervol uit het leger ontslagen en veroordeeld tot vier jaar gevangenisstraf, waarvan ze zes maanden uitzat. Daarna stapte ze regelrecht naar Blackwater om te solliciteren. Ze wilde terug naar Irak.

Ze kreeg de baan, maar ze stuurden haar niet meteen terug. In plaats daarvan viel ze in handen van Mogens Dekker. Letterlijk.

In die achttien maanden had Marla veel geleerd. Ze had beter leren schieten, meer geleerd over filosofie en ze was erachter gekomen hoe een blanke man de liefde bedrijft. Commandant Dekker had onmiddellijk zijn zinnen gezet op die vrouw met de stevige benen en het engelengezichtje. Marla vond troost bij hem en de geur van kruit deed de rest. Voor het eerst van haar leven doodde ze iemand en dat beviel haar.

Het beviel haar uitstekend.

Ook met het peloton kon ze het goed vinden... over het algemeen. Dekker had zijn mensen goed gekozen. Een handvol moordenaars zonder scrupules die ervan genoten dat ze straffeloos konden moorden dankzij een regeringscontract. Zolang ze in actie konden komen ging alles goed, dan waren ze bloedbroeders. Maar als ze, zoals op die plakkerig hete middag, Dekkers orders om te gaan slapen in de wind sloegen en zaten te kaarten, werd het een andere zaak. Dan raakten ze geïrriteerd en werden ze zo gevaarlijk als bavianen in een Turks bad. Torres was de ergste van allemaal.

'Je belazert me, Jackson. Je gunt me niks,' mopperde de kleine Colombiaan. Marla werd extra nerveus van hem als hij met zijn roestige zakmes zat te spelen. Het was een metafoor voor de man zelf. Op het eerste gezicht ongevaarlijk, maar moeiteloos in staat om iemand de keel door te snijden. De Colombiaan sneed witte strepen in de rand van de plastic tafel en er speelde een glimlach om zijn mond.

'*Du scheisst mich an*[1], Torres. Jackson heeft *full house* en jij bent *full shit*,' vond Alryk Gottlieb, die op voet van oorlog stond met de voornaamwoorden en voorzetsels van de Engelse taal. De langste van de tweeling haatte Torres vanuit de

---

1 Lik m'n reet.

grond van zijn hart sinds ze enkele maanden daarvoor samen naar een vriend-schappelijke voetbalwedstrijd hadden gekeken, voorafgaand aan de wereldcup. Er waren dingen gezegd en klappen gevallen. Ondanks zijn één meter negentig sliep Alryk 's nachts niet rustig. Dat hij nog leefde was te danken aan het feit dat Torres niet zeker wist of hij het zou winnen van de tweeling.

'Ik zeg alleen dat ze verdacht goede kaarten heeft,' antwoordde Torres met een nog bredere glimlach.

'Ga je nog geven of niet?' Marla had inderdaad vals gespeeld, maar wilde rustig overkomen. Ze had hem al bijna tweehonderd ballen afhandig gemaakt.

Het kan me niet altijd meezitten. Ik moet ook eens verliezen, anders krijg ik op een nacht dat zakmes tegen mijn keel, dacht ze.

Torres begon rustig de kaarten te verdelen en maakte er allerlei grappige gebaren en ranzige geluiden bij om hen af te leiden.

Het is best een sympathieke gozer. Als die eikel niet zo gestoord was en niet altijd naar schimmel stonk, zou ik als een blok voor hem vallen.

Op dat moment begon de frequentiescanner te piepen, die twee meter achter hen op een tafeltje stond.

'Wat is dat voor kutgeluid?' vroeg Marla.

'De *verdammte* scanner, Jackson.'

'Torres, kijk jij er even naar.'

'Krijg de schijt. Ik heb vijf dollar ingezet. Ga zelf.'

Marla stond op en liep naar het scherm van de scanner, een apparaat dat zo groot was als een oude, in onbruik geraakte vhs-videorecorder, maar dan met een lcd-scherm en ongeveer honderd keer duurder.

'Niks aan te zien, hij is weer aan het opstarten.' Marla ging weer aan tafel zitten. 'Ik zie jouw vijf en doe er vijf bij.'

'Ik pas,' zei Alryk en hij ging achterover in zijn stoel hangen.

'Godver! Je hebt nog niet eens een pair.'

'Denk je soms dat jij het alleenrecht hebt, liefje van de baas?' sneerde Torres.

Het waren niet zozeer zijn woorden als wel zijn onbehouwen toon die Marla woest maakte. Daardoor was ze plotseling helemaal vergeten dat ze van plan was geweest hem te laten winnen.

'Dat heeft er niets mee te maken, Torres. Ik kom uit een gekleurde wereld, mak-ker.'

'De kleur van bruine poep, bedoel je?'

'Alle kleuren behalve geel. Wel typisch dat de kleur van de lafheid pontificaal de bovenste baan van jullie vlag uitmaakt.'

Marla had die woorden nog niet uitgesproken of ze had er al spijt van. Torres was een smerige, ellendige hond uit Medellín, dat wel. Maar voor een Colombi-aan zijn vlag en vaderland even heilig als Jezus zelf. Haar strijdmakker klemde zijn lippen zo stevig op elkaar dat ze vrijwel verdwenen en er verschenen don-kere vlekken op zijn wangen. Marla vond het griezelig om aan te zien en tegelij-kertijd wond het haar op; ze genoot van zijn vernedering en zoog zijn woede gulzig op.

Nu moet ik die tweehonderd dollar van hem verliezen, plus nog eens tweehonderd extra. Die smeerlap is gek genoeg om mij te grazen te nemen, al weet hij dat Dekker hem zou vermoorden.

Alryk keek met een bezorgde blik van de een naar de ander. Marla kon zich best redden, maar nu waagde ze zich niet in een mijnenveld, maar op een mijn met een dun laagje aarde eroverheen.

Een flinterdun laagje aarde.

'Kom op, Torres. Verhoog die inzet nou. Ze bluft.'

'Laat hem toch. Hij durft dat mes heus niet nog eens te gebruiken. Zo is het toch, huftertje?'

'Waar heb je het over, Jackson?'

'Wilde je soms beweren dat jij dat blonde jochie vannacht niet koud hebt gemaakt?'

Torres werd plotseling zeer serieus.

'Dat heb ik niet gedaan.'

'Je handtekening staat overal op, man. Een aanval in de rug, niet al te hoog en met een klein, trefzeker wapen.'

'Ik zeg je dat ik het niet heb gedaan.'

'Ik heb zelf gezien dat je op de boot ruzie stond te maken met die blonde staartmans.'

'Nou ja, en? Ik maak met zoveel mensen ruzie. Niemand begrijpt me.'

'Wie moet het anders zijn geweest? De samoen, de gevreesde woestijnwind? Of die priester soms?'

'Het zou me niks verbazen als het die zwartrok was.'

'Doe niet zo maf, Torres,' greep Alryk in. 'Die priester is een *warmer Bruder*.'

'Wist je dat nog niet? Onze grote Colombiaanse huurmoordenaar schijt in zijn broek voor dat patertje.'

'Ik ben voor niemand bang. Maar ik zeg je dat die vent gevaarlijk is. Levensgevaarlijk,' zei Torres met een vertrokken gezicht.

'Je bent toch zeker niet in dat CIA-verhaal van hem getrapt? Schei toch uit, die man is stokoud.'

'Hij is hooguit een jaar of drie, vier ouder dan dat vriendje van je, kuttenkop. En voor zover ik het kan overzien, draait hij met blote handen een ezel de nek om.'

'Daar kun je donder op zeggen, makker.' Marla vond het heerlijk om over haar vriend te pochen.

'Hij is gevaarlijker dan je denkt, Jackson. Als je je ogen niet in je achterwerk had zitten, had je zijn dossier wel doorgenomen. Die vent zit bij de parachutisten. Dat zijn de besten van allemaal. Een paar maanden voordat de baas jou tot mascotte van het team bevorderde, hebben we een klusje uitgevoerd in Tikrit. We hadden zo'n ex-para in de groep. Ik heb hem dingen zien doen... echt niet normaal. Die jongens kunnen lezen en schrijven met de dood.'

'Met para's valt niet te spotten. Keiharde jongens zijn het,' knikte Alryk.

'Lazer toch op jullie, stelletje katholieke grietjes dat jullie zijn. Wat zit er dan in dat zwarte koffertje? C4? Een schietijzer? Jullie wandelen door het ravijn met een M4 waar je negenhonderd kogels per minuut mee kunt afschieten. Wat wil je dat hij doet? Meppen verkopen met de Bijbel? Of vraagt hij de dokter om een operatiemesje om je ballen af te snijden?'

'Over haar maak ik me niet druk,' zei Torres met een nonchalant handgebaar. 'Gewoon een pot van de Mossad. Haar kan ik wel aan. Maar Fowler...'

'Hou op over die zwartrok. Je probeert ons alleen maar af te leiden, omdat je niet wilt toegeven dat jij die blonde hebt vermoord.'

'Ik heb je al gezegd dat ik het niet heb gedaan, Jackson. Iedereen hier is anders dan hij zich voordoet.'

'Dan mag je God op je knieën danken dat we een protocol Ypsilon hebben voor deze missie,' zei Jackson en ze liet met een brede grijns haar mooie, witte gebit zien, dat haar moeder tachtig dubbele diensten in de cafetaria waar ze werkte had gekost.

'Zodra je vriendje "sarsaparilla" zegt en er dooien gaan vallen, ga ik meteen op die priester af.'

'Hou je kop over het wachtwoord, idioot. En verhoog die inzet nou eens.'

'We verhogen helemaal niets,' zei Alryk, terwijl hij Torres met een gebaar tegenhield. De Colombiaan trok zijn hand terug van zijn fiches. 'De frequentiescanner doet het niet meer. Hij blijft maar opnieuw opstarten.'

'Shit. Er zal wel iets mis zijn met de elektriciteit. Laat dat ding toch, verdomme.'

'*Halt die Klappe, Affe.*[1] Dat ding mag niet uit staan, dan krijgen we het grootste gelazer met Dekker. Ik ga het schakelpaneel checken. Spelen jullie maar door.'

Torres deed even of hij door wilde spelen, wierp toen een kille blik op Jackson en stond op.

'Ik ga met je mee, melkmuil. Even de benen strekken.'

Marla besefte dat ze Torres in zijn mannelijkheid had gekwetst en dat de Colombiaan haar ergens boven aan zijn dodenlijstje had gezet. Ze had er slechts ten dele spijt van. Torres haatte de hele wereld, dus wat dat betreft kon ze hem net zo goed een verdomd goede reden geven.

'Ik ga mee.'

Ze liepen gedrieën de brandende hitte in en Alryk knielde naast de houten vloer.

'Hier is niets aan de hand. Ik ga het schakelpaneel controleren.'

Marla knikte en liep de tent weer in om een uurtje te gaan liggen. Maar voordat ze naar binnen ging zag ze dat de Colombiaan zich naar voren boog en iets uit het zand groef. Hij pakte het op en bleef er een tijdje naar kijken, met een vreemde glimlach om zijn lippen.

Marla begreep niet wat er zo bijzonder was aan een rode aansteker met bloemetjes.

---

1 Hou je kop, aap.

Vrijdag 14 juli 2006, 20.31 uur

Die dag deed Andrea niets anders dan op de vlucht slaan.

Ze was ternauwernood onder de houten vloer vandaan gekropen toen ze hoorde dat de soldaten hun stoelen naar achteren schoven. Net op tijd. Een paar seconden langer in die hete lucht of ze was flauwgevallen van de hitte. Ze sleepte zich naar de achterkant van de tent, krabbelde overeind en liep uiterst traag naar de hospitaaltent, voorzichtig, om niet te vallen. Ze had vooral een douche nodig, maar dat was uitgesloten, want ze wilde Fowler niet tegen het lijf lopen. Ze pakte twee flessen water en haar camera en liep weer naar buiten om een plekje te zoeken tussen de rotsen van de Wijsvinger, het rustigste plekje van het ravijn.

Ze vond een goede schuilplaats op een helling, van waaruit ze een goed uitzicht had op het geploeter van de archeologen, hoewel ze geen idee had in welk stadium die zich bevonden. Op een gegeven moment liepen Fowler en dokter Harel voor haar langs, zonder twijfel op zoek naar haar. Andrea dook achter een richel en probeerde alles wat ze had gehoord op een rijtje te zetten.

De eerste conclusie die ze trok was dat ze de priester niet kon vertrouwen, iets wat ze al wist, en ook de arts niet. Dat vond ze zo mogelijk nog erger. Ze had zich weinig illusies gemaakt over de arts, want al voelde ze zich lichamelijk sterk tot haar aangetrokken...

Ik krijg de kriebels van die vrouw. Nu bleek dat ze een spionne van de Mossad was, trok ze het helemaal niet meer.

De tweede conclusie was dat er niets anders opzat dan de priester en de arts te vertrouwen als ze hier levend uit wilde komen. Dat gesprekje over protocol Ypsilon had haar perceptie van het bestaande machtsevenwicht geheel verstoord.

Aan de ene kant hebben we Forrester en zijn lakeien, allemaal te onderdanig om een mes op te pakken en een van hun eigen jongens te vermoorden. Of niet? Het onderhoudsteam bemoeit zich toegewijd met zijn eigen zaken en niemand besteedt enige aandacht aan die mensen Kayn en Russell, het brein achter dit gekkenwerk. Een groep soldaten die door hen wordt betaald en een geheim wachtwoord om te doden. Wie moet er gedood worden? Wat duidelijk is, is dat ons lot voor eeuwig bezegeld was op het moment waarop we ons aansloten bij deze expeditie. Ten goede of ten kwade. Bijna zeker weten ten kwade.

Ze moest in slaap gevallen zijn, want toen ze weer bijkwam was het al donker en ging de dagelijkse wereld van felle contrasten in de kloof schuil onder een zwaar, grijs en warm licht. Andrea vond het jammer dat ze de zonsondergang had gemist. Ze probeerde elke dag op dat tijdstip naar een open plek te gaan, even buiten de kloof. De zon dompelde zich onder in het zand en creëerde harmonieuze spiralen van hitte die de horizon lieten trillen. De laatste fonkeling van de zon voordat hij verdween zorgde voor een explosie van oranje licht aan de hemel, dat minutenlang aanhield.

Aan het einde van de Wijsvinger was alleen nog het stenige zand te zien.

Ze stond met een zucht op, stak haar hand in haar zak en haalde haar sigaretten tevoorschijn, maar ze kon haar aansteker nergens vinden. Ze zocht ongerust haar zakken door, tot ze zich helemaal wezenloos schrok van een stem in het Spaans, die zei: 'Zoek je iets, snol?'

Andrea keek op. Torres lag anderhalve meter hoger dan zij op de helling en strekte zijn arm naar haar uit, met de rode aansteker in zijn hand. Ze concludeerde dat de Colombiaan daar al een hele tijd...

... had zitten loeren.

De rillingen van angst liepen haar over de rug. Ze deed haar best om niet te laten zien hoe bang ze was, stond op en strekte haar hand uit om de aansteker aan te nemen.

'Heeft je moeder je niet geleerd hoe je een dame moet aanspreken, Torres?' vroeg Andrea, terwijl ze haar hartslag net voldoende in bedwang hield om een sigaret op te steken en de rook in de richting van de huursoldaat te blazen.

'Tuurlijk wel. Maar hier zijn geen dames.'

Torres staarde brutaal naar Andrea's strakke dijen. De jonge journaliste had de pijpen van haar afritsbare broek opgerold en de scheidingslijn tussen wit en bruin had een sensueel effect. Toen Andrea merkte waar de Colombiaan naar keek, werd ze nog banger. Ze draaide haar hoofd naar het eind van de Wijsvinger. Als ze hard schreeuwde kon ze de mensen die bij de opgraving aan het werk waren waarschuwen; ze waren een paar uur geleden begonnen, ongeveer rond hetzelfde tijdstip waarop zij een uitstapje maakte onder de tent van de soldaten.

Maar toen ze zich omdraaide zag ze niemand meer. De graafmachine stond scheef in het zand en zag er verlaten uit.

'Ze zijn allemaal naar de begrafenis, snol. We zijn helemaal alleen.'

'Heb jij geen dienst, Torres?' vroeg Andrea, terwijl ze met bestudeerde onverschilligheid naar een richel op een van de rotswanden wees.

'Ik ben niet de enige die weleens ergens komt waar hij niks te zoeken heeft, hè? Dat is een karaktertrekje waar je wat aan moet doen, juffertje, zeker weten.'

De soldaat sprong naar beneden en kwam pal naast Andrea op het rotsplateau te staan, een meter of vier van de bodem van het ravijn. Een ruwe steenmassa langs de rand maakte er een natuurlijk balkon van, niet groter dan een pingpongtafel. Het had Andrea de perfecte plek geleken om zich aan alles en iedereen te onttrekken, maar nu kon ze geen kant uit.

'Waar heb je het over, Torres?' vroeg Andrea om tijd te winnen. De Colombiaan deed een stap naar voren en nu stond hij zo dichtbij dat Andrea een duidelijk beeld kreeg van de zweetdruppels die op zijn voorhoofd stonden, het vet in zijn viezige haar en zijn smerige rouwnagels.

'Dat weet je heel goed. En nu ga je iets voor mij doen, als je weet wat goed voor je is. Het is zonde dat zo'n lekker wijf als jij een pot is, maar ik denk dat dat komt doordat je nog nooit iets lekkers hebt geproefd.'

Andrea deed een stap naar rechts, maar de Colombiaan sprong snel voor de opening waardoor ze naar boven was geklommen.

'Heb het lef, Torres. Je maten kunnen alles zien.'

'Alleen Waaka kan ons zien... en hij zal geen vinger uitsteken. Hij zal stikjaloers worden, maar hij krijgt zijn pik allang niet meer overeind. Te veel steroïden. Maak je niet ongerust, de mijne doet het prima. Ik zal het je zo laten voelen.'

Andrea besefte dat vluchten onmogelijk was en dus nam ze uit pure wanhoop een beslissing. Ze smeet haar peuk weg, plantte haar voeten stevig in de grond en boog zich iets naar voren. Ze ging het hem niet gemakkelijk maken.

'Oké, hoerenzoon. Kom het dan maar halen, als je het zo graag wilt.'

Torres kreeg een rood waas voor zijn ogen, deels door de uitdaging en deels van woede om de belediging aan het adres van zijn moeder. Hij stortte zich naar voren, greep Andrea bij haar arm en trok haar naar zich toe met een onvermoede kracht voor iemand die zo klein was.

'Fijn dat je erom vraagt, slet.'

Andrea boog haar lichaam en stootte haar elleboog in zijn mond. Er druppelde bloed op de stenen richel en Torres stootte een kreet van woede uit. Hij trok zo hard aan haar bloesje dat het scheurde, waardoor haar zwarte beha zichtbaar werd. Die aanblik leek de soldaat nog meer op te winden; hij trok Andrea in zijn armen en probeerde haar in haar borst te bijten. De jonge vrouw wierp zich nog net op tijd naar achteren, zodat zijn tanden met een knarsend geluid in de lucht beten.

'Laat je gaan, je zult het heerlijk vinden... Ik weet dat je er zin in hebt.'

Andrea probeerde hem een knietje te geven in zijn ballen of zijn maag, maar Torres was met een vooruitziende blik opzijgeschoven en hield zijn benen gekruist.

Zorg dat hij je niet tegen de grond gooit, prentte Andrea zich in. Ze dacht aan een reportage die ze twee jaar geleden had gemaakt over een hulpgroep voor slachtoffers van seksueel geweld. Samen met andere meiden had ze een cursus zelfverdediging gevolgd bij een docente die in haar puberteit aan een verkrachting was ontkomen, maar wel ten koste van een van haar ogen. Het had de verkrachter echter heel wat meer gekost. *Als hij je tegen de grond werkt, ben je verloren.*

Nog een ruk brak de bandjes van haar beha en ze stond met blote borsten voor hem. Torres vond het zo wel genoeg en verhoogde de druk op Andrea's polsen, die amper haar vingers nog kon bewegen. Hij draaide haar rechterarm ruw naar achteren en liet haar linker los. Andrea stond met haar rug naar hem toe met het volle gewicht van de Colombiaan over haar heen, zodat ze gedwongen werd zich voorover te buigen. Intussen sloeg hij haar tegen de enkels, opdat ze haar benen uit elkaar zou doen.

De verkrachter is op twee momenten kwetsbaar, klonk de stem van de cursusleidster, zo sterk en beheerst dat Andrea haar krachten voelde terugkeren. *Als hij jouw kleren uittrekt en als hij de zijne uittrekt. Als je het geluk hebt dat hij eerst met de zijne begint, moet je daarvan profiteren.*

Torres maakte met één hand zijn riem los, waardoor zijn legerbroek rond zijn enkels kwam te hangen. Andrea voelde zijn erectie tussen haar dijen, heet en dreigend.

Wacht tot hij zich over je heen buigt.

De soldaat boog zich over Andrea heen en zocht naar de rits van haar broek. De ruwe baard schuurde in haar nek en dat was het signaal waar ze op wachtte. Ze trok haar linkervoet op en liet haar hele gewicht op haar rechterbeen rusten. Torres liet verbijsterd haar arm los, zodat zij naar rechts kon rollen. De Colombiaan viel plat op zijn buik op de grond. Hij probeerde razendsnel weer overeind te komen, maar Andrea was sneller en gaf hem een paar flinke trappen in zijn maag, waarbij ze ervoor zorgde dat de soldaat haar niet bij de enkels kon grijpen om haar omver te trekken. Torres kreeg de volle laag en toen hij zich rond maakte om de trappen te ontwijken, gunde hij haar de volle aanblik op een veel kwetsbaarder doelwit.

Godzijdank. Hier kan ik nooit genoeg van krijgen, dacht het jongste zusje van vijf broers.

Ze zwiepte haar voet naar achteren voor meer kracht en trapte Torres keihard in zijn ballen. Zijn gil weerkaatste tegen de wanden van het ravijn.

'Dit houden we onder ons,' zei Andrea. 'We staan quitte.'

'Ik krijg je nog wel, hoer. Ik neem je zo te pakken dat je je in mijn lul verslikt,' loeide Torres half jankend.

'Nu ik erover nadenk...'

Andrea was al bijna over de richel om de helling af te dalen, maar bedacht zich en plantte na een aanloopje nogmaals de neus van haar laars in de ballen van de soldaat. Ditmaal kwam het nog harder aan, al hield hij zijn handen ervoor. Torres hapte naar adem en twee dikke tranen biggelden over zijn purperen gezicht. Hij had de kracht niet om te jammeren.

'... staan we nu pas echt quitte.'

Andrea rende zo snel als haar benen haar konden dragen terug naar het kamp, zonder om te kijken en zonder ook maar een seconde aandacht te besteden aan haar gescheurde kleren. Tot ze bij de rand van het tentenkamp was aangekomen. Toen werd ze overvallen door een vreemd gevoel van schaamte over wat er was gebeurd, vermengd met de angst dat iemand erachter zou komen dat ze met de frequentiescanner had gerommeld. Ze probeerde zichzelf zo goed mogelijk op te kalefateren. Aan haar bloes was niets meer te doen, dus sloop ze naar de hospitaaltent, blij dat ze niemand tegenkwam. Pas bij de ingang botste ze bijna tegen Kyra Larsen op, die met al haar spullen in haar armen naar buiten kwam.

'Wat doe jij nou, Kyra?'

De archeologe wierp haar een ijzige blik toe.

'Je hebt niet eens de moeite genomen om naar de *hesped* van Stowe te komen. Het zal jou wel niets uitmaken, je kende hem toch niet. Voor jou bestond hij niet. Het is jouw schuld dat hij dood is, maar wat kan jou dat schelen?'

Andrea wilde net gaan uitleggen dat ze door andere zaken was opgehouden, maar besloot haar mond te houden. Kyra zou toch niet luisteren.

'Ik weet niet wat jullie allemaal bezielt,' vervolgde de archeologe, terwijl ze haar met haar schouder opzijduwde, 'maar jij weet net zo goed als ik dat de dokter die nacht niet in haar bed lag. Je kunt de hele wereld voor de gek houden, maar mij niet. Ik ga bij mijn maten slapen. Daar is een bed vrijgekomen, dankzij jou. Vuil kreng.'

Andrea was blij dat ze vertrok, want het laatste waar haar hoofd naar stond was ruzie. En trouwens, ze was het stiekem eens met elk woord dat Kyra haar toe slingerde, al zei ze niets. Schuld speelde een belangrijke rol in haar katholieke opvoeding en nalatigheid leverde een even hardnekkig en pijnlijk schuldgevoel op als een misstap.

Dokter Harel was in de tent bezig, maar ze draaide onmiddellijk haar hoofd weg toen ze Andrea zag.

'Ik ben blij dat je er bent, we begonnen ons ongerust te maken.'

'Draai je maar om, Doc. Ik weet dat je gehuild hebt.'

Harel keek haar met rode ogen aan.

'Wat een onzin, hè? Een simpele uitscheiding van de traanklieren en je schaamt je dood.'

Toen keek ze verbijsterd naar Andrea's gescheurde kleren, iets wat Larsen in haar woede waarschijnlijk niet was opgevallen of waar ze in elk geval geen aandacht aan had geschonken.

'Wat is er met jou gebeurd?'

'Ik ben van de trap gevallen. Niet van onderwerp veranderen, ik weet wie je bent.'

Harel keek haar recht in de ogen en woog haar woorden.

'Wat weet je?'

'Dat oorlogsgeneeskunde kennelijk een zeer gewaardeerd beroep is bij de Mossad. En dat het helemaal niet zo toevallig was dat je zomaar moest invallen.'

De arts fronste haar voorhoofd en stond op om naar Andrea toe te gaan, die in haar koffer rommelde, op zoek naar schone kleren.

'Het spijt me dat je er op deze manier achter bent gekomen, Andrea. Dat meen ik echt. Ik ben maar een tweederangs analiste, geen agente in het veld. Mijn regering wil ogen en oren hebben bij elke archeologische expeditie die achter de Ark des Verbonds aan gaat. Dit is al mijn derde expeditie in zeven jaar.'

'Ben je wel arts of heb je dat ook gelogen?' vroeg Andrea, terwijl ze haar bloesje dichtknoopte.

'Ik ben arts.'

'En waarom kun je het zo goed met Fowler vinden? Want ik heb begrepen dat hij bij de CIA zit, als je dat nog niet wist.'

'Dat wist ze, en u bent me een verklaring schuldig,' zei Fowler. Hij stond bij de deur, met gefronste wenkbrauwen, maar zichtbaar opgelucht dat ze terecht was. Hij was de hele middag naar haar op zoek geweest.

'Zak in de stront, man!' Andrea prikte met een beschuldigende wijsvinger in de richting van de priester, die verbaasd een stapje achteruit deed. 'Ik ging bijna dood van de hitte onder die vloer en alsof dat nog niet erg genoeg was, ben ik tien minuten geleden praktisch verkracht door een van die klootzakken van Dekker. Ik heb geen zin om met jullie te praten. Voorlopig in elk geval niet.'

Fowler pakte Andrea bij haar armen en keek naar de blauwe plekken rond haar polsen.

'Gaat het wel?'

'Beter dan ooit,' zei ze, terwijl ze haar handen terugtrok. Het laatste waar ze zin in had was lichamelijk contact met iemand van de andere sekse.

'Juffrouw Otero, als ik het goed begrijp hebt u een gesprek tussen de soldaten opgevangen toen u onder de vloer zat, klopt dat?'

'Wat deed je daar?' vroeg de arts met ogen als schoteltjes.

'Ze zat er op mijn verzoek. Ik had haar hulp nodig om de frequentiescanner onklaar te maken om mijn contactpersoon in Washington te kunnen bellen.'

'Ik had het fijn gevonden als ik daarvan op de hoogte was geweest, pater.'

Fowler praatte fluisterend verder.

'We hebben informatie nodig en die krijgen we niet als we de hele tijd opgesloten blijven zitten in deze zeepbel. Of dacht u soms dat ik niet weet dat u er 's nachts vandoor gaat om sms'jes te sturen naar Tel Aviv?'

'Touché,' erkende Harel met een grimas.

Is dat wat je aan het doen was, Doc? Andrea beet op haar lip en probeerde uit alle macht een beslissing te nemen. *Wie weet had ik het mis en moet ik je ondanks alles maar vertrouwen. Laten we het hopen, want ik zie geen andere oplossing.*

'Oké, pater. Ik zal jullie vertellen wat ik heb gehoord…'

'We moeten zorgen dat ze hier wegkomt,' fluisterde de priester. Ze zaten in het donker in de kloof en de enige geluiden die ze hoorden dreven vanuit de eettent naar hen toe, waar de andere expeditieleden aan het avondeten waren begonnen.

'Ik zou niet weten hoe, pater. Ik heb overwogen een van de Hummers te stelen, maar dan moeten we die zandheuvels weer over, dus heel ver komen we daar niet mee. En als we nu eens gewoon aan de hele groep vertellen wat er hier echt aan de hand is?'

'Vooropgesteld dat ons dat zou lukken en dat ze ons geloven... Wat heeft dat voor zin?'

In de duisternis liet Doc een bezorgde zucht ontsnappen, een jammerklacht van woede en frustratie.

'Dan kan ik maar één ding verzinnen, precies hetzelfde als wat u gisteren zei toen we het hierover hadden: afwachten en zien wat er gebeurt.'

'Er is wel een manier,' zei Fowler na een tijdje. 'Het is gevaarlijk en ik heb uw hulp erbij nodig.'

'Ik denk dat u wel op me kunt rekenen, pater. Maar ik moet eerst weten wat een protocol Ypsilon precies inhoudt.'

'Dat is een procedure waarbij de bewaking alle leden van de groep doodt, dus alle mensen die ze in feite moet beschermen, zodra er een bepaald wachtwoord over de radio klinkt. Ze doden iedereen, behalve de opdrachtgever en eventuele uitzonderingen die door hem zijn aangewezen.'

'Ik begrijp niet dat er zoiets kan bestaan.'

'Officieel bestaat het ook niet. Maar enkele bewakingsdiensten die met huurmoordenaars werken en ingehuurd werden door bijvoorbeeld *Special Operations* hebben het concept overgenomen van de Aziatische landen.'

Harel zweeg nadenkend.

'Kunnen we erachter komen wie er in dat complot zitten?'

'Nee,' zuchtte de priester. 'En het meest irritante is dat degene die het peloton hiervoor inhuurt meestal niet degene is die officieel de leiding heeft.'

'Dus Kayn...' zei Harel met grote ogen van verbijstering.

'Precies, dokter. Het is niet Kayn die ons dood wil hebben. Het is iemand anders.'

De opgraving
Al Mudawarrah-woestijn, Jordanië

Zaterdag 15 juli 2006, 02.34 uur

In het begin heerste er een doodse stilte in de hospitaaltent. Nu Kyra bij haar vrienden was gaan slapen, werd die stilte slechts verdiept en geaccentueerd door de diepe ademhaling van de twee slapende vrouwen.

Plotseling klonk zacht het knersen van een Hawnvëiler-ritssluiting, de veiligste en sterkste rits ter wereld. Als die eenmaal dichtzit kan er gegarandeerd geen stofje meer naar binnen, maar als ze een centimeter of vijftig wordt opengetrokken, gaat elke zekerheid verloren.

Het knersen werd gevolgd door wat lichte geluiden: de klank van in sokken gestoken voeten op de houten vloer; het *plop* van een plastic doosje dat open werd getrokken en meteen daarna het vrijwel onhoorbare maar zeer dreigende geritsel van 24 verhoornde pootjes die geagiteerd tegen het plastic tikten.

Daarna volgde een lange stilte, want de bewegingen die erin plaatsvonden veroorzaakten geen geluiden die voor het menselijke gehoor waarneembaar waren: er werd een punt van een halfgeopende slaapzak opgetild, er trippelden pootjes over de stof en de slaapzak werd weer zachtjes over de voeten van de eigenaar gevlijd.

In de volgende zeven seconden werd de ruimte opnieuw gedomineerd door het geluid van de ademhaling, want het geschuifel van de voeten op weg naar de tentdeur was nog lichter dan bij binnenkomst; de ritssluiting hoefde niet dichtgetrokken te worden en de enige beweging die Andrea in haar slaapzak maakte was zo licht dat die geen geluid produceerde.

Ze was echter wel voldoende om de bezoekers van de slaapzak de kans te geven hun woede en angst te uiten. Per slot van rekening hadden ze een hele tijd in een plastic doosje gezeten en nu zaten ze in een slaapzak.

De eerste angel beet zich vast en Andrea verbrak de stilte met een luide gil.

Trainingshandboek van Al Qaida
aangetroffen door Scotland Yard in een leeg appartement
pagina's 131 en verder. Vertaald door WM en SA[1]

Militaire studies ten dienste van de Jihad tegen de tirannie

In de naam van Allah,
de Barmhartige Weldoener...

Hoofdstuk 14: Ontvoeringen en aanslagen met gebruik van geweren en pistolen

Hoewel er minder kogels in kunnen, geniet het de voorkeur om een revolver te gebruiken, aangezien de lege hulzen achterblijven in het wapen, hetgeen het werk van het onderzoeksteam bemoeilijkt.

[...]

Kwetsbare lichaamsdelen

De schutter dient te weten wat de meest kwetsbare delen van het lichaam zijn en op welke punten hij zich moet richten om ernstige verwondingen aan te brengen ingeval hij iemand wenst te doden. Deze kwetsbare delen zijn:

---

1 Het handboek van Al Qaida beslaat 5000 pagina's in diverse delen en bevat zeer gedetailleerde informatie betreffende in het verleden door de terroristische groepering uitgevoerde operaties, evenals de juiste procedure om nieuwe leden aan te trekken; het vormen van een cel, de productie van explosieven en het gebruik daarvan tegen militaire en burgerlijke doelen; moorden met diverse soorten vuurwapens, gif en steekwapens; spionage en contraspionage en verzet bij verhoor en marteling. In de appartementen die door terroristen worden gebruikt is standaard een uittreksel van 180 bladzijden van het handboek aanwezig. Het is verboden om het boek mee naar buiten te nemen en de leider van de cel heeft strikte orders om het bij de geringste dreiging van gevaar te vernietigen.

1. Het gebied van ogen, neus en mond is een dodelijke cirkel en de schutter dient niet lager dan op dit gebied te richten en ook niet te veel naar links of rechts, omdat hij dan het risico loopt dat hij mist.
2. Het gedeelte van de hals waarin de aderen en slagaderen samenkomen.
3. Het hart is zeer kwetsbaar.
4. De maag.
5. De lever.
6. De nieren.
7. De ruggengraat.

Principes en regels om te schieten

De meeste fouten op dit gebied zijn te wijten aan fysieke of nerveuze stress, waardoor de hand gaat trillen of beven. Dit komt vooral voor wanneer men overmatig druk zet op de trekker, waardoor de mond van de loop niet accuraat op het doelwit gericht kan worden.
Daarom moeten onze broeders de volgende richtlijnen in acht nemen bij het richten en schieten:

1. Beheers je als je je vinger op de trekker zet en zorg dat je je pistool stilhoudt.
2. Zet niet te veel kracht als je de trekker overhaalt; doe het rustig.
3. Laat je niet in de war brengen door het geluid van het schot en probeer er niet op te anticiperen, aangezien je hand dan gaat trillen.
4. Blijf rustig en zorg dat je spieren en gewrichten los zijn, maar niet al te ontspannen.
5. Als je schiet, hou je je rechteroog strak op het doelwit gericht.
6. Sluit het linkeroog als je met je rechterhand schiet en vice versa.
7. Wacht niet te lang met schieten, anders worden je zenuwen je de baas.
8. Je hoeft geen last te hebben van gewetenswroeging als je de trekker overhaalt. Je doodt een vijand van God.

Een buitenwijk van Washington

Vrijdag 14 juli 2006, 20.34 uur

Nazim nam een slok Coca-Cola en zette het glas meteen weg. Het was veel te zoet, zoals in alle restaurants waar je je glas zo vaak je maar wilde kon bijvullen. De Mayur Kabab waar hij hun avondmaal had gehaald was geen uitzondering.

'Moet je horen… Ik heb laatst een documentaire gezien over een vent die een maand lang alleen maar hamburgers had gegeten van McDonald's.'

'Wat smerig.' Kharouf hield zijn ogen halfgesloten. Hij probeerde al een tijdje in slaap te vallen, maar het lukte niet. Hij had tien minuten geleden zijn stoelleuning naar achteren geschoven, maar die Ford zat zo ongemakkelijk als wat.

'Het schijnt dat z'n lever eruitzag als paté.'

'Zoiets kan alleen maar in de Verenigde Staten gebeuren, het land met de meeste dikzakken ter wereld. Het land dat 87 procent van de beschikbare grondstoffen ter wereld consumeert.'

Nazim zweeg. Hij was een geboren Amerikaan, zij het anders dan anderen. Hij was zijn vaderland nooit gaan haten, hoewel zijn mond het tegendeel beweerde. Wat hem betrof was Kharoufs haat jegens de Verenigde Staten veel te globaal. Zelf zag hij liever het beeld voor zich van een president van de Verenigde Staten die met zijn gezicht naar Mekka gericht op zijn knieën in het Oval Office lag, in plaats van er getuige van te zijn hoe het Witte Huis in vlammen opging. Hij had ooit eens iets in die trant tegen Kharouf gezegd, die hem als antwoord een cd met foto's van een klein meisje had laten zien. Foto's van een misdaad.

'Ze is in Nablus door Israëlische soldaten verkracht en vermoord. Voor zoiets kan er nooit voldoende haat zijn in de wereld,' had hij gezegd.

Als hij aan die beelden dacht stolde het bloed Nazim in de aderen. Maar hij probeerde er zo weinig mogelijk aan te denken. In tegenstelling tot Kharouf werd hij niet gedreven door haat. Zijn egoïstische redenen en gedachtekronkels draaiden alleen maar om hemzelf. Om zijn beloning.

Toen ze enkele dagen daarvoor het hoofdkantoor van GlobalInfo waren binnengedrongen, was er nauwelijks iets tot Nazim doorgedrongen. In zekere zin vond hij dat jammer, want de twee minuten die het had geduurd om die *kafirun* om te leggen waren praktisch compleet uit zijn geheugen gewist. Hij was van plan geweest de gebeurtenissen eindeloos te memoreren, maar het leek wel alsof hij ze zelf niet had meegemaakt, net als in die bizarre droomscènes in romantische films waar zijn zussen zo dol op waren, waarin de hoofdrolspeler

169

zichzelf van een afstandje bekijkt. Niemand heeft dromen waarin je jezelf van een afstandje bekijkt.

'Kharouf.'

'Ja?'

'Weet je nog van dinsdag?'

'De missie, bedoel je?'

'Ja.'

Kharouf keek hem aan, haalde zijn schouders op en glimlachte triest.

'Tot in de details.'

Nazim ontweek zijn blik, want hij schaamde zich over wat hij ging zeggen.

'Ik... ik weet het niet zo goed meer, snap je?'

'Jongen, dank *Allah*, gezegd zij Zijn naam. De eerste keer dat ik iemand had gedood, heb ik een week geen oog dichtgedaan.'

'Jij?' Nazim zette grote ogen op van verbazing.

Kharouf streek hem vriendelijk over zijn hoofd.

'Natuurlijk, Nazim. Nu je een echte jihadist bent geworden, zijn jij en ik gelijken. Het hoeft je niet te verbazen dat ik ook mijn slechte momenten heb. Het is soms heel moeilijk om de rol van het zwaard van God te spelen. Maar jij bent gezegend als je de gruwelijkheden kunt vergeten. Dan rest je alleen nog de trots over wat je hebt gedaan.'

De jongen voelde zich ineens een stuk beter dan hij de afgelopen dagen had gedaan. Hij deed er een moment het zwijgen toe, mompelde iets van een bedankje en voelde hoe het zweet hem over de rug liep. Ze durfden de motor van de auto niet aan te zetten voor de airconditioning en het leek wel of ze al een eeuwigheid zaten te wachten.

'Hij zal toch wel binnen zijn? Ik begin het te betwijfelen,' zei Nazim, wijzend op de muur rondom het buitenhuis. 'Denk je niet dat we hem ergens anders moeten gaan zoeken?'

Kharouf dacht daar een tijdje over na en schudde vervolgens lusteloos zijn hoofd.

'Ik zou het niet weten. Hoe lang hebben we hem nu al gevolgd? Een maand? Hij is hier maar één keer geweest, beladen met pakjes. Hij ging met lege handen weer weg en dit huis staat leeg. Voor zover wij weten kan het een huis van een vriend zijn en komt hij hier alleen af en toe wat boodschappen brengen. Maar het is het enige wat we hebben en dat is dankzij jou.'

Dat was waar. Op een van de dagen waarop Nazim Watson in zijn eentje had gevolgd, was hij zich plotseling vreemd gaan gedragen. Hij was veelvuldig van baan gewisseld op de snelweg en had hij een heel andere route naar huis genomen dan anders. Nazim had zijn radio harder gezet en zich voorgesteld dat hij een van de hoofdpersonen in *Grand Theft Auto*[1] was.

---

1 Een populair videospelletje tussen twee adolescenten waarin de hoofdrolspeler een crimineel is die missies moet uitvoeren zoals ontvoeringen, moorden, handelen in drugs of hoeren kaalplukken.

Er was een fase in het spel waarin je een auto moest volgen die probeerde zijn achtervolgers van zich af te schudden. Dat was een van zijn favoriete gedeeltes en alles wat hij had geleerd was hem toen goed van pas gekomen.

'Zou hij iets van ons afweten?'

'Ik denk dat hij niet eens weet dat er een *Huqan* is, maar die heeft vast een goede reden om hem te willen doden. Geef de pisfles eens door, alsjeblieft.'

Nazim reikte hem een tweeliterfles aan. Kharouf trok zijn gulp open en plaste in de fles. Ze hadden meerdere lege flessen bij zich om onopvallend in de auto te kunnen plassen. Het was wel ongemakkelijk, maar veiliger dan de hele tijd te moeten uitstappen om op straat te plassen of telkens een buurtcafé in te lopen.

'Zal ik jou eens wat zeggen? Stik maar!' zei Kharouf met een vies gezicht. 'Ik ga die fles in de container van die steeg gooien en dan gaan we naar Californië, om te kijken of hij niet bij zijn moeder zit. Stik maar met die hele handel.'

'Wacht even, Kharouf.'

Nazim wees op de poort in de muur. Er belde een brommerkoerier aan. Na enkele seconden ging de deur open.

'Hij is er. Goed zo, Nazim. Gefeliciteerd.'

Kharouf was door het dolle heen. Hij klopte Nazim op de rug, die niet wist of hij gelukkig of zenuwachtig moest zijn en beurtelings koude en hete golven door zijn lijf voelde stromen.

'Goed zo, jongen. Nu kunnen we eindelijk afmaken wat we begonnen zijn.'

De opgraving
Al Mudawarrah-woestijn, Jordanië

Zaterdag 15 juli 2006, 02.34 uur

Harel schrok wakker van Andrea's gegil. De journaliste kroop uit haar slaapzak en greep wanhopig naar haar been. Ze schreeuwde het uit.
'Au! O god, het doet zeer. Au, au!'
Harel dacht eerst dat Andrea bij een rare beweging in haar slaap haar kuitspier had verrekt en dus stond ze op, deed het licht aan en pakte de journaliste bij haar been om haar te masseren.
Toen zag ze vanuit haar ooghoeken de schorpioenen.
Het waren er drie, bleekgeel van kleur. Of in elk geval drie die zich onder de slaapzak hadden uit gewurmd en woedend alle kanten op vlogen, met opgestoken stekel. Doc maakte zich doodsbang uit de voeten en sprong op een van de brancards. Met haar blote voeten was ze een gemakkelijke prooi voor de dieren die van Andrea's matras waren gevallen.
'Doc! Help me… Doc! Au, au! Mijn been brandt, au! Doc!'
Andrea jammerde zo hard dat de arts over haar angst heen stapte en probeerde na te denken. Ze kon de jonge vrouw moeilijk aan haar lot overlaten.
Eens even zien, wat weet ik van die rotbeesten? Het zijn gele schorpioenen. Andrea heeft minimaal twintig minuten voordat de situatie kritiek wordt. Als ze tenminste niet meer dan eenmaal is gebeten. En als ze tenminste…
Er kwam een afschuwelijke gedachte bij Doc op. Als Andrea allergisch was voor schorpioenengif, was ze verloren.
'Andrea. Luister goed naar me.'
Andrea deed haar ogen open en keek haar aan. Ze lag languit op haar luchtbed en met haar been in haar handen geklemd en een verloren blik op haar gezicht was ze het toonbeeld van pijn. Harel spande zich uit alle macht in om haar doodsangst voor schorpioenen de baas te worden – een angst die iedere Israëliër zoals Doc, geboren in Beersheba, aan de rand van de woestijn, als jong kind aanleert – en probeerde een van haar voeten op de grond te zetten. Ze kreeg het niet voor elkaar.
'Andrea, je hebt me een heel lijstje gegeven van dingen waar je allergisch voor bent. Zaten daar cardiotoxinen bij?'
Andrea brulde het uit van de pijn.
'Weet ik het? Ik heb die lijst altijd bij me, omdat ik niet meer dan tien namen tegelijk kan onthouden. Godsamme… Doc, kom er nou af in godsnaam, of in Jehova's naam of kan me niet schelen in wiens naam. Ik heb dit al eens eerder gehad, maar… Ooooooo!'

Harel vergaarde al haar moed, zette één voet op de vloer en was met twee sprongen bij haar eigen luchtbed.

Laat ze er niet in zitten. God, zorg dat ze niet in de slaapzak zitten!

Ze schopte haar slaapzak op de grond. Met in elke hand een laars draaide ze zich om naar Andrea.

'Ik moet mijn schoenen aantrekken om naar de medicijnkast te gaan. Je bent zo weer opgelapt,' zei ze, terwijl ze haar voet in haar ene bergschoen zette. 'Dat gif is levensgevaarlijk, maar het duurt ongeveer een uur voordat de dood intreedt. Hou vol.'

Andrea greep met haar hand naar haar keel. Haar gezicht begon paars aan te lopen.

O, heilige god. Ze is allergisch. Ze raakt in een anafylactische shock.

Ze vergat haar andere schoen aan te trekken en knielde bij Andrea neer, met haar blote benen op de vloer. Nooit eerder was ze zich zo bewust geweest van elke vierkante centimeter huid van haar ledematen. Ze ging op zoek naar de steek van de schorpioen en vond er twee op Andrea's linkerkuit, twee kleine wondjes van een halve centimeter met een rode vlek eromheen, zo groot als een tennisbal.

Verdomme. Ze hebben haar helemaal volgespoten.

De deur van de tent ging open en pater Fowler kwam binnen, ook op blote voeten.

'Wat is er aan de hand?'

Harel probeerde hem antwoord te geven terwijl ze zich over Andrea heen boog en kunstmatige ademhaling toepaste.

'Pater, snel. Ze verkeert in shock. Ik heb epinefrine nodig.'

'Waar ligt dat?'

'In de achterste medicijnkast op de tweede plank van boven liggen groene ampullen. Daar heb ik er één van nodig, plus een injectiespuit.'

Ze boog zich over Andrea heen en blies haar lucht in, maar ze moest zich enorm inspannen om een heel klein beetje lucht door de gezwollen luchtpijp te blazen. Als ze de shock niet snel te lijf ging, zou ze binnen een minuut dood zijn.

En dat is dan jouw schuld, schijterd. Je bent veel te lang op die brancard blijven staan.

'Wat is er met haar aan de hand?' vroeg de priester, terwijl hij naar de kast holde. 'Is ze in shock?'

'Deur dicht!' schreeuwde Doc. Een zestal slaperige gezichten keek om het hoekje van de deur. Harel wilde voorkomen dat de schorpioenen ontsnapten en iemand anders ze onverhoopt tegen zou komen. 'Ze is gestoken door een schorpioen, pater. Er zitten er in elk geval drie in de tent. Kijk ervoor uit.'

Pater Fowler maakte een geschrokken beweging en hield de vloer angstvallig in de gaten toen hij de arts de epinefrine aanreikte. Harel diende Andrea razendsnel een shot toe in haar naakte dij.

Fowler greep een volle waterfles van bijna vier liter bij de hals en speurde de vloer af.

'Zorgt u maar voor Andrea, ik ga ze zoeken.'

Eindelijk kon Harel haar volle aandacht bij Andrea houden, hoewel ze op dat moment weinig meer kon doen dan toekijken en afwachten. De epinefrine deed zijn magische werk. Naarmate het hormoon in Andrea's bloedsomloop werd opgenomen, werden haar zenuwreceptoren zo actief als dennennaalden. De vetcellen van haar lichaam begonnen de lipiden af te breken om extra energie vrij te geven, haar hartritme steeg, het bloed kreeg een hoger glucosegehalte, haar hersenen produceerden dopamine en het belangrijkste van alles: haar bronchiën begonnen uit te zetten en de zwelling in haar luchtpijp nam af.

Met een doffe zucht kwam er langs de natuurlijke weg weer lucht in Andrea's longen, een geluid dat dokter Harel even muzikaal in de oren klonk als de drie droge tikken die ze in haar achterhoofd had waargenomen terwijl ze toekeek hoe het medicijn zijn werk deed. Toen pater Fowler naast haar op de vloer kwam zitten, twijfelde Doc er niet aan of de drie schorpioenen waren naar de andere wereld geholpen.

'Moet ze nu ook nog tegengif hebben of is dat er niet?' vroeg de priester.

'Dat heb ik natuurlijk wel, maar dat kan ik haar niet toedienen. Het serum is afkomstig van paarden, die honderden schorpioenensteken krijgen toegediend tot ze er immuun voor zijn. Maar er blijven altijd sporen achter in het tegengif en ik wil niet het risico lopen dat ze opnieuw in shock raakt.'

Fowler keek aandachtig naar de jonge vrouw, wier gezicht langzaam maar zeker zijn normale kleur terugkreeg.

'Dank u wel, dokter. Ik zal het nooit vergeten.'

'Graag gedaan,' zei Harel, die begon te beven nu ze besefte aan welk gevaar ze waren ontsnapt.

'Houdt ze er iets aan over?'

'Nee. Nu is haar lichaam sterk genoeg om het gif te bestrijden.' Ze hield een van de groene ampullen omhoog. 'Dit is pure adrenaline, hetzelfde spul dat het lichaam zelf aanmaakt als er gevaar dreigt. Alle organen in haar lichaam werken op dubbele kracht om te voorkomen dat ze stikt, wat het uiteindelijke gevolg kan zijn van een anafylactische shock. Ze is over een paar uur weer helemaal in orde, hoewel ze zich nog een tijdje flink ziek zal voelen.'

Fowlers gezicht ontspande zich iets. Toen wees hij op de deur.

'Denkt u hetzelfde als ik?'

'Ik ben niet achterlijk, pater. Ik heb honderden tochten door de woestijn gemaakt in mijn land. Het laatste wat ik 's avonds doe is alle deuren en ramen controleren. Tweemaal. Deze tent is beter afgesloten dan de kluis van oom Dagobert.'

'Drie schorpioenen tegelijk. Midden in de nacht...'

'Inderdaad, pater. Dit is de tweede maal dat iemand probeerde Andrea te vermoorden.'

SAFE HOUSE VAN ORVILLE WATSON
Buitenwijk van Washington

Vrijdag 14 juli 2006, 23.36 uur

Sinds hij zich zakelijk met de jacht op terroristen was gaan bemoeien, had Orville een reeks basisveiligheidsmaatregelen getroffen: hij had geheime telefoonnummers en een adres onder pseudoniem, gebruikte postcodes en had uiteindelijk via een anonieme, buitenlandse makelaar een huis gekocht dat alleen een genie met hem in verband zou kunnen brengen. Een plek waar hij een veilig onderkomen zou vinden als het hem te heet onder de voeten werd.

Natuurlijk heeft een safe house waarvan niemand behalve jijzelf het bestaan weet zo zijn nadelen. Om te beginnen moet je er helemaal zelf voor zorgen dat er voedsel in huis is. Dat had Orville gedaan. Hij was er eens in de drie weken naartoe gegaan met blikjes, vlees voor in de vriezer en een stapel dvd's met de nieuwste films. Dan gooide hij alles weg wat bedorven of voorbij de datum was en sloot het huis weer af.

Paranoïde, ja... in de zwaarste vorm. De enige vergissing die Orville had begaan, behalve dat hij zich had laten achtervolgen door Nazim, was dat hij de zak Hersheyrepen had vergeten. Een gevaarlijke verslaving, niet alleen omdat elke reep van 60 gram 300 calorieën bevatte, maar vooral omdat een spoedbestelling via Amazon de terroristen de zekerheid verschafte dat hij zich inderdaad in het huis bevond dat zij al een tijdje in de gaten hielden.

Orville kon er niets aan doen. Zonder voedsel had hij het wel overleefd. Zonder water ook, en zonder zijn pikante foto's, zijn internetverbinding, zijn boeken en zijn muziek. Maar toen hij maandagochtend het huis binnenkwam, zijn brandweerpak in de vuilnisbak mikte en zag dat het keukenkastje waarin hij zijn chocola bewaarde leeg was, stond zijn hart even stil. Hij kon echt geen drie, vier maanden zonder chocola. Sinds de scheiding van zijn ouders was hij er compleet verslaafd aan geraakt.

Het had erger gekund, dacht hij vergoelijkend. *Het had ook heroïne, crack of een republikeinse overtuiging kunnen zijn.*

Hoewel Orville nooit van zijn leven heroïne had geprobeerd, dacht hij niet dat het verwoestende 'horse' ook maar enigszins te vergelijken was met het effect van het ritselende geluid van het aluminiumfolie van een Hersheyreep. Als Orville dit alles op zijn freudiaans analyseerde, dacht hij dat het kwam doordat het laatste wat de Watsons samen als gezin hadden gedaan een uitstapje naar New York was geweest, waar hij als kleine jongen zijn ogen had uitgekeken in de gigantische Hersheystore op Times Square. Daar kon je een aluminium bakje pakken dat je onder een zilverkleurige buis mocht zetten die in allerlei bochten helemaal uit het plafond kwam. Als je dan een hendeltje overhaalde, kwam er snoep uit en was je hele bakje vol. Het geluid van de chocola die in je bakje stroomde was de klank van puur geluk.

Op dit moment maakte Orville zich echter zorgen om een ander geluid: dat van brekend glas, als zijn gehoor hem niet bedroog.

Hij schoof zo stilletjes mogelijk een hoop rommel opzij en kwam van zijn bed af. Hij had het bijna drie dagen volgehouden zonder chocola, wat een persoonlijk record was. Nu hij zijn eigen duivel eindelijk zijn zin had gegeven, had hij het spel ook helemaal volgens de regels willen spelen. Als hij de tijd had genomen om aan Freud te denken, had hij zich gerealiseerd dat hij zeventien chocolaatjes had gegeten, één voor elk personeelslid van GlobalInfo dat bij de aanslag van dinsdag om het leven was gekomen.

Orville geloofde echter niet in Sigmund Freud. In geval van brekend glas geloofde hij in Smith & Wesson. Daarom lag er een .38 Special naast zijn bed. *Het bestaat niet. Het alarm staat aan.*

Hij pakte de revolver en een ander dingetje dat op het nachtkastje lag. Het zag eruit als een sleutelring, maar het was een simpele afstandsbediening met twee knoppen. De eerste zette het stil alarm bij de politie in werking. De tweede een sirene waar de hele buurt de stuipen op het lijf van zou krijgen.

'Het maakt zo'n kabaal dat Nixon uit zijn graf schiet om te gaan tapdansen,' had de installateur gezegd toen hij het alarmsysteem had aangelegd.

'Nixon ligt begraven in Californië.'

'Kun je nagaan wat een kabaal!'

Orville drukte beide knoppen in... Het was geen moment om over één nacht ijs te gaan... en toen er niets gebeurde had hij die rotzak van een installateur met alle liefde persoonlijk naast Nixon neergelegd, want de man had hem verzekerd dat dit systeem onmogelijk onklaar gemaakt kon worden.

Verdomme, verdomme, verdomme, vloekte Orville in zichzelf, terwijl hij de revolver stevig in zijn handen klemde. *Wat moet ik nou in vredesnaam doen? Het was de bedoeling dat ik hier veilig zou zijn. Waar is mijn mobieltje?*

Op de salontafel, boven op een oud nummer van *Vanity Fair*.

Zijn ademhaling ging steeds sneller en het zweet brak hem aan alle kanten uit. Toen hij het geluid van brekend glas hoorde – vrijwel zeker vanuit de keuken – zat hij in het donker in de slaapkamer op de portable met *The Sims* te spelen en een restje chocola uit de wikkel te likken. Het was hem totaal niet opgevallen dat de airconditioning een paar minuten eerder was uitgevallen

Ze zullen de elektriciteit ook wel uitgeschakeld hebben, tegelijk met dat superveilige, niet te kraken alarmsysteem van 14.000 dollar, godbetert

en door de angst en de vochtige zomer van Washington raakte Orvilles overhemd doorweekt van duizenden piepkleine druppeltjes, werd de revolver glibberig in zijn hand en zochten zijn in sokken gestoken voeten onzeker hun weg naar de deur, want hij was van plan zo snel als de wind te maken dat hij wegkwam.

Hij liep de kleedkamer door en wierp een blik op de gang beneden. Niemand.

De enige manier om beneden te komen was via de houten trap die de woonkamer verbond met de slaapkamers, maar Orville had een plan. Aan het einde van de gang, aan de andere kant van de trap, zat een klein raam dat uitkeek op een armetierige kersenboom die weigerde te bloeien. Maar het ding had dikke takken die dicht genoeg bij het raam zaten om het erop te wagen. Het zou zelfs iemand die zo weinig sportief was als Orville moeten lukken.

Hij stak zijn revolver tussen het elastiek van zijn onderbroek, maakte zijn forse lijf zo slank mogelijk en sloop over de drie meter tapijt die tussen hem en het raam lag. Hij hoorde beneden iets kraken en nu was er geen twijfel meer mogelijk: er was iemand in huis.

Hij opende het raam en klemde zijn tanden op elkaar zoals duizenden mensen dagelijks onbewust doen als ze niet willen dat iets of iemand geluid maakt. Gelukkig voor hen was het meestal geen kwestie van leven of dood, zoals voor Orville. Hij hoorde voetstappen de trap op komen.

Orville liet alle voorzichtigheid varen, schoot omhoog, rukte het raam open en leunde naar buiten. De takken zaten bijna anderhalve meter van de muur af en de jonge Californiër moest zich gigantisch uitrekken om er eentje aan te raken met zijn vingertoppen.

Dit gaat niet werken.

Zonder zich te bedenken plantte hij één voet op de vensterbank, zette zich af en nam een flinke sprong die zelfs de vriendelijkste toeschouwer nooit als gracieus zou bestempelen. Zijn vingers grepen een tak beet, maar door de kracht van die beweging schoot de revolver onder het elastiek uit en gleed, na een kleine botsing met wat Orville zijn 'kleine Jimmy' noemde, langs zijn been naar de grond en kwam midden in de bloembedden terecht die rond het hele huis waren aangelegd.

Shit. Hoeveel erger kan het nog worden?

Op dat moment brak de tak af.

Orville belandde met veel kabaal met zijn ruim honderd kilo op zijn billen in het bloembed. Ruim dertig procent van zijn onderbroek overleefde de klap niet, zoals de bloedende schrammen op zijn billen bewezen, maar daar was hij zich op dat moment totaal niet van bewust. Hij was maar met één ding bezig: zorgen dat die billen als de weerlicht de toegangspoort van het terrein door kwamen, zo'n twintig meter verderop de heuvel af. Hij had de sleutels van de poort niet bij zich, maar als het nodig was zou hij hem desnoods met zijn tanden openbreken. Halverwege de helling maakte de angst die hem de adem benam plaats voor een gevoel van euforie.

Twee onmogelijke ontsnappingen in een week. Daar kun je een puntje aan zuigen, El Santo[1].

Wonderbaarlijk genoeg stond de poort open. Orville holde met uitgestoken armen naar de uitgang.

---

1 El Santo: Mexicaans worstelaar en acteur.

Uit de schaduwen van de muur doemde plotseling een ijzingwekkende gedaante op. Hij stortte zich met zijn volle gewicht op Orvilles gezicht, die hoorde hoe zijn neusbeen en drie tanden met een vochtig gekraak aan gruzelementen gingen. Orville greep kreunend naar zijn gezicht en viel op de grond.

Een andere gedaante holde over de oprijlaan naar hen toe en hield de loop van een pistool in Orvilles nek. Dat was volstrekt overbodig, want de spionnenjager was flauwgevallen. Naast zijn uitgestrekte lichaam stond Nazim, met het slaghout waarmee hij de Californiër had neergeslagen gespannen in zijn handen geklemd, in de klassieke houding van de slagman tegenover de pitcher. Het was een prachtige slag geweest. Nazim was een fantastische baseballspeler en hij bedacht verward hoe trots zijn coach op hem geweest zou zijn als hij deze perfect uitgevoerde slag in het donker had gezien.

'Ik zei het je toch,' zei Kharouf hijgend. 'De truc van de deur werkt feilloos. Ze rennen als verschrikte konijnen precies de richting uit waarin jij ze wilt hebben. Leg dat slaghout maar weg, dan dragen we hem het huis binnen.'

De opgraving
Al Mudawarrah-woestijn, Jordanië

Zaterdag 15 juli 2006, 06.34 uur

Toen Andrea wakker werd, had ze zo'n droge mond dat het wel leek of iemand er schoenzolen in had gekookt. Ze lag op een brancard met twee stoelen er pal naast, waarin pater Fowler en Doc Harel lagen te slapen, allebei in pyjama.
Ze wilde net opstaan om naar het toilet te gaan, toen de rits van de deur open werd getrokken en Jacob Russell in de opening verscheen. De assistent van de heer Kayn had een walkietalkie aan zijn ceintuur en keek haar met een bezorgd gezicht aan. Toen hij zag dat de pater en de arts lagen te slapen, kwam hij op zijn tenen naar Andrea toe en vroeg fluisterend: 'Hoe voelt u zich?'
'Herinnert u zich de ochtend na de dag waarop u uw bul had gehaald?'
Russell knikte met een glimlach.
'Zo ongeveer, maar dan alsof ik geen mojito's heb gedronken, maar remvloeistof,' zei Andrea met haar handen tegen haar hoofd geslagen.
'We maakten ons ernstig zorgen om u. Donderdag Erling en nu dit... zoveel pech en narigheid achter elkaar.'
Op dat moment werden Andrea's beschermengelen tegelijk wakker.
'Niks pech,' zei Harel, terwijl ze zich uitrekte in haar stoel. 'Het was poging tot moord, verdorie.'
'Wat zegt u?'
'Dat wil ik ook weleens weten,' zei Andrea verbijsterd.
Fowler stond op en zei met een serieus gezicht: 'Mr. Russell, ik wil u dringend verzoeken Miss Otero over te brengen naar de *Behemot*.'
'Ik begrijp uw zorgen omtrent het welzijn van juffrouw Otero en ben u daar ook zeer erkentelijk voor, pater Fowler. Ik zie echter in de verste verte geen reden om het hermetisch gesloten karakter van deze expeditie te doorbreken.'
'Hoor eens...' probeerde Andrea tussenbeide te komen.
'Er is geen direct gevaar voor haar gezondheid, is het wel, dokter Harel?'
'Technisch gezien niet, nee,' antwoordde Harel met tegenzin. 'Als ze een paar dagen rustig aan doet, is ze weer helemaal de oude.'
'Luister eens...' probeerde Andrea nogmaals tevergeefs.
'U hoort het, pater. Het zou jammer zijn om juffrouw Otero te evacueren voordat ze haar opdracht heeft voltooid.'
'Ook als er een aanslag op haar leven is gepleegd?' vroeg Fowler stijfjes.
'Dat is vooralsnog niet bewezen. Het is weliswaar een ongelukkig toeval dat er schorpioenen in haar slaapzak zaten, maar...'
'Genóég!' schreeuwde Andrea.

Ze keerden zich alle drie verbluft om.

'Hou op met over me te praten alsof ik er niet bij ben. Mag ik misschien zelf vertellen hoe ik erover denk, voordat u me uit de expeditie gooit?'

'Ja, natuurlijk. Zeg het maar, Andrea,' antwoordde Harel.

'Ik wil weten hoe die schorpioenen in mijn slaapzak terecht zijn gekomen.'

'Een ongelukkig toeval,' zei Russell.

'Het kan geen toeval zijn,' antwoordde pater Fowler. 'De hospitaaltent is hermetisch afgesloten.'

'U begrijpt het niet,' zei Kayns assistent, terwijl hij met een hulpeloos gezicht het hoofd schudde. 'Sinds de dood van Stowe Erling is iedereen hysterisch. Er doen allerlei geruchten de ronde. De een beweert dat de soldaten het hebben gedaan, de ander dat Pappas het niet kon uitstaan dat Erling de Ark gevonden had en niet hij. Als ik u nu evacueer willen er veel meer expeditieleden weg. Hanley, Larsen en nog een paar anderen vragen me om de haverklap of ik ze alsjeblieft terug kan brengen naar de boot. Ik antwoord steeds dat dat om veiligheidsredenen niet kan, omdat ik niet kan garanderen dat ze gezond en wel bij de *Behemot* aankomen, maar dat argument snijdt geen hout meer als ik besluit u wel te evacueren.'

Andrea deed er enkele ogenblikken het zwijgen toe.

'Mr. Russell, moet ik hieruit opmaken dat ik niet vrij ben om te vertrekken wanneer ik dat wil?'

'Eerlijk gezegd ben ik hiernaartoe gekomen met een voorstel van mijn baas.'

'Zegt u het maar.'

'Laat ik het anders stellen… De heer Kayn wil u persoonlijk een voorstel doen.'

Russell haalde de walkietalkie van zijn ceintuur en drukte op het knopje. 'Mr. Kayn, ze is er klaar voor.'

'Hallo. Goedemorgen, juffrouw Otero.'

De oude Kayn had een prettige, muzikale stem met een licht Beiers accent.

Precies die gouverneur van Californië, die vent die vroeger acteur is geweest.

'Miss Otero, hoort u mij?'

Andrea was zo verbaasd dat het haar moeite kostte haar droge keel aan het werk te zetten.

'Ja, meneer Kayn, goedemorgen.'

'Miss Otero, ik wil u graag uitnodigen voor de lunch. Dan zouden we wat met elkaar kunnen babbelen en kan ik enkele vragen beantwoorden, als u dat wenst.'

'Ja, natuurlijk. Heel graag, Mr. Kayn.'

'Denkt u dat u voldoende bent opgeknapt om naar mijn tent te komen?'

'Jazeker, meneer Kayn. Zo ver is het tenslotte niet.'

'Dan zie ik u straks.'

Andrea gaf de walkietalkie terug aan Russell, die met een beleefd knikje afscheid nam en vertrok. Fowler en Harel bleven zwijgen. Ze keken Andrea met gefronste wenkbrauwen en een afkeurende blik aan.

'Kijk me niet zo aan,' zei Andrea. Ze liet zich achterover op de brancard vallen en sloot haar ogen. 'Ik kan de kans om met Kayn te praten toch niet zomaar laten lopen?'

'Wat toevallig dat hij je een interview aanbiedt, precies op het moment waarop wij dringend om je vertrek verzoeken,' merkte Harel ironisch op.

'Ik kan het niet laten lopen,' hield Andrea vol. 'Het publiek heeft recht op de waarheid over deze man.'

Fowler haalde met een handgebaar zijn schouders op.

'Miljonairs en journalisten, allemaal één pot nat. Ze zijn ervan overtuigd dat ze de waarheid in pacht hebben.'

'Evenals de Kerk, pater Fowler?'

Zaterdag 15 juli 2006, 00.41 uur

Orville kwam bij doordat hij in zijn gezicht werd geslagen.

Niet hard en ook niet snel achter elkaar, maar net voldoende om hem terug te brengen in het land der levenden en een voortand uit zijn mond te slaan die nog niet helemaal losgekomen was na die klap met het slaghout. Hij spuwde hem uit en de pijn van zijn gebroken neus schoot door zijn hoofd als een horde wilde paarden in galop. De pijn kwam en ging met de regelmaat van een hartenklop. De klappen van de man met de amandelvormige ogen gaven het ritme aan als de rijmwoorden van een gedicht.

'Ha, hij is wakker,' zei de man die de klappen uitdeelde tegen zijn maat, een magere jongen die iets langer was dan hij. Hij deelde een paar extra klappen uit als toegift. Orville kreunde. 'Je bent niet echt in vorm, hè *koondeh*[1]?'

Orville lag op de keukentafel, met niets anders aan of om dan zijn horloge. Hoewel hij de keuken nog nooit had gebruikt – hij had sowieso nog nooit gekookt – was die volledig ingericht. Orville vervloekte zijn obsessie voor perfectie. Een keuken zonder de allerbeste spullen was voor hem geen echte keuken. Op dat moment wenste hij echter uit de grond van zijn hart dat hij die professionele keukenmessen die zo netjes naast de koelkast hingen nooit had gekocht, evenmin als de kurkentrekker en de vlijmscherpe grillspiesen.

'Luister...'

'Hou je kop.'

De jongen richtte zonder iets te zeggen zijn revolver op hem. De oudere man, die tegen de dertig liep, pakte een van de spiesen op en hield hem voor Orvilles neus. In het halogeenlicht van de plafondlampen lichtte de punt kortstondig glanzend op.

'Weet je wat dit is?'

'Een grillspies. Ze kosten 3,45 per twaalf stuks bij de Wall Mart. Luister...'

Orville probeerde op zijn ellebogen overeind te komen, maar de man legde zijn hand op zijn vlezige borstkas en duwde hem terug.

'Kop dicht, zei ik.'

Hij hief de spies en dreef hem met zijn volle gewicht met de punt in Orvilles linkerhand. De uitdrukking op zijn gezicht veranderde niets, zelfs niet toen het ijzer dwars door Orvilles hand heen ging en hem vastspietste aan de tafel.

---

1. 'Flikker' in het Arabisch.

In eerste instantie was Orville nog te versuft door zijn gebroken neus om iets anders te voelen. Toen schoot de pijn als een elektrische schok door zijn arm. Hij gilde het uit.

'Grillspiesen... Weet je door wie die zijn uitgevonden?' vroeg de man. Hij kneep Orville in zijn wangen om hem te dwingen hem aan te kijken. 'Mijn volk. *Kebab*, ken je dat woord? Vlees aan een pin. Het stamt uit een tijd waarin het van slechte manieren getuigde om een mes te gebruiken aan tafel.'

Het is gebeurd met me. Shit. Ik moet iets zeggen.

Orville was geen lafaard, maar gek was hij ook niet. Hij wist waar zijn pijngrens lag en wanneer hij verslagen was. Hij haalde driemaal zwaar en lawaaiig adem door zijn mond... Hij durfde niet door zijn neus te ademen van de pijn.

'Hou op. Ik vertel u alles wat u wilt weten. Ik zal voor u zingen, praten, tekeningen maken en schema's uitwerken. Geweld is nergens voor nodig...' Het laatste woord eindigde in een jankend geluid van pijn en angst toen hij zag dat de man een andere spies pakte.

'Natuurlijk wil je praten. Maar wij zijn niet van het martelcomité, wij zijn van de executieclub. We doen het alleen heel langzaam. Nazim, zet het pistool tegen zijn hoofd.'

De man die Nazim werd genoemd, ging uitdrukkingsloos op een stoel zitten en zette de loop van het wapen tegen de schedel van Orville, die zich doodstil hield toen hij het metaal tegen zijn hoofd voelde. De laatste anderhalve centimeter van de loop verdween in het anders zo zachte, dikke blonde haar van de jonge Californiër, dat nu vettig en vol blaadjes om zijn schedel plakte.

'Maar als je toch graag gezellig wilt doen, vertel me dan maar eens wat je weet van *Huqan*.'

Orville kneep geschrokken zijn ogen dicht. Dus dat was het!

'Vrijwel niets. Ik heb alleen weleens wat opgevangen, zo hier en daar.'

'Je lult.' De ander sloeg hem twee, drie keer in zijn gezicht. 'Wie heeft je opdracht gegeven om hem te gaan zoeken? Wat weet je van Jordanië?'

'Ik weet niks van Jordanië.'

'Je liegt.'

'Echt niet. Ik zweer het in naam van Allah!'

Met die woorden verdween het laatste restje onverschilligheid van zijn kwelgeesten. Nazim drukte de loop van zijn wapen steviger tegen zijn hoofd. De ander zette de scherpe punt van de spies weer tegen de naakte huid van zijn slachtoffer.

'Ik word misselijk van je, koondeh. Waar heb jij je talenten voor gebruikt? Om je godsdienst met voeten te treden. Om je moslimbroeders te verraden. Alles voor een handjevol dollars.'

Hij trok de punt van de spies over Orvilles borst, liet hem rusten bij zijn linkertepel en trok het vel eronder even omhoog om het plotseling weer los te laten, wat een golf van trillende vetlagen teweegbracht van zijn hals tot aan zijn navel. Het metaal schuurde zijn huid open en kleine druppels bloed vermengden zich met zijn angstzweet.

'Hoewel het eigenlijk geen handjevol dollars was,' vervolgde de man, terwijl hij meer druk op de spies begon uit te oefenen zonder de huid van de arm echt open te halen, op weg naar Orvilles rechterhand. 'Je bezit meerdere huizen, een mooie auto, personeel… en kijk eens naar dat horloge. Gezegend zij de naam van Allah.'

Je mag het allemaal houden, als je mij maar laat gaan, dacht Orville. Hij deed er echter wijselijk het zwijgen toe, om te voorkomen dat er nog een spies door zijn huid werd gedreven. *Shit, hoe red ik me hieruit?* Hij zocht koortsachtig naar de juiste woorden om zijn indringers te raken. Maar de kloppende pijn in zijn neus en zijn doorboorde hand riepen luid en duidelijk dat zulke woorden niet bestonden. Zijn darmen speelden op en hij was bang dat hij zich zou bevuilen.

Nazim maakte met zijn vrije hand zijn horloge los en overhandigde het aan de andere man.

'Tjonge… Jaeger LeCoultre. Alleen het beste is goed genoeg, hè? Hoeveel krijg je betaald van de regering om een verrader te zijn? Dat moet heel wat zijn, als je je een horloge van twintigduizend dollar kunt veroorloven.'

De man smeet het horloge op de vloer en begon erop te stampen alsof het een levend wezen was dat hij dood wilde hebben. Afgezien van een krasje op de wijzerplaat gebeurde er weinig. Uiteindelijk moest hij ermee ophouden omdat hij buiten adem raakte, waarmee zijn theatrale gebaar potsierlijk werd.

'Ik jaag alleen op criminelen,' zei Orville. 'Jij hebt niet het alleenrecht op de boodschap van Allah.'

'Noem Zijn naam niet,' antwoordde de man en hij spuwde de Californiër in het gezicht.

Orvilles onderlip begon te trillen, al was hij nog zo moedig. Dat was het moment waarop hij besefte dat hij ging sterven en hij besloot dat zo waardig mogelijk te doen.

'*Omak zanya feeh erd,*'[1] zei hij, terwijl hij de man recht in de ogen keek en probeerde niet te stotteren.

De woede flitste in de ogen van de ander. Het was duidelijk dat hij Orville wilde breken. Hij wilde hem op zijn knieën zien smeken en deze uitbarsting van kille moed was het laatste wat hij verwachtte.

'Ik zal je laten janken als een meisje,' zei hij.

Hij hief zijn arm en stak de spies met al zijn kracht in Orvilles rechterhand. Die kon niet voorkomen dat er een kreet van pijn en onmacht aan zijn keel ontsnapte, in schril contrast met zijn dappere woorden van enkele seconden eerder. Het geronnen bloed achter zijn neus schoot in zijn keel; hij stikte er bijna in en begon benauwd te hoesten, wat met elke hoest pijnlijker werd doordat zijn schokkende armen met ijzeren spiesen vastgepind zaten aan de tafel.

---

1 Je moeder heeft je vader bedrogen met een aap, in het Arabisch.

De hoestbui nam langzaam maar zeker af en Orville voldeed netjes aan de profetische woorden van zijn belager: twee dikke tranen biggelden langs zijn wangen op de tafel. Meer had de ander niet nodig om Orville uit zijn lijden te verlossen. Hij greep naar een ander stuk keukengerei, een mes van dertig centimeter.
'Het is afgelopen, kooneh.'
Er klonk een schot dat weerkaatste in de metalen pannen die keurig in het gelid langs de wanden stonden opgesteld. De man zakte op de vloer. Zijn maat nam de moeite niet zich om te draaien en te zien waar het schot vandaan kwam. Hij nam een grote sprong over het kookeiland, maakte in het voorbijgaan een enorme kras met de gesp van zijn riem op de keramische kookplaat en landde op zijn handen. Bij een tweede schot vlogen de houtsplinters op nog geen veertig centimeter boven zijn hoofd uit de deurpost en toen was Nazim verdwenen.
Orville lag naakt en gekruisigd op de keukentafel, met een doodsbleek gezicht, doorboorde handen en overdekt met bloed. Hij kon amper omkijken om te zien wie zijn redder was. Een blonde, magere man van achter in de twintig in een spijkerbroek en met iets om zijn hals wat in het schemerdonker van de keuken wel een priesterboord leek.
'Wat zie jij eruit, Orville,' zei de priester, toen hij langs hem heen liep aan de kant waar eerst de man met de amandelvormige ogen had gestaan. Hij stelde zich verdekt op achter de deur, boog zich met beide handen om zijn pistool geklemd naar voren, om niets anders te zien dan een verlaten woonkamer en een geopend raam.
De pater kwam weer naar Orville toe, die zijn ogen had uitgewreven van verbazing als zijn handen niet vastgeprikt hadden gezeten aan de tafel.
'Ik weet niet wie je bent, maar zeer bedankt. Maak me alsjeblieft los.' Met zijn gebroken neus klonk het als *maame azjeblivd loz*.
'Bijt op je tanden. Dit wordt pijnlijk.' De priester begon aan zijn rechterkant en trok de pin er zo recht mogelijk uit, maar Orville kon een kreet van pijn niet onderdrukken. 'Weet je wel hoe moeilijk je te vinden bent?'
Orville hief zijn hand om hem tegen te houden. Er zat een gat in zo groot als een euromunt. Hij zette zijn tanden op elkaar tegen de pijn, draaide zich moeizaam naar zijn linkerhand en trok de tweede pin er zelf uit.
Ditmaal gilde hij niet.
'Kun je lopen?' vroeg de priester, terwijl hij Orville overeind hielp.
'Komt de paus uit Polen?'
'Nu niet meer. Mijn auto staat een paar minuten verderop. Heb je enig idee waar je bezoek gebleven is?'
'Hoe moet ik dat verdomme weten?' Orville pakte de keukenrol die naast het raam hing en probeerde zijn handen te verbinden met een dikke laag keukenpapier, tot ze op witte suikerspinnen leken die langzaam maar zeker rood kleurden.
'Laat dat en ga bij het raam vandaan. Ik verbind je wel in de auto. Ik dacht dat jij de deskundige op het gebied van de terroristische denktrant was.'

'Shit, je bent van de CIA. En ik maar denken dat ik mazzel had.'[1]

'Niet helemaal. Ik heet Albert en ik ben van de ISL.'[1]

'Een verbindingsofficier? Met wie, het Vaticaan?'

Albert zweeg. Een lid van de Heilige Alliantie zei nooit hardop dat hij tot de club behoorde.

'Laat die vent nou maar,' vervolgde Orville, die zijn best deed geen pijnlijk gezicht te trekken. 'Er is hier niemand die ons komt helpen. Ik denk niet dat iemand die schoten heeft gehoord, want de dichtstbijzijnde buren zitten hier vijfhonderd meter vandaan. Heb je een mobieltje?'

'Dat is geen optie. Als ik de politie bel brengen ze je naar het ziekenhuis en vervolgens word je verhoord. Dan staat binnen een halfuur de CIA in je kamer met een bos bloemen.'

'Kun je hiermee uit de weg, dan?'

'Niet echt. En daarbij heb ik een hekel aan wapens. Je hebt geluk dat ik die vent van die spiesen heb geraakt in plaats van jou.'

'Je zult dit ook wel kunnen appreciëren.' Orville stak zijn doorboorde handen naar voren. 'Wat ben jij voor agent?'

'Ik heb alleen de basistraining gehad,' zei Albert verontschuldigend. 'Ik ben meer van de computers.'

'Dan zullen we het wel met elkaar kunnen vinden. Shit, ik word duizelig.' Orville stond te trillen op zijn benen en Albert kon hem nog net op tijd opvangen.

'Denk je dat je naar de auto kunt lopen?' De Californiër knikte, zij het weinig overtuigend.

'Met hoeveel zijn ze?'

'Volgens mij met z'n tweeën. Maar die ene staat ons natuurlijk in de tuin op te wachten.'

Albert wierp een blik door het openstaande raam.

'Dat is dan beroerd. We moeten de helling af en met de schaduw van die muur... kan hij overal zitten.'

---

1 International Service Liaison, schakel tussen internationale spionagediensten.

Nazim was doodsbang.

Hij had zich vaak voorgesteld hoe het zou zijn om een martelaar te worden. Het waren altijd abstracte fantasieën geweest, waarin hij stierf in een grote vuurbol. Een groots afscheid dat uitgezonden werd op televisie. De absurde climax van de dood van Kharouf had hem verward en angstig achtergelaten.

Hij was op een holletje de tuin in gevlucht, panisch dat de sirenes van de politiewagens niet lang op zich zouden laten wachten. Hij dacht even aan de veelbelovende poort van de oprijlaan, die nog steeds uitnodigend openstond. De geluiden van de cicaden en de krekels vulden de nacht met leven en beloften en heel even twijfelde Nazim.

Nee. Ik heb mijn leven opgeofferd voor de glorie van Allah en om mijn volk te redden. Wat moet er van mijn familie worden als ik nu op de vlucht sla, als ik nu lafhartig word?

Nazim liep de poort niet uit. Hij stelde zich op in het donker, achter een haag van zieltogende hortensia's waar nog enkele roze bloemen aan zaten. Hij probeerde zijn lichaam te ontspannen door om de paar minuten het pistool van de ene hand naar de andere over te brengen en de andere vuist samen te knijpen en los te laten.

Ik heb een goede conditie. Ik ben over het keukenblok heen gesprongen. De kogel die voor mij bestemd was kwam amper in de buurt. De een is een priester en de ander is gewond. Ze kunnen me nooit aan. Het enige wat ik hoef te doen is het pad naar de uitgang in de gaten te houden. Als ik de politiesirenes hoor spring ik over de muur. Die is wel hoog, maar dat lukt me best. Dat stukje daar rechts lijkt me iets lager te zijn. Vervelend dat Kharouf er nu niet is; hij is zo goed in het openbreken van deuren. Die van het buitenhuis had hij in vijftien seconden open. Ik vraag me af of hij al bij Allah is. Ik zal hem reuze missen. Hij zou willen dat ik bleef, dat ik Watson naar de andere wereld help. Die zou al dood zijn geweest als hij er niet zo lang over had gedaan, maar er was niets wat hem zo kwaad maakte als een broeder die zijn broeders verraadt. Ik vraag me af wat de jihad eraan heeft als ik hier vannacht sterf zonder die kooneh om zeep te helpen. Hou op met zo te denken. Ik moet me concentreren op wat belangrijk is. Er zal spoedig een einde komen aan de smerige genoegens van dit leven. Het imperium waarin ik geboren ben zal ten onder gaan. Ik help daarbij met mijn bloed. Hoewel ik het fijner zou vinden als het vandaag nog niet hoefde.

Er klonk een geluid op de weg die van het huis naar beneden liep. Nazim

spitste zijn oren. Ze kwamen eraan. Hij moest snel zijn. Hij moest…
'Afgelopen. Laat je wapen vallen. Nu.'
Nazim dacht niet na. Geen moment. Hij draaide zich om, met het pistool in de hand. Albert, die achter om het huis langs de muur was gelopen om te kijken of ze veilig bij de poort konden komen, was in het donker op het reflecterende klittenband van de Nikes van de jongen gestuit. In tegenstelling tot het schot dat hij instinctief op Kharouf had gelost om Orvilles leven te redden – wonderbaarlijk genoeg had hij nog raak geschoten ook – stuitte hij nu totaal onverwacht op het joch, dat op drie meter van hem af stond. Hij zette zijn voeten stevig op de grond, richtte op de borst van de jongen, haalde de trekker alvast voor de helft over en zei luid en duidelijk dat hij zijn wapen moest laten vallen.

Toen Nazim zich omdraaide, haalde Albert de trekker over en schoot hij de borstkas van de jongen aan flarden.

Nazim was zich vaag bewust van het schot, hoewel hij nergens pijn had en alleen voelde dat hij op dor gras lag. Hij probeerde zijn armen en benen te bewegen, maar dat lukte niet. Hij kon ook niet praten. Hij zag dat de man die op hem geschoten had zich over hem heen boog, aan zijn hals voelde of hij nog leefde en het hoofd schudde. Even later kwam Watson er ook bij staan. Nazim zag dat hij bloedde toen hij zich over hem heen boog, maar hij heeft nooit meer geweten dat Watsons bloed zich met het zijne vermengde. Zijn blik werd steeds waziger. Hij hoorde wel dat Watson een gebed uitsprak.

'Gezegend zij Allah, die ons het leven schenkt, evenals het vermogen om Hem te eren in onkreukbaarheid en rechtschapenheid. Gezegend zij Allah, die ons heeft onderwezen in de heilige Koran en ons heeft geleerd dat als iemand zijn hand opheft om ons te doden, wij onze hand niet tegen hem opheffen. Vergeef hem, Heer, want zijn zonden zijn begaan in onschuld en onwetendheid. Bescherm hem tegen de martelingen van de hel en neem hem tot U, Heer van de Grote Troon.'

Toen voelde Nazim zich een stuk beter, alsof er een zwaar gewicht van zijn schouders was gevallen. Hij had alles gegeven voor Allah. Hij liet zich wegdrijven naar een toestand van diepe vrede, waarin hij de sirenes in de verte verwarde met het geluid van de cicaden. Een ervan zong in zijn oor en dat was het laatste geluid dat hij hoorde.

Enkele minuten later bogen twee geüniformeerde politieagenten zich over een in het sweatshirt van de Redskins geklede jongen, die met wijdopen ogen naar de hemel keek.
'Centrale, dit is Eenheid 23. We hebben hier een tien-vierenvijftig. Stuur een ambulance naar…'
'Laat maar, hij heeft geen ambulance meer nodig.'
'Centrale, u kunt de ambulance annuleren. We gaan de zone afzetten.'
Een van de agenten keek peinzend naar het gezicht van de jongen. Wat triest

dat hij zo aan zijn einde was gekomen. Hij was jong genoeg om zijn zoon te kunnen zijn... *Ik bedoel, ik ben oud genoeg om zijn vader te kunnen zijn.* Hij zou er geen nacht minder om slapen, want hij had in zijn carrière genoeg dode jongens gezien in de gevaarlijke straten van Washington om het hele tapijt van het Oval Office mee te bedekken. Het was echter de eerste keer dat hij een dode jongen zag met zo'n bijzondere uitdrukking op zijn gezicht.

Heel even overwoog hij om zijn collega erbij te halen en hem te vragen wat voor de duivel die serene glimlach kon betekenen. Hij zag ervan af.

Hij was bang dat hij voor gek zou worden uitgemaakt.

OP EEN GEHEIME PLEK IN FAIRFAX COUNTY, VIRGINIA

Zaterdag 15 juli 2006, 02.06 uur

Het safe house van Orville Watson lag op een kilometer of veertig van Alberts flat en Orville legde de afstand half slapend en deels bewusteloos af op de achterbank van Alberts Toyota, maar wel met keurig verbonden handen. De priester had gelukkig een complete EHBO-doos in zijn auto liggen.

Een uur later sloeg Orville, gehuld in een badjas – het enige wat Albert bezat dat hem enigszins paste – een halve pot Tylenol achterover met een glas sinaasappelsap dat de priester bij hem had neergezet.

'Je hebt veel bloed verloren. Dit brengt je ijzergehalte weer wat op peil.'

Orville wilde zijn hele lichaam weer op peil brengen, bij voorkeur een maandlang in een veilig ziekenhuisbed, maar gezien de situatie kon hij beter bij Albert blijven.

'Heb je toevallig een Hersheyreep in huis?'

'Nee, sorry. Ik eet geen chocola, daar krijg ik pukkels van. Maar ik ga zo naar de Seven Eleven om iets te eten en wat kleren in maat XXXL te halen, dus als je wilt neem ik zoetigheid voor je mee.'

'Laat maar. Na wat er nu is gebeurd, denk ik dat ik de rest van mijn leven de Hersheyrepen maar afzweer.'

Albert haalde zijn schouders op.

'Wat je wilt.'

Orville wees naar de computerapparatuur waar Alberts woonkamer mee volgepropt stond. Tien monitoren, een tafel van vier meter lang en een wirwar van kabels die over de vloer langs de wanden liepen, zo dik als het bovenbeen van een voetbalspeler.

'Je zit goed in je spullen, meneer de internationale verbindingsofficier.' De jonge Californiër bleef van de spanning zenuwachtig doorpraten. Toen hij de priester aankeek, besefte hij dat het hem hetzelfde verging. Zijn handen beefden en hij had een verloren blik in zijn ogen. 'Systeem HarperEdwards, moederbord TINCom... Zo heb je me gevonden, hè?'

'Je offshore[1] in Nassau, via wie je het safe house hebt gekocht. Ik heb er 48 uur over gedaan om de server te vinden die de originele transactie had opgeslagen: 2143 stappen. Je bent steengoed.'

---

1 Een bedrijf dat in het buitenland gevestigd is en normaal gesproken min of meer geheim wordt gebruikt, meestal om de belasting te ontduiken.

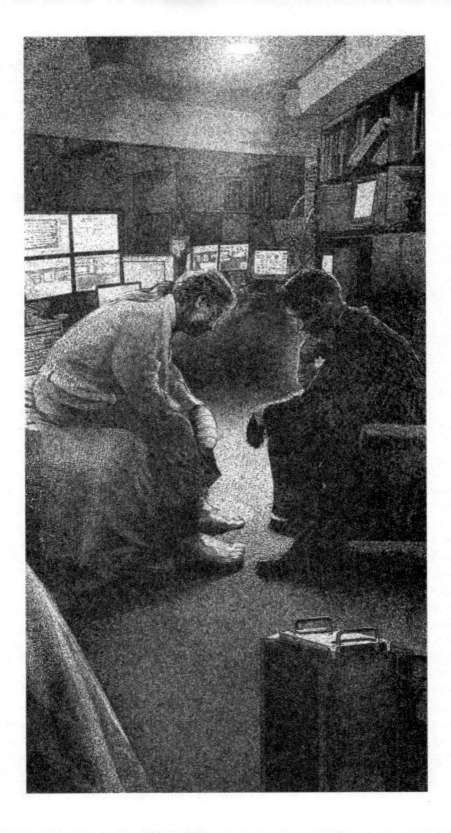

'Jij ook.' Orville was zichtbaar onder de indruk.

Ze monsterden elkaar en knikten, waarbij ze elkaar zwijgend de erkenning gaven die ze verdienden. Voor Albert betekende dat korte moment van ontspanning de barst waardoor de zenuwen die hij de afgelopen uren op afstand had weten te houden zijn lichaam binnenscheurden en alles kort en klein sloegen, als een troep hooligans in een kroeg van de tegenpartij. Hij had zelfs geen tijd meer om op te staan en kotste zijn maag leeg in een kom cornflakes die hij de avond daarvoor op tafel had laten staan.

'Ik had nog nooit iemand gedood. Dat joch... De dood van die oudere man is nauwelijks tot me doorgedrongen, want de situatie was zo kritiek op het moment dat ik hem neerschoot zonder erbij stil te staan. Maar dat joch... Hij was nog zo jong. En hij keek me aan.'

Orville zweeg, want er viel niets te zeggen.

Zo bleven ze een minuut of tien bij elkaar zitten. Alberts maag verkrampte nog een paar keer, maar de jonge priester wist verder alles binnen te houden.

'Nu begrijp ik hem.'

'Wie?'

'Een vriend van me. Iemand die heeft moeten doden, maar daar zwaar onder heeft geleden.'

'Heb je het over Fowler?'

Albert keek hem wantrouwend aan.

'Waar heb je die naam gehoord?'

'Dit hele gesodemieter is begonnen toen Kayn Industries me de opdracht gaf uit te zoeken wie pater Fowler uit Boston was. En jij bent ook priester, zo te zien.'

Albert werd nog nerveuzer dan hij al was. Hij greep Orville bij zijn badjas en schreeuwde: 'Wat heb je hun verteld? Zeg op, ik moet het weten.'

'Alles,' zei Orville dof. 'Zijn trainingen, lidmaatschap van de CIA en de Heilige Alliantie...'

'O, mijn god! Betekent dat dat ze weten wat zijn ware opdracht is?'

'Dat weet ik niet. Ze hebben me twee vragen gesteld. De eerste was: wie is hij? En de tweede: om wie geeft hij?'

'Waar ben je achter gekomen? En hoe?'

'Ik ben nergens achter gekomen. Ik wilde het al bijna opgeven toen ik anoniem een envelop kreeg toegestuurd met een foto erin en de naam van een journaliste: Andrea Otero. Er zat een briefje bij waarin stond dat Fowler alles zou doen wat in zijn macht lag om te voorkomen dat haar iets overkwam.'

Albert liet hem los en begon door de kamer te ijsberen. Langzaam vielen de puzzelstukken in elkaar.

'Nu begint het me te dagen... Toen Kayn zich tot het Vaticaan wendde met de mededeling dat hij meer wist over de verblijfplaats van de Ark, maar dat de benodigde gegevens in handen waren van een voormalige nazimisdadiger, beloofde Cirin dat hij zijn beste man zou inzetten om die nazi te zoeken, met als tegenprestatie dat hij een observator mee mocht sturen met de expeditie. Door jou de naam van Otero in handen te spelen verzekerde hij zich ervan dat Kayn Fowler zou meenemen, in de wetenschap dat hij in de hand te houden was, én dat Fowler de opdracht zou accepteren. Manipulerende hufter,' vloekte Albert met een deels bewonderende en deels woedende blik op zijn gezicht.

Orville keek hem met open mond aan.

'Ik begrijp er geen jota van.'

'Wees blij, want als je het wel begreep, zou ik je moeten doden. Grapje. Luister, Orville. Ik ben je vandaag niet komen redden omdat ik voor de CIA werk. Dat is namelijk niet het geval. Ik ben slechts een nederige contactpersoon die een gunst verleent aan een vriend. Die vriend verkeert nu in levensgevaar en dat komt deels door de informatie die jij over hem hebt verstrekt aan Kayn Industries. Fowler is in Jordanië en maakt deel uit van een expeditie om de Ark des Verbonds op te graven. Het klinkt misschien idioot, maar het lijkt erop dat ze hem gevonden hebben.'

'*Huqan*,' fluisterde Orville. 'Ik kwam heel toevallig achter wat informatie over Jordanië en *Huqan* en die heb ik ook doorgespeeld.'

'De jongens van de Company zijn die naam tegengekomen op je harde schijf. Alleen die naam, meer niet.'

'Ik had een verwijzing naar Kayn onderschept in een van de webmailservers die veel door terroristen wordt bezocht. Weet je iets van het fundamentalistisch-islamitische terrorisme?'

'Alleen wat ik erover in de *New York Times* heb gelezen.'

'Dan zal ik vanaf het begin beginnen. Je krijgt een snelcursus. De verguizing door de media van Osama als de grote boosdoener slaat nergens op. Al Qaida als superorganisatie van het kwaad bestaat niet. Er is geen enkele kop die moet rollen. De jihad heeft geen kop. De jihad is een opdracht van God. Maar er zijn duizenden kleine cellen op allerlei niveaus die elkaar opjutten zonder dat de een iets met de ander te maken heeft.'

'Daar valt niet tegen te strijden.'

'Het is alsof je een ziekte moet genezen. Er bestaat geen wondermiddel, zoals de invasie in Irak of van Libanon, zoals die van vorige week, of van Iran binnen nu en drie jaar. Het enige wat we kunnen doen is witte bloedlichaampjes aanmaken en de microben een voor een onschadelijk maken.'

'Dat is jouw werk.'

'Het probleem is dat het onmogelijk is om in die fundamentalistisch-islamitische terroristische cellen te infiltreren. Ze zijn niet om te kopen, want ze worden gedreven door hun religie of door het verwrongen idee dat ze daarvan hebben. Dat begrijp je denk ik wel.'

Albert trok een beschaamd gezicht.

'Ze gebruiken een ander jargon,' vervolgde Orville, 'een taal die voor Angelsaksen uiterst ingewikkeld is. Ze werken onder tientallen verschillende schuilnamen en gebruiken een afwijkende kalender... Elk flintertje informatie moet voor een westerling door tientallen toetsen en mentale codes heen. En daar kom ik in het spel. Ik klop op de deur waar een fanaticus met een klik van de muis contact heeft met een andere fanaticus die drieduizend kilometer ver weg zit.

'Internet.'

'Achter mijn computerscherm was het een stuk leuker,' zei Orville, terwijl hij voorzichtig zijn neus aanraakte, die oranje was van de Betadine. Albert had er met pleister een stukje karton tegenaan gezet om hem te spalken, maar Orville besefte maar al te goed dat hij snel naar een ziekenhuis zou moeten, want anders zouden ze zijn neus over een maand opnieuw moeten breken om hem goed te zetten. 'Toen de terroristen ver bij me uit de buurt bleven.'

Albert was enkele minuten in gedachten verzonken.

'Is die *Huqan* van plan een aanslag op Kayn te plegen?'

'Ik herinner me er niet veel van, behalve dat we hem beter serieus hadden kunnen nemen. Eerlijk gezegd heb ik ze een handvol ruwe informatie gegeven. Ik had geen tijd om het allemaal goed uit te zoeken.'

'En dus…'

'Het werkt een beetje zoals die gratis monsters in de supermarkt. Je geeft ze een klein dingetje en dan ga je rustig zitten wachten tot ze meer komen halen. Kijk me niet zo aan. Ik moet ergens van leven.'

'We moeten die gegevens zien te achterhalen.' Hij trommelde onrustig met zijn vingers op de stoelleuning. 'Allereerst omdat die jongens die je hebben aangevallen zich zorgen maakten om wat je wist. En ten tweede omdat die *Huqan* misschien wel in de expeditie is geïnfiltreerd en dan… '

'Onmogelijk. Al mijn dossiers zijn verdwenen of verbrand.'

'Niet allemaal. Er is nog een kopie.'

Het duurde even voordat Orville begreep waar Albert op doelde.

'Nee, man. Daar komen we nooit binnen. Onmogelijk.'

'Niets is onmogelijk, behalve één ding: ik kan niet langer zonder eten.' Albert stond op en pakte zijn autosleutels. 'Probeer wat uit te rusten, ik ben met een halfuurtje terug.'

De priester wilde net de deur uit lopen, toen Orville hem terugriep. Alleen al het idee dat hij zich in de onneembare vesting van de Kayn Tower moest wagen maakte hem doodsbang. Er was maar één manier om over die angst heen te komen.

'Ik heb me bedacht wat die chocola betreft.'

Huqan

De imam had gelijk.
Hij had hem beloofd dat de jihad in zijn ziel en zijn hart zou dringen. Hij had
hem gewaarschuwd tegen de mensen die hen voor radicalen uitmaakten, mensen
die hij lafhartige moslims noemde.
'Je hoeft er niet van te schrikken dat andere moslims anders denken dan wij over
wat we doen. Het komt alleen doordat God hen niet op dit werk heeft voorbereid.
Hij heeft hun hart en ziel niet gevoed met het vuur dat ons verteert. Laat ze maar
denken dat de islam een godsdienst is die vrede predikt. Dat helpt ons voort. Dat
verzwakt de verdediging van de vijand en het creëert spleten waar wij doorheen
kunnen kruipen. Brede scheuren.
Hij voelde het. Hij voelde een schreeuw in zijn binnenste die op de lippen van de
ander slechts een fluistering was.
Hij voelde het meteen toen hij werd uitgenodigd om de mantel van de jihad te
dragen. Ze nodigden hem uit, hoe anders hij ook was en hoe bijzonder zijn om-
standigheden ook waren. Het was niet eenvoudig geweest het respect van de andere
broeders af te dwingen. Hij had nooit één voet in een trainingskamp in Afghani-
stan of Libanon gezet. Hij had geen orthodoxe weg afgelegd en toch was het Woord
doorgedrongen tot in zijn merg als een winde in een nog jonge boom.
Het gebeurde buiten de stad, in een opslagplaats. Enkele broeders hielden een an-
dere broeder vast die was vergeten dat de prioriteiten van de buitenwereld in strijd
waren met het mandaat van God.
De imam had gezegd dat hij zich van zijn sterke kant moest laten zien. Zich waar-
dig moest tonen. Dat alle ogen op hem waren gericht.
Op weg naar de loods kocht hij een injectiespuit, waarvan hij de punt verboog te-
gen het portier van zijn auto. De anderen dachten dat hij kwam om met de ver-
rader in discussie te treden, met die man die een makkelijk leventje wilde leiden,
het leventje waar zij tegen streden. Ze dachten dat hij hem wel kon laten inzien
dat hij zich vergiste. Met handen en voeten aan een stoel gebonden was zijn ont-
vankelijkheid gegarandeerd.
In plaats daarvan stapte hij de loods binnen, liep in één rechte lijn op de man af
en stak de injectiespuit die hij onderweg had gekocht in zijn oog. Zonder acht te
slaan op zijn geschreeuw schoof hij de spuit heen en weer en trok hij het hele oog
aan flarden. Daarna deed hij hetzelfde met het andere oog.
Nog geen vijf minuten later smeekte de verrader hem om hem te doden. Huqan
glimlachte. Zijn boodschap was duidelijk overgekomen. Buiten wachtten de pijn
en het verlangen naar de dood.
Huqan. Injectiespuit.
Op die dag verdiende hij zijn bijnaam.

DE OPGRAVING
Al Mudawarrah-woestijn, Jordanië

Zaterdag 15 juli 2006, 12.34 uur

'Een White Russian, alstublieft.'

'Dat had ik niet van u verwacht, juffrouw Otero. Ik vermoedde dat u Manhattans zou drinken of een ander algemeen postmodern drankje,' glimlachte Raymond Kayn. 'Sta me toe dat ik u zelf inschenk. Dank je, Jacob.'

'Weet u het zeker, meneer?' vroeg Russell, die het niet prettig leek te vinden dat Andrea alleen achterbleef met de oude man.

'Rustig maar, Jacob. Ik zal juffrouw Otero niet bespringen. Tenzij ze dat wil, natuurlijk.'

Andrea merkte dat ze begon te blozen als een schoolmeisje en keek om zich heen, terwijl de multimiljonair haar drankje klaarmaakte. Toen Jacob Russell haar drie minuten daarvoor was komen halen bij de hospitaaltent was Andrea zo zenuwachtig dat ze met haar trillende handen moeiteloos drie eieren had kunnen kloppen. Ze was een paar uur bezig geweest met het schrijven, corrigeren, verscheuren en herschrijven van haar vragenlijst en vlak voordat ze de tent in stapte had ze de vijf bladzijden uit haar schrijfblok gescheurd, verfrommeld en in haar tas gestopt. Dit was geen gewone man en ze was niet van plan hem gewone vragen te stellen.

Toen ze de drempel over stapte begon ze aan haar beslissing te twijfelen. De tent was verdeeld in twee ruimtes. De voorste werd duidelijk gebruikt door Jacob Russell, met een bureau, een laptop en iets wat volgens Andrea...

dus zo hou je contact met het schip. Ik wist wel dat je niet helemaal van de buitenwereld afgesloten was

... een kortegolfradio was. Rechts, gescheiden door een dun gordijn, lag de ruimte van Kayn, bewijs van de symbiose tussen de oude man en de jonge assistent.

Ik vraag me af hoe dat zit tussen die twee. Onze vriend Russell is achterdochtig, met zijn metroseksuele gedrag en dat opgeblazen gedoe. Zal ik daar iets over suggereren in het interview?

Aan de andere kant van het gordijn kwam Andrea een lichte geur van sandelhout tegemoet. Een simpel bed...

maar wel een stuk comfortabeler dan die luchtbedden waar wij op slapen

... nam één kant van de ruimte in. Een replica van de toiletten c.q. doucheruimtes die zij ook gebruikten, een kleine schrijftafel zonder papieren of laptop, een barmeubel en twee stoelen, allemaal geheel uitgevoerd in wit, vormden het meubilair. Een stapel boeken die tot Andrea's kruin reikte en dreigde om te vallen zodra er iemand in de buurt kwam. Ze spande zich in om een paar titels te onderscheiden, maar ze kreeg de tijd niet, want Kayn kwam haar tegemoet om haar te begroeten.

Van dichtbij leek hij langer dan toen Andrea hem stiekem had begluurd vanaf de voorsteven van de *Behemot*. Eén meter zeventig gelooide huid, wit haar en witte kleding, blote voeten. De combinatie gaf hem een frisse, jeugdige uitstraling, hoewel een blik op zijn ogen, twee blauwe kralen omringd door honderden wallen en rimpels, dat weer tenietdeed.

Hij stak zijn hand niet uit en liet die van Andrea met een verontschuldigende blik in de lucht hangen. Jacob Russell had haar gewaarschuwd dat ze onder geen beding mocht proberen Kayn aan te raken, maar ze moest trouw zijn aan zichzelf en het toch proberen. Daarbij werkte het in haar voordeel. De miljonair had zich zichtbaar opgelaten gevoeld en haar meteen een drankje aangeboden. Net als de meesten van haar vakgenoten was Andrea niet bang voor een glaasje, welk tijdstip van de dag het ook was.

'Je kunt veel opmaken uit de voorkeur voor een bepaald drankje,' merkte Kayn op, toen hij haar het glas aanreikte. Hij bleef een eindje van haar af staan en hield het glas hoog aan de steel met twee vingers vast, zodat zij het kon aanpakken zonder hem aan te raken.

'Is dat zo? Wat zegt een White Russian over mij?' Andrea sloeg haar benen over elkaar en nam een slokje.

'Eens even zien… een zoet mixdrankje met een ruime hoeveelheid wodka, koffielikeur en room. Daaruit maak ik op dat u van sterkedrank houdt, dat u er goed tegen kunt, dat u lang hebt gezocht voordat u wist wat uw favoriete drankje was, dat u graag in de gaten houdt wat er om u heen gebeurt en dat u veeleisend bent.'

'Tjonge,' zei Andrea met lichte ironie, haar enige uitweg als ze zich onzeker voelde. 'Weet u wat ik denk? Dat u me heeft laten natrekken en precies wist wat ik zou nemen. Er zijn maar weinig bars die een flesje verse slagroom hebben klaarstaan en ik verwacht het zeker niet midden in de woestijn van Jordanië, in de bar van een miljonair met pleinvrees die zelden bezoek ontvangt en zelf een voorkeur heeft voor whisky met water.'

'Nu ben ik degene die versteld staat,' zei Kayn. Hij stond met zijn rug naar de journaliste zijn eigen drankje klaar te maken.

'Dat is even dicht bij de waarheid als het verschil tussen ons beider bankrekeningen, meneer Kayn.'

De miljonair draaide zich met een frons op zijn gezicht om, maar hij zei niets.

'Ik zou eerder zeggen dat dit een test was en dat u het antwoord hebt gekregen dat u verwachtte,' vervolgde Andrea. 'Ik wil graag van u horen waarom u mij de eer hebt gegund u een interview af te nemen.'

Kayn ging in de andere stoel zitten en zorgde ervoor dat hij Andrea niet recht hoefde aan te kijken.

'Dat maakte deel uit van onze overeenkomst.'

'Ik denk dat ik de vraag anders moet stellen. Waarom ik?'
'Ach, de vloek van de *g'vir*, de rijkaard. Iedereen wil weten wat zijn achterliggende motieven zijn. Hij moet wel een verborgen agenda hebben, zeker als hij een Jood is.'
'U hebt mijn vraag niet beantwoord.'
'Juffrouw Otero, ik vrees dat u zelf mag beslissen welk antwoord u graag wilt horen. Op deze vraag... of op alle andere vragen.'
Andrea beet van pure woede op de binnenkant van haar onderlip. Die ouwe rotzak was gewiekster dan hij op het eerste gezicht leek.
Hij heeft me zonder met zijn ogen te knipperen voor het blok gezet. Oké, ouwe, we spelen het spel op jouw manier. Ik zal me openhartig opstellen en je hele verhaal als zoetekoek slikken, maar als je het totaal niet meer verwacht, zorg ik dat ik te weten kom wat ik wil weten, al moet ik je tong eruit rukken met mijn pincet.
'Waarom drinkt u, hoewel u medicijnen gebruikt?' vroeg Andrea met opzet agressief.
'Ik neem aan dat u vermoedt dat ik medicijnen gebruik vanwege de agorafobie,' antwoordde Kayn, tevreden dat Andrea het interview hervatte, maar geïrriteerd over de vraag.
'Ik gebruik inderdaad medicijnen en ik zou dan ook beter niet kunnen drinken. Ik doe het echter wel. Toen mijn overgrootvader tachtig was, vond mijn grootvader het verschrikkelijk om hem *shikker* te zien, dronken. Als ik Jiddische woorden gebruik die u niet kent, moet u me waarschuwen.'
'Dat zal ik dan vaak moeten doen, want ik ken er niet één.'
'Zoals u wilt. Mijn overgrootvader bleef drinken en mijn grootvader bleef tegen hem zeggen: "Drink toch niet zoveel, *tateh!*" Het antwoord van mijn overgrootvader was altijd hetzelfde: "Ik ben verdomme tachtig jaar oud en ik drink wat ik wil." Hij stierf op 98-jarige leeftijd, ten gevolge van een trap in zijn buik van een ezel.'
Andrea barstte in lachen uit. Kayns stem was veranderd toen hij het verhaal van zijn voorouders vertelde; hij bracht deze anekdote met de zwier en de verschillende intonaties van een geboren verteller.
'U bent goed op de hoogte van uw voorgeschiedenis. Hebt u een goede band met uw familie?'
'Nee. Mijn ouders zijn omgekomen in de Tweede Wereldoorlog en hoewel ze me veel verhalen hebben verteld en veel met ons hebben gesproken, mede door de omstandigheden waarin ik mijn vroegste kinderjaren heb doorgebracht, heb ik daar geen herinneringen aan. Alles wat ik van mijn familie weet heb ik door de jaren heen vergaard via bronnen van buitenaf. Zodra ik het me kon permitteren, heb ik het oude Europa uitgekamd, op zoek naar mijn wortels.'
'Ik wil graag dat u me daar wat meer over vertelt. Stoort het u als ik dit gesprek opneem?' Andrea haalde haar digitale recorder uit haar zak, waar vijfendertig uur ruimte op zat.
'Ga uw gang. Deze geschiedenis begint op een gure winteravond in Wenen, toen een joods echtpaar op weg ging naar een naziziekenhuis... '

ELLIS ISLAND, NEW YORK

December 1943

In het donkere ruim van het schip zat Yudel stilletjes te huilen. De boot lag al aan de kade en de matrozen maakten gebaren naar de vluchtelingen waarmee het Turkse schip tot aan de nok toe volgeladen zat. Iedereen snakte naar frisse lucht. Alleen hij bleef waar hij was en klemde zich met alle macht aan de koude vingers van mevrouw Meyer vast. Hij kon niet accepteren dat ze dood was.

Dit was niet zijn eerste kennismaking met de dood. Hij had er heel wat ervaring mee sinds hij de schuilplaats van rechter Rath had verlaten. Het was een hard gelag geweest om die benauwde maar veilige ruimte te verlaten. Zijn eerste kennismaking met het zonlicht had hem geleerd dat er monsters in leefden. Zijn eerste kennismaking met de stad had hem geleerd dat elke hoek een schuilplaats betekent van waaruit je voorzichtig kunt kijken of de kust veilig is, voordat je haastig doorloopt naar de volgende hoek. Zijn eerste kennismaking met een trein joeg hem angst aan, met dat constante lawaai en de monsters die door de gangen liepen, op zoek naar iemand om te verslinden. Gelukkig lieten ze je met rust als je hun een geel kaartje liet zien en dan liepen ze door. Na zijn eerste kennismaking met het platteland verfoeide hij de sneeuw en de bijtende kou die je bij elke stap de adem benam. Zijn eerste kennismaking met de zee was die met een afschrikwekkende, onmetelijke ruimte, als een gevangenismuur van binnenuit bezien.

Op het schip dat hem naar Istanbul bracht werd Yudel, ineengedoken in een donkere hoek, wat rustiger. Ze bereikten de Turkse haven anderhalve dag later. Het duurde zeven maanden voordat ze de stad konden verlaten.

Mevrouw Meyer voerde een vurige strijd om een uitreisvisum te bemachtigen. In die maanden was Turkije neutraal. Talrijke vluchtelingen stroomden samen op de kaden en vormden lange rijen voor de consulaten en humanitaire organisaties zoals de Rode Halve Maan. Vruchteloos. De Britse autoriteiten probeerden de massale toestroom van Joden naar Palestina steeds meer in te dammen. De Verenigde Staten weigerden inreisvisa te verstrekken. De wereld hield zich doof voor de verontrustende berichten over massamoorden in concentratiekampen. Zelfs een vooraanstaande krant als de Londense Times *bestempelde de verhalen over genocide door de nazi's als 'angst zaaien'.*

Ondanks alle tegenslag deed de goede Jora wat ze kon: ze ging uit bedelen en hield de jongen 's nachts warm met haar eigen jas. Ze probeerde het geld dat rechter Rath haar had gegeven niet te gebruiken. Ze sliepen waar ze maar een plekje konden vinden, in stinkende cafés of in de volgepropte gang van de Rode Halve Maan, waar de vluchtelingen 's nachts als haringen in een ton op de grijze tegels lagen en waar naar buiten gaan om te plassen slechts een utopie was.

Jora kon alleen maar smeken en bidden. Ze had geen contacten, sprak uitsluitend Jiddisch en Duits en weigerde die laatste taal te gebruiken omdat hij te veel afschuwelijke herinneringen naar boven bracht. Haar gezondheid ging achteruit. De ochtend waarop ze zo hard hoestte dat ze bloed spuwde, besloot ze dat ze niet langer kon wachten. Ze verzamelde al haar moed en overhandigde hun hele hebben en houden aan een Jamaïcaanse matroos van een vrachtschip onder Amerikaanse vlag dat enkele dagen later zou uitvaren. Tegen alle verwachting in smokkelde de matroos hen het ruim van het schip binnen. Daar mengden ze zich onder de honderden gelukkigen die erin geslaagd waren contact op te nemen met Joodse familieleden in de Verenigde Staten die borg voor hen wilden staan.

Jora stierf aan tuberculose, 36 uur voordat ze de Amerikaanse kust bereikten. Yudel was geen moment van haar zijde geweken, hoe ziek hij zelf ook was. Hij leed aan een pijnlijke oorontsteking en zijn oren zaten al een paar dagen helemaal dicht. Zijn hoofd voelde aan als een vat vol marmelade. Harde geluiden klonken als een horde galopperende paarden over het deksel van het vat. Daardoor hoorde hij de matroos niet, die stond te roepen dat hij naar buiten moest. Toen de man het roepen beu was begon hij Yudel te trappen: 'Eruit, stomme hond. Je moet door de douane.'

Yudel klemde zich nog steviger aan Jora vast. De matroos, een pokdalige, gedrongen man, trok hem ruw opzij en greep hem in zijn kraag.

'Ze wordt vanzelf door iemand opgehaald. Jij moet meekomen.'

De kleine slaagde erin zich los te wringen. Hij doorzocht Jora's jaszakken tot hij de brief van zijn vader had gevonden, de brief waar Jora zo vaak over had gesproken, en stopte die onder zijn bloes. De matroos greep hem weer beet en dwong hem de gehate buitenlucht in te stappen.

Hij ging de loopplank over en werd het havengebouw binnengeleid. De immigranten werden ontvangen door ambtenaren in blauwe uniformen die achter een lange rij grote tafels zaten. Yudel ging in de rij staan, maar zijn voeten brandden in zijn versleten schoenen. Hij wilde vluchten, weg uit dit helle licht. Hij trilde van de koorts. Eindelijk was hij aan de beurt. Een ambtenaar met kleine oogjes en dunne lippen keek hem strak aan van achter een gouden brilletje.

'Naam en visum?'

Yudel keek naar de vloer. Hij begreep er geen woord van.

'Ik heb niet de hele dag. Naam en visum. Ben je achterlijk of wat?'

De functionaris die naast hem zat, een jongere man met een dikke snor, probeerde hem te kalmeren.

'Rustig aan, Jimussey. Hij reist alleen en hij begrijpt je niet.'

'Ze begrijpen duizend keer meer dan wat jij denkt, die Joodse honden. Holy shit. Dit is de laatste boot van vandaag en dit is mijn laatste hond. O'Kerrigan heeft de kooi al klaarstaan. Als jij het zo leuk vindt, regel jij het maar, Colchie.'

De ambtenaar met de snor kwam achter de tafel vandaan en knielde voor Yudel neer. Hij stelde eerst een vraag in het Frans, toen in het Duits en daarna in het Pools. De jongen bleef naar de grond turen.

'Hij heeft geen visum en hij is achterlijk. Hij gaat met de eerste de beste boot terug naar Europa, verdomme,' zei de man met de bril. 'Zeg dan wat, idioot.' Hij stond op en gaf met zijn vlakke hand een harde tik tegen het linkeroor van de jongen. Een seconde lang voelde Yudel helemaal niets. Toen schoot de pijn door zijn hoofd als een brandende vuurpijl. Er stroomde hete, dikke pus uit zijn ontstoken oor. Raichmon! (genade in het Jiddisch) jankte hij.

De ambtenaar met de snor wendde zich met een woedende blik tot zijn collega. 'Jimussey. Laat dat.'

Hij doorzocht snel de zakken van de jongen, maar trof geen visum aan. Er zat eigenlijk helemaal niets in, behalve wat broodkruimels en een envelop met Hebreeuwse letters erop. Hij maakte hem open om te zien of er geld in zat, maar er zat alleen een kaartje in, dat hij terugstopte.

'Hij begrijpt je prima, verdomme. Heb je niet gehoord wat hij zei? Hij zal zijn visum wel verloren zijn. Je wilt hem echt niet terugsturen, Jimussey. Dan zijn we hier over een kwartier nog niet weg, man.'

De bewaker met de bril zuchtte.

'Oké dan. Vraag hem wat zijn achternaam is. Ik moet het luid en duidelijk horen en dan kunnen we de kroeg in, als God het wil. En anders kan hij opsodemieteren en laat ik hem het land uit zetten.'

'Werk een beetje mee, jochie,' fluisterde de man met de snor. 'Geloof me, je wilt niet terug naar Europa en ook niet naar een kindertehuis. Doe je best om hem te laten geloven dat er iemand op je wacht.' Hij probeerde het nog één keer, met het enige Jiddische woord dat hij kende: Mishpocha? (familie?)

Yudel sprak met trillende lippen het tweede woord uit, bijna onhoorbaar.

'Cohen.'

De man met de snor keek de ander opgelucht aan.

'Je hebt het gehoord. Hij heet Raymond Kayn[1].'

---

1 Raymond Kayn is slechts een van de duizenden immigranten die bij aankomst op Ellis Island een andere naam kregen doordat de ambtenaren hen verkeerd verstonden, de naam fonetisch opschreven in het Engels of vervingen door een andere die hun bekender in de oren klonk.

KAYN

De oude man lag op zijn knieën voor de plastic toiletpot in zijn tent en vocht tegen zijn braakneigingen, terwijl zijn assistent hem tevergeefs een glas water aanbood. Eindelijk slaagde hij erin het kokhalzen te onderdrukken. Hij haatte het als hij moest braken, haatte het slappe gevoel en die uitputtingsslag om al het kwade naar buiten te werken. Een trouwe weergave van de toestand in zijn ziel.

'Je kunt je niet voorstellen hoe zwaar dit voor me is geweest, Jacob. Daar heb je geen idee van. Die *rechielesnitseh*[1]... Dat ik met haar moest praten, me zo moest blootgeven. Ik kan het niet verdragen. Ze wil nog een sessie met me doen.'

'Ik vrees dat u nog even flink moet zijn, meneer.'

De oude man keek verlangend naar het barmeubel aan de andere kant van de tent. Hij beefde. De assistent, die zijn blik had gevolgd, keek hem streng aan, tot de oude man zuchtend zijn ogen afwendde.

'Wat zit de mens toch tegenstrijdig in elkaar, Jacob. Uiteindelijk leren we te genieten van datgene wat we het meeste haten. Het verhaal van mijn leven aan een onbekende vrouw heeft me opgelucht. Heel even voelde ik me verbonden met de rest van de wereld. Ik was van plan haar voor te liegen, een verhaaltje op te hangen dat deels gelogen, deels de waarheid was. In plaats daarvan heb ik haar alles verteld.'

'Dat kon u doen, omdat u wist dat het geen echt interview was. Ze zal het nooit publiceren.'

'Wie weet. Of wellicht had ik het nodig om het te vertellen. Denk je dat ze iets vermoedt?'

'Ik denk het niet, meneer. Hoe dan ook, het einde is in zicht.'

'Ze is buitengewoon intelligent, Jacob. Hou haar goed in de gaten. Ze is misschien meer dan een simpele figurante in deze affaire.'

---

1 Roddeltante in het Jiddisch.

Ze werd met een schok wakker in het donker, het koude zweet op haar rug. Ze had geen idee waar ze was en wist niet meer wat ze had gedroomd. Ze had deze nachtmerrie wel vaker, maar kon zich nooit herinneren waar hij over ging. Zodra ze wakker werd was ze hem vergeten. Het enige wat Andrea zich dan nog herinnerde was het vage gevoel van angst en de immense eenzaamheid in haar hart.

Ze was er meteen, op haar knieën naast haar luchtbed, met haar hand op haar schouder. De ene was bang om verder te gaan, de andere dat ze het niet zou doen. Er klonk een snik en ze nam haar stevig in haar armen.

Hun voorhoofden raakten elkaar, toen hun lippen.

Als een auto die urenlang de berg op is gesukkeld en eindelijk de top heeft bereikt, was dat het beslissende moment, het keerpunt.

Andrea's tong ging zoekend, hunkerend op zoek naar de hare en zij beantwoordde haar kus. Ze liet haar nachthemd van haar schouders glijden als een vrucht die te lang aan de boom is blijven hangen en ging met haar tong over de zoute, vochtige huid tussen haar borsten. Andrea liet zich op haar luchtbed zakken. Ze was niet bang meer.

Toen reed de auto in volle vaart de helling af, alsof er geen remmen bestonden.

Ze bleven nog heel lang liggen kletsen, waarbij ze elkaar om de paar zinnen kusten, alsof ze niet konden geloven dat ze elkaar gevonden hadden, dat de ander er nog steeds was.

'Tjonge, dokter. Zorg je altijd zo voor je patiënten?' vroeg Andrea, terwijl ze haar vingers over haar nek liet gaan en ze in haar krullen begroef.

'Dat is mijn hypocriete eed.'

'Ik dacht dat het "Hippocratische eed" heette.'

'Ik heb een andere eed afgelegd.'

'Je kunt zoveel grapjes maken als je wilt, ik ben nog steeds boos op je.'

'Sorry dat ik tegen je heb gelogen, Andrea. Liegen hoort bij mijn werk.'

'Wat hoort er nog meer bij je werk?'

'De regering van mijn land wil weten wat er hier gebeurt. Hou op met vragen stellen, ik kan ze toch niet beantwoorden.'

'We hebben manieren om je aan het praten te krijgen,' zei Andrea en ze zette het spel van haar vingers op een heel andere plek voort.

'Ik weet zeker dat ik het verhoor kan weerstaan,' klonk de hese stem van Doc.

Enkele minuten lang spraken ze geen van beiden, totdat Doc de stilte verbrak met een zacht gekreun. Toen trok ze Andrea naar zich toe en fluisterde haar iets in het oor.

'Chedva.'

'Wat betekent dat?' fluisterde Andrea terug.

'Zo heet ik.'

Andrea onderdrukte een schreeuw. Doc voelde hoe geëmotioneerd ze was en omhelsde haar stevig. Ze waren niets dan stemmen in het donker.

'Je geheime naam.'

'Je mag hem nooit hardop zeggen. Je bent de enige die hem kent.'

'En je ouders dan?'

'Die leven niet meer.'

'Wat erg voor je.'

'Mijn moeder stierf toen ik nog heel klein was en mijn vader dertien jaar geleden, in een gevangenis in de Negev.'

'Waarom zat hij in de gevangenis?'

'Weet je zeker dat je dat wilt weten? Het is een akelig, frustrerend verhaal.'

'Mijn leven zit vol akelige frustraties, Doc. Laat me de smaak van deze week maar eens proeven, voor de verandering.'

Het bleef even stil.

'Mijn vader was een *katsa*, een speciale agent van de Mossad. Er zijn er hooguit dertig; vrijwel niemand van de Firma bereikt die rang. Ik zit er nu al zeven jaar in en ben nog maar een *bat leveyha*, een lagere rang. Ik ben al zesendertig, dus ik denk niet dat ik nog bevorderd zal worden. Mijn vader was al *katsa* op zijn negenentwintigste. Hij heeft jarenlang buiten Israël gewerkt en in 1983 was hij bezig met een van zijn laatste opdrachten. Hij woonde maandenlang in Beiroet.'

'Ik neem aan dat hij jou niet meenam.'

'Als hij naar Europa of Amerika ging meestal wel, maar Beiroet was geen plek voor een jong meisje. Voor niemand eigenlijk. Daar leerde hij pater Fowler kennen, die in die periode naar de Bekaa Vallei moest om drie missionarissen te redden. Mijn vader had veel bewondering voor hem. Hij zei dat wat Fowler heeft gedaan om die drie paters te redden de heldhaftigste actie was die hij iemand ooit had zien uitvoeren, en er werden nog geen tien woorden aan vuil gemaakt in de pers. De paters zeiden dat ze vrijgelaten waren.'

'Dat soort werk is niet echt geschikt voor de publiciteit.'

'Nee, niet echt. Tijdens zijn opdracht stuitte mijn vader op iets wat hij niet had verwacht: een bericht over een groep islamitische terroristen die een aanslag wilde plegen op Amerikaanse doelen met een vrachtwagen vol explosieven. Mijn vader lichtte zijn directe superieur in, die hem antwoordde dat als de Amerikanen zich zo nodig met Libanon moesten bemoeien, ze alles verdienden wat hun overkwam.'

'Heeft hij toen niet zelf ingegrepen?'

'Mijn vader heeft geprobeerd om via een anonieme brief de Amerikaanse ambassade te waarschuwen, maar aangezien er geen betrouwbare bron werd vermeld, is die brief genegeerd. De volgende dag vloog de ambassade de lucht in, waarbij 241 mariniers om het leven kwamen.'

'Mijn god.'

'Mijn vader keerde terug naar Israël, maar daarmee was het verhaal niet afgelopen. De CIA stelde de Mossad verantwoordelijk en de naam van mijn vader kwam naar boven drijven. Maanden later werd hij bij terugkeer van een reis naar Duitsland aangehouden op de luchthaven. De politie doorzocht zijn koffers en trof 200 gram plutonium 29 aan, met bewijsmateriaal dat hij dit aan de Iranese regering wilde verkopen. Daar konden ze een middelgrote atoombom mee produceren. Mijn vader draaide zonder noemenswaardige rechtszaak de gevangenis in.'

'Die spullen waren zeker in zijn koffer gestopt, hè?'

'De CIA had zijn wraak. Dit was zijn boodschap aan alle agenten ter wereld: als jullie zo'n gerucht horen, speel je het bericht aan ons door of anders maken we gehakt van je.'

'O, Doc, wat moet dat erg voor je zijn geweest. Gelukkig wist je vader dat je achter hem stond.'

Er viel opnieuw een stilte, langer dan de eerste.

'Ik durf het bijna niet te bekennen, maar… ik heb jarenlang niet in de onschuld van mijn vader geloofd. Ik dacht dat hij doodziek van zijn werk was en even snel wat geld wilde verdienen om eruit te kunnen stappen. Hij stond er helemaal alleen voor; iedereen had hem laten vallen, zelfs ik.'

Er hing een dikke deken van schaamte en schuld in de lucht…

'Heb je het voor zijn dood kunnen goedmaken?'

'Nee.'

… die plotseling over de dokter heen viel. Ze barstte in snikken uit.

'Twee maanden na zijn dood werd er een *sodi beyoter*-bericht bekend, strikt vertrouwelijke informatie. Daaruit bleek dat mijn vader onschuldig was, met het onomstotelijke bewijs erbij, te beginnen met de herkomst van het plutonium: Amerika.'

'Wacht even… Vertel je me nu dat de Mossad dit vanaf het begin heeft geweten?'

'Ze hebben hem verkocht, Andrea. Ze gebruikten het hoofd van mijn vader om hun eigen blunder te maskeren. Ze stelden de CIA tevreden en het leven hernam zijn loop. Afgezien van die 241 dode soldaten en mijn vader, die in een streng beveiligde gevangenis werd opgesloten.'

'Wat een hufters!'

'Een week later werd mijn vader begraven in Gilot, ten noorden van Tel Aviv, een plek waar eer wordt bewezen aan de gevallenen in de oorlog tegen de Arabieren. Mijn vader is nummer 71 van de leden van de Mossad die daar begraven zijn, met het eerbetoon van een oorlogsheld. Wat niets afdoet aan het leed dat ze mij hebben berokkend.'

'Ik begrijp het echt niet, Doc. Hoe kom je erbij om voor die lui te gaan werken?'

'Om dezelfde reden waarom mijn vader het tien jaar in de gevangenis heeft uitgehouden. Israël gaat voor alles.'

'Je bent al net zo gek als Fowler.'

'Je hebt me nog steeds niet verteld hoe jullie elkaar hebben leren kennen.'

Andrea's stem klonk treurig. Het was geen prettige herinnering.

'In april 2005 was ik in Rome om de dood van de paus te verslaan. Ik kreeg per ongeluk een tape in handen waarop een seriemoordenaar met beelden en al liet zien dat hij twee kardinalen had vermoord. Ze maakten deel uit van het Conclaaf om de opvolger van Johannes Paulus II te kiezen. Het Vaticaan wilde het in de doofpot stoppen en het eind van het liedje was dat ik aan een dakrand hing en voor mijn leven moest vechten. Laten we zeggen dat Fowler wist te voorkomen dat ik te pletter viel. Het betekende alleen wel het einde van mijn mooie primeur.'

'Je hebt gelijk, dat moet heel akelig en frustrerend zijn geweest.'

Andrea kreeg de tijd niet om daarop te reageren, want een oorverdovende klap liet de wanden van de tent trillen en ze schoten allebei geschrokken overeind.

'Wat was dat nou?'

'Ik dacht even… Nee, dat bestaat niet.' Doc brak haar zin bijna angstig af.

206

Een schreeuw.

Nog een.

Gevolgd door het tumult van allerlei mensen die door elkaar riepen en tierden.

'We moeten naar buiten,' zei Andrea en ze greep naar haar kleren.

DE OPGRAVING
Al Mudawarrah-woestijn, Jordanië

Zondag 16 juli 2006, 01.41 uur

Buiten regeerde chaos.
'Breng die emmers hier!'
'Geef die bakken door!'
Jacob Russell en Mogens Dekker stonden midden in een modderstroom die
bij de watertank begon, tegenstrijdige orders te schreeuwen. Een gigantische
scheur achter in de tank spuwde het kostbare vocht uit, dat zodra het op de
grond terechtkwam veranderde in dikke blubber.
Enkele archeologen, Brian Hanley en zelfs pater Fowler holden in hun ondergoed van de ene kant naar de andere in een poging een levende keten te vormen en zo veel mogelijk water op te vangen in emmers en bakken. Het duurde
niet lang voordat de overige expeditieleden zich slaperig en verward bij hen
voegden.
Iemand – Andrea wist niet zeker wie het was, want hij zat van top tot teen
onder de modder – probeerde een dijk van zand te bouwen voor de tent van
Kayn, die precies in de loop van de modderrivier stond. Gelukkig voor de
miljonair bleek de tent net hoog genoeg te liggen en hoefde Kayn zijn schuilplaats niet te verlaten.
Intussen hadden Andrea en Doc zich als laatsten bij de keten gevoegd. Ze waren als enigen volledig aangekleed. Terwijl ze lege emmers naar de ene kant
doorgaf en volle naar de andere besefte de journaliste dat hun bezigheden vóór
de klap hen er allebei toe hadden aangezet om zich helemaal aan te kleden.
'Een autogeen lasser!' schreeuwde Brian Hanley aan het begin van de keten. Ze
herhaalden zijn roep als een litanie, tot hij achteraan was beland.
'Hebben we niet,' antwoordde de keten via Robert Frick, die aan het einde
stond. Hij was zich er sterk van bewust dat een lasbrander en een flinke plaat
metaal de waterstroom konden tegenhouden, maar hij kon zich niet herinneren dat hij er een had uitgepakt en hij had geen tijd om ernaar te gaan zoeken.
Hij moest al het water opslaan dat ze konden redden en wist niet waar hij het
moest laten.
Frick koos voor de enorme containers waarin ze alle materieel hadden vervoerd. Het duurde even voordat iemand op het idee kwam dat ze zo'n bak met
zijn vieren konden verslepen naar de watertank en op die manier meer water
konden redden. Uiteindelijk probeerden Marla Jackson, de tweeling Gottlieb
en Tommy Eichberg een van de bakken die kant uit te sjouwen, maar de laatste
meters waren onmogelijk. Ze zakten weg in het kletsnatte zand of ze struikel-

den, dus het schoot niet op. Toch wisten ze twee containers te vullen voordat de druk van het water afnam.

'Hij is bijna leeg. We kunnen hem afdekken.'

Toen het water tot onder het lek was gedaald, konden ze hem provisorisch afsluiten met een paar meter waterdicht zeil. Er was drie man voor nodig om het zeil er stevig genoeg tegenaan te zetten en nog bleef het water eruit sijpelen, want het lek was te groot en de randen van de scheur waren veel te onregelmatig.

Een halfuur later was de trieste balans opgemaakt.

'Ik denk dat we 1800 liter hebben kunnen redden van de 33.000 liter die nog in de tank zat,' zei Robert Frick verslagen, met bevende handen van uitputting. De meeste expeditieleden bevonden zich op het plein tussen de tenten. Frick, Russell, Dekker en Harel stonden bij de vernielde watertank.

'Geen douches meer, vrees ik,' zei Russell. 'We hebben voor tien dagen water, uitgaande van zeven liter per persoon per dag. Is dat voldoende, dokter?'

'Het wordt steeds warmer. Vandaag was het rond het middaguur 43 graden. Zeven liter betekent zelfmoord voor mensen die in de felle zon staan te werken. En er is minimaal een halve liter per dag nodig voor persoonlijke hygiëne.'

'Er moet ook nog gekookt worden,' zei Frick verslagen. Hij was dol op soep en zag zichzelf al dagenlang op blikvoer leven.

'We redden het wel,' zei Russell.

'Stel dat het langer duurt dan tien dagen om het doel van deze missie te bereiken, Mr. Russell? We moeten Akaba vragen ons te bevoorraden. Dat zal het succes van de expeditie toch niet in gevaar brengen?'

'Dokter Harel, het spijt me dat u dit van mij moet horen, maar ik heb via de scheepsradio gehoord dat Israël vier dagen geleden een gewapend conflict is aangegaan met Libanon.'

'O jee, dat wist ik niet,' loog Harel.

'Alle radicale groeperingen van dit gebied staan op voet van oorlog. Kunt u zich voorstellen wat er zou gebeuren als een lokale handelaar per ongeluk tegen de verkeerde persoon loslaat dat hij een lading water heeft geleverd aan een stel Amerikanen die zich uitleven in de woestijn? Reken maar dat ons watertekort en de indringers die de dood van Erling op hun geweten hebben dan plotseling ons kleinste probleem zijn.'

'Ik begrijp het,' zei Harel, die haar enige kans om Andrea uit de vuurlinie te halen in rook zag opgaan. 'Maar ik wil u niet horen klagen als de een na de ander gaat flauwvallen.'

'Verdomme!' vloekte Russell, en hij trapte uit pure frustratie tegen de banden van de tankwagen. Harel herkende Kayns assistent bijna niet meer: hij zat onder de modder, zijn haar stak alle kanten uit en hij had een uitdrukking op zijn gezicht die totaal niet bij zijn koele, beheerste imago paste. Dit was de eerste keer dat ze hem hoorde vloeken.

De mannelijke versie van Bree Van de Kamp[1] zoals Andrea het zegt.
'Ik waarschuw alleen maar,' zei Doc verdedigend.
'Wat vindt u ervan, Dekker? Hebt u enig idee hoe dit heeft kunnen gebeuren?'
Kayns assistent wendde zich tot de Zuid-Afrikaanse commandant.
Dekker, die geen woord had gezegd sinds de armzalige pogingen om zo veel mogelijk water te redden, lag op zijn knieën achter de tankwagen. Hij tuurde geconcentreerd naar het enorme gat in het metaal.
'Meneer Dekker?' herhaalde Russell kribbig.
De potige soldaat richtte zich in zijn volle lengte op.
'Kijk, een rond gat in het midden. Dat is relatief eenvoudig te veroorzaken. Maar als dat het enige was geweest, hadden we het makkelijk kunnen dichten.'
Hij wees op een onregelmatige lijn die dwars door het grootste gat heen liep.
'Die lijn hier maakt de zaak echter een stuk ingewikkelder.'
'Wat bedoelt u precies?' informeerde Harel.
'De terrorist heeft een smalle strook van explosieven geplaatst die er in combinatie met de waterdruk voor heeft gezorgd dat het metaal van de tank naar buiten zou buigen, in plaats van naar binnen. Zelfs als we een lasbrander hadden gehad, hadden we het niet makkelijk kunnen afdekken. Dit is het werk van een kunstenaar.'
'Geweldig. De *fucking* Da Vinci onder de terroristen,' vloekte Russell en hij sloeg zijn handen voor zijn gezicht.
En nu vloekt hij weer, dacht Harel.

---

1 Personage van de perfecte huisvrouw die obsessief de schijn ophoudt voor de buitenwereld en niet kan leven zonder orde en netheid, uit de tv-serie *Desperate Housewives*.

VRAAG: *Professor Forrester, wat me ontzettend intrigeert zijn de bovennatuurlijke krachten die met de Ark des Verbonds in verband worden gebracht.*

ANTWOORD: Gaat u daar nu weer over beginnen?

Professor, er worden allerlei onverklaarbare gebeurtenissen genoemd in de Bijbel, zoals van dat licht...

Niet 'dat licht'. Het is de *sjechina*, de aanwezigheid van God. Drukt u zich alstublieft duidelijk uit. Inderdaad, de Joden geloven dat er op gezette tijden een vuurgloed aanwezig was tussen de beide cherubs, het onomstotelijke bewijs dat God aan hun zijde stond.

En dat verhaal van die Israëliet die als door de bliksem getroffen ter aarde stortte nadat hij de Ark had aangeraakt? Gelooft u ook dat deze relikwie goddelijke kracht bezit?

Juffrouw Otero, u moet begrijpen dat de mens 3500 jaar geleden heel anders dacht en op een andere manier in de wereld stond dan wij. Als Aristoteles, die duizend jaar dichter bij ons staat, de hemel beschouwde als een verzameling concentrische sferen, kunt u zich voorstellen wat de Ark betekende voor de Joden.

Ik ben bang dat ik de draad kwijt ben, professor.

Het is een simpele kwestie van wetenschappelijke methodiek, van rationele verklaringen. Of van de afwezigheid daarvan. Het was voor de Joden onverklaarbaar dat deze gouden kist een vuurgloed verspreidde en dus gaven ze een religieuze naam aan en verklaring voor iets waar zeker een verklaring voor is. Hij ging het begrip van de mens in de oudheid echter te boven.

Hoe luidt die verklaring, professor?

Hebt u weleens van de Bagdadbatterij gehoord? Nee, dat dacht ik al. Daar hebben ze het nooit over op tv.

Professor...

De Bagdadbatterij is een apparaat dat in 1938 is aangetroffen in een museum in die stad. Het bestond uit een aardewerken kruik met een deksel van asfalt, een ijzeren staaf en een koperen cilinder. Met andere woorden, een elektrochemisch stelsel, primitief maar uiterst functioneel, dat dienstdeed om elektrische stroom op te wekken en gereedschappen of andere voorwerpen te galvaniseren.

Dat is niet zo heel verrassend. In 1938 was die techniek al zeker negentig jaar bekend.

Als u me laat uitspreken, komt u een stuk minder dom over. De onderzoekers die de Bagdadbatterij hebben geanalyseerd, constateerden dat hij oorspronkelijk afkomstig was uit het oude Soemerië en dateerden het apparaat rond 2500 voor Christus. Dat is 1000 jaar voor de Ark en 4300 jaar voordat Faraday zichzelf uitriep tot uitvinder van de elektriciteit.

Is de Ark ook zo'n apparaat?
De Ark is een condensator. Het is een vernuftig ontwerp, dat bedacht is als opslagplaats voor statische elektriciteit: twee metalen lagen van goud, gescheiden door isolatiemateriaal, het hout, en met elkaar verbonden door twee gouden cherubs die fungeren als positieve en negatieve polen.
Maar als het een condensator is, hoe kan hij dan elektriciteit opslaan? ·
Het antwoord is uiterst prozaïsch. De voorwerpen van het Tabernakel en van de tempel waren vervaardigd uit leer, linnen en geitenhaar, drie van de vijf materialen die maximale statische kracht genereren. Onder de juiste atmosferische omstandigheden kon de Ark ladingen van 2000 volt afgeven. Dan is het niet zo vreemd dat hij alleen aangeraakt kon worden door enkele 'uitverkorenen'. Ik durf te wedden dat die zogenaamde uitverkorenen dikke handschoenen droegen.
Wilt u daarmee zeggen dat de Ark niet afkomstig is van God?
Juffrouw Otero, dat is het laatste wat in mijn bedoeling ligt. Ik onderschrijf dat God Mozes heeft verzocht Zijn Geboden op een veilige plaats te bewaren, in een voorwerp dat eeuwenlang vereerd zou worden als de essentie van het Joodse geloof. En ook dat de mens de legende van de Ark kunstmatig in stand heeft gehouden.
Hoe zit het dan met rampen als de val van de muren van Jericho, de zandstormen of de vuurregens die complete dorpen in de as leggen?
Verzinsels of legenden.
Wijst u daarmee resoluut van de hand dat de Ark ongeluk brengt?
Absoluut.

De opgraving
Al Mudawarrah-woestijn, Jordanië

Dinsdag 18 juli 2006, 13.02 uur

Achttien minuten voor haar dood kon Kyra Larsen alleen nog maar aan baby-doekjes denken.
Het was een soort reflex. Met de geboorte van Bente, nu twee jaar geleden, had ze de praktische voordelen leren kennen van een reinigingsdoekje dat altijd vochtig is en lekker ruikt.
En het had als extra voordeel dat haar man er een bloedhekel aan had.
Niet dat Kyra nou zo'n gemeen mens was. Ze vond het echter bij de lol van het huwelijk horen om uit te zoeken waar de zwakke plekken in het pantser van haar man zaten en daar pijltjes in te steken, puur om te zien wat er dan ge-beurde. In elk geval moest Alex nu de hele dag met reinigingsdoekjes worste-len, want nu zij op expeditie was stond hij alleen voor de zorg voor Bente. Kyra zou triomfantelijk terugkeren en de voldoening smaken om haar grote succes onder de neus van meneertje Ik Ben Partner Van Het Advocatenkantoor te wrijven.
Ben ik een slechte moeder omdat ik de verantwoordelijkheid voor Bente met hem wil delen? Nee, toch? Echt niet. Nee.
Toen de uitgeputte Kyra twee dagen geleden uit de mond van professor For-rester hoorde dat het werkritme verdubbeld werd en dat ze niet meer mochten douchen, dacht ze nog dat ze alles aan zou kunnen. Dat niets of niemand haar kon tegenhouden op haar weg om een archeologe van naam te worden. Jam-mer genoeg strookte haar zelfbeeld niet met de realiteit.
Na de aanslag op de watertank had ze zich stoïcijns laten fouilleren. Met modder tot aan haar oren had ze gelaten toegekeken hoe de soldaten haar papieren door-zochten en door haar ondergoed graaiden. Er had veel protest onder de expedi-tieleden geklonken, maar ze waren toch wel opgelucht geweest toen het onder-zoek niets had opgeleverd. Het moreel van de groep was al zwaar aangetast door de dood van Erling en na de aanslag op de tank was het lager dan ooit.
'Het is gelukkig niet iemand van ons,' herhaalde David Pappas, toen het licht uitging en de angst zijn toevlucht zocht in elke schaduw van de tent. 'Laten we ons daaraan vasthouden.'
'Wie het ook is, die weet niet wat we hier aan het doen zijn. Het zullen wel bedoeïenen zijn die ons hier weg willen hebben. Ze durven verder niet veel te doen, denk ik, met al die mitrailleurs hier. Zoveel risico zullen ze niet nemen.'
'Ik zeg jullie al steeds dat dokter Harel er meer van weet,' hield Kyra vol. Ze had de hele wereld verteld dat de dokter niet in haar bed lag toen zij wakker

werd en later net deed alsof het wel zo was. Niemand had er veel aandacht aan geschonken.

'Stil toch, jullie. We doen zowel Erling als onszelf een groot plezier als we een manier vinden om die tunnel te graven. Denk daaraan in jullie slaap,' zei Forrester. Hij had zijn eigen tentje buiten het kamp verlaten op instigatie van Dekker, die de cirkel zo gesloten mogelijk wilde houden.

Kyra was bang, maar evenals de anderen werd ze aangestoken door de heftige verontwaardiging van de professor.

We laten ons hier niet wegjagen. We hebben een opdracht te vervullen en dat doen we, koste wat het kost. Daarna zal alles veel beter zijn, dacht ze, zonder te beseffen dat ze haar slaapzak helemaal tot bovenaan toe dichtritste, in een absurde poging zich te beschermen.

Achtenveertig dodelijk vermoeiende uren later had de groep archeologen de route voor de tunnel bepaald, diagonaal naar het Voorwerp toe. Kyra wilde het niet anders noemen tot ze zeker wisten dat het was wat ze hoopten en niet... iets anders.

Bij zonsopgang op dinsdag was het ontbijt allang verteerd. Alle expeditieleden hadden geholpen om een stalen platform te bouwen om de minigraver een stevig uitvalspunt te bieden op de steile helling. Gezien de gemengde bodemgesteldheid en de hellingsgraad van het terrein zou de sterke, maar kleine machine telkens omkieperen. Vandaar dat David Pappas met het idee van een platform was gekomen, zeven meter boven de kloof, van waaruit ze met graven konden beginnen. Vijftien meter tunnel en vervolgens een stukje diagonaal in tegengestelde richting naar het Voorwerp.

Dat was het plan. Kyra's dood hoorde daar niet bij.

Achttien minuten voor het ongeval was Kyra's huid zo uitgedroogd en plakkerig dat ze bij elke beweging het gevoel had dat ze een stinkend duikerspak droeg. De anderen gebruikten hun beperkte watervoorraad om zich een heel klein beetje te wassen, maar Kyra niet. Ze had altijd dorst en transpireerde ook veel, zeker na de zwangerschap, dus ze nam zelfs stiekem slokjes uit de flessen van de anderen als er niemand keek.

Ze sloot haar ogen en reisde in gedachten naar het kamertje van de kleine Bente, naar de hoekkast, waar de pakjes babydoekjes lagen... het paradijs. Ze fantaseerde dat ze zo'n pakje in haar rugzak had, haar hele lichaam ermee kon inwrijven, het vuil en het stof kon wegvegen uit haar nek, de binnenkant van haar ellebogen, onder de rand van haar beha. En toen nam ze haar kindje in haar armen en net als andere ochtenden speelde ze ermee op haar bedje en vertelde ze dat mammie een schat gevonden had.

De grootste schat van allemaal.

Kyra zeulde met planken die Gordon Durwin en Ezra Levine aan weerszijden van de tunnel plaatsten om te voorkomen dat de zwakke wanden zouden instorten. Drie meter breed en tweeënhalve meter hoog, afmetingen waar de professor en David Pappas uren over hadden zitten bakkeleien.

'Dan duurt het tweemaal zo lang! Dit is verdomme geen archeologische opgraving, Pappas! Het is een reddingsactie en de tijd dringt, als je dat nog niet wist!'

'Als we hem niet breed genoeg maken kunnen we het zand dat uit de tunnel komt niet goed afvoeren. Dan schuurt de graafmachine tegen de wanden en stort de hele boel in. Ervan uitgaande dat we niet op de hardstenen ondergrond van het terrein stuiten, want dan hebben we twee kostbare dagen verloren met dit idiote plan.'

'Rot op met je mooie titel van Harvard, Pappas.'

Maar Pappas had de slag gewonnen: de tunnel werd drie bij tweeënhalf.

Kyra plukte afwezig een kever uit haar haar en liep naar de mond van de tunnel, waar Robert Frick met de aarden wand van de tunnel worstelde. Intussen schepte Tommy Eichberg de opgegraven aarde op een lopende band die over de bodem van de tunnel liep en een halve meter achter het platform eindigde, waar hij een constante stofwolk veroorzaakte boven de bodem van de kloof. De berg die zich daar had gevormd met al het materiaal dat ze van de helling hadden gehaald, reikte al bijna tot het niveau van de tunnel.

'Hoi Kyra,' groette Eichberg lusteloos. 'Heb jij Hanley ergens gezien? Het is zijn beurt.'

'Hij is beneden bezig met een elektriciteitssysteem. Nog even en we zien niets meer hier binnen.'

Zeven meter diep in de berghelling. Na twee uur 's middags was het schaarse daglicht dat door de mond van de tunnel kwam niet voldoende om bij te werken. Eichberg vloekte luid.

'Moet ik nog een uur scheppen? Shit, man!' Hij smeet zijn schop tegen de grond.

'Niet weggaan, Tommy. Als je ermee ophoudt kan Frick ook niet verder.'

'Doe jij het maar, Kyra. Ik moet plassen.'

En hij vertrok.

Kyra keek naar de grond. Het was rotwerk om de aarde op de band te scheppen. Je moest constant opletten dat je geen oplawaai kreeg van de arm van de graafmachine, je stond met een kromme rug en je moest opschieten. Maar ze moest er niet aan denken wat de professor zou zeggen als ze het werk een uur zouden stilleggen. Hij zou haar de schuld geven, zoals altijd. Kyra was er stiekem van overtuigd dat hij een gloeiende hekel aan haar had.

Misschien omdat hij vermoedde dat ik een relatie had met Stowe Erling. Misschien omdat hij liever in zijn plaats was geweest. Ouwe viezerik, ik wilde dat je nú in zijn plaats was, dacht Kyra, terwijl ze zich bukte om de schop op te pakken.

'Kijk uit, achter je!'

Robert Frick reed de graafmachine iets achteruit en het scheelde weinig of hij had met de cabine tegen Kyra's hoofd gezeten.

'Kijk nou uit, man!'

'Ik heb gewaarschuwd, schat. Sorry!'

Kyra maakte een lelijk gebaar naar de graafmachine, maar ze kon onmogelijk boos worden op Frick. De knokige kraandrijver vloekte als een bootwerker, sloeg schunnige taal uit en was de hele dag stoned. Hij was een menselijk wezen in de ruimste zin van het woord; hij was echt. Dat was wat Kyra het meest in hem waardeerde, vooral in vergelijking met de bleke aftreksels die de assistenten van Forrester moesten voorstellen.

De Club van Kontlikkers, noemde Stowe hen. Dat hij er zelf ook zo een was zou hem worst wezen.

Ze begon zand op de lopende band te scheppen. Er zou al snel een nieuwe module aan toegevoegd moeten worden, want de tunnel werd steeds dieper. 'Hé, Gordon, Ezra! Hou even op met stutten, ik heb een nieuwe module nodig voor de transportband.'

Haar twee collega's deden bijna automatisch wat ze vroeg. Ze waren al dagen de grens gepasseerd van wat ze dachten aan te kunnen.

Leeg als de zak van een gokverslaafde, zou mijn opa zeggen. Maar het duurt niet lang meer. We zijn er zo dicht bij dat ik de welkomstcocktail in het Museum van Jeruzalem al kan ruiken. Nog één schep zand en ik moet de journalisten van me af slaan. Nog één schep zand en meneertje Ik Moet Vanavond Overwerken Met Mijn Secretaresse moet hééél hoog tegen me opkijken. Ik zweer het bij mijn Schepper.

Durwin en Levine kwamen terug met de module. De transportband bestond uit een tiental delen, enorme platte worsten van een halve meter lang die met een elektrische kabel aan elkaar gekoppeld werden. Het was weinig meer dan een stel rollers met een plastic band eromheen, maar ze konden er aardig wat kilo's zand per uur mee wegwerken.

Kyra stak voor de lol haar schop nog een keer in het zand, om haar twee collega's lekker te laten wachten met dat zware onderdeel in hun handen. De spade ging diep de grond in met een metalig, raspend geluid.

In een flits van een seconde zag Kyra in gedachten het beeld van een vers, open graf.

Toen stortte de aarde in. Ze verloor haar evenwicht en de twee archeologen wankelden en lieten het onderdeel van de transportband uit hun handen vallen, vlak naast Kyra's hoofd. Ze gilde, maar niet van doodsangst. Ze gilde van verbazing en schrik.

Weer beefde de aarde. Ezra en Levine verdwenen als twee kinderen op een glijbaan. Het kan zijn dat ze gilden, maar dat hoorde Kyra niet, evenmin als het doffe geluid van schuivend zand. Ze voelde niets van de scherpe steen die naar beneden viel en haar voorhoofd tot bloedens toe raakte. Ze hoorde de klap van het ijzer niet, toen de graafmachine tien meter lager tegen de rotswand sloeg en in schroot veranderde.

Kyra schonk nergens aandacht aan, want ze had al haar zintuigen nodig om zich te concentreren op haar vingertoppen. Om precies te zijn op de elf centimeter kabel van het deel van de transportband waar ze zich aan vastklemde, aan de rand van het gat.

Ze trapte met haar benen in de leegte en vond niets om op te steunen. Haar armen leunden tegen de rand en de aarde brokkelde langzaam maar zeker weg onder haar gewicht. In haar zwetende handen veranderde de elf centimeter kabel in negen. Kyra kon zich niet meer met al haar vingers aan dat wanhopige handvat vasthouden.

De zwaartekracht was meedogenloos: ze gleed verder af en nu had ze nog maar zes centimeter over.

In een van die vreemde kronkels van de menselijke geest vervloekte Kyra zichzelf omdat ze Durwin en Levine langer had laten wachten dan nodig was geweest. Als ze de module haaks op de tunnel hadden gelegd, was die kabel niet klem gaan zitten onder de rolletjes van de band.

Toen gleed de kabel weg en stortte Kyra de duisternis in.

DE OPGRAVING
Al Mudawarrah-woestijn, Jordanië

Dinsdag 18 juli 2006, 14.07 uur

'Er zijn meerdere doden gevallen.'
'Wie zijn het?'
'Larsen, Durwin, Levine en Frick.'
'Verdomme! Levine toch niet? Ze hebben hem levend naar boven gehaald.'
'De dokter is erbij.'
'Weet je het zeker?'
'Dat zeg ik toch, verdomme!'
'Wat is er gebeurd? Weer een bom?'
'Een instorting, geen aanslag.'
'Sabotage, ik zweer het je, sabotage.'

Een kring van verslagen gezichten en angstige stemmen verzamelde zich rond het platform. Er klonk geroezemoes toen Pappas aan de mond van de tunnel verscheen, gevolgd door professor Forrester en de tweeling Gottlieb, die vanwege zijn ervaring met abseilen door Dekker was aangewezen om eventuele overlevenden naar boven te halen.
De Duitse tweeling droeg een draagbaar tussen zich in met het eerste stoffelijk overschot, bedekt met een deken.
'Dat is Durwin, ik herken hem aan zijn laarzen.'
De professor kwam bij de rest van de groep staan.
'De tunnel is ingestort. Er liep een onderaardse gang onder, waar we geen rekening mee hadden gehouden. Door de haast om de tunnel te graven konden we niet alles...'
Zijn stem brak.
Zozo, dat staat voor jou gelijk aan toegeven dat je een fout hebt gemaakt, dacht Andrea, die midden in de groep stond. Ze had haar camera in de hand, maar toen ze hoorde wat er was gebeurd, zette ze de dop weer op de lens en hing ze hem over haar schouder.
De tweeling legde het stoffelijk overschot zorgzaam op de grond, pakte de draagbaar op en verdween weer in de tunnel.

Een uur later lagen de lichamen van de drie archeologen en de kraandrijver keurig op een rij op de grond naast het platform. Het had twintig minuten langer geduurd om Levine uit de tunnel te halen. Hij was de enige die de val had overleefd, hoewel Doc weinig voor hem kon doen.

'Hij had inwendige kneuzingen,' fluisterde die Andrea toe, toen ze naast haar ging staan. Ze zat onder de modder en was heel langzaam van het stalen platform naar beneden geklommen, doodsbang om te vallen. 'Het was beter geweest als hij…'

'Niets zeggen.' Andrea kneep Harel stevig in haar hand. Ze liet haar los om haar hoofd te bedekken met haar capuchon, net als de anderen. De enigen die geen gevolg gaven aan dit Joodse gebruik waren de soldaten, wellicht uit onwetendheid.

De doodse stilte, geaccentueerd door de warme bries die om de rotsen speelde, werd plotseling ruw onderbroken door het geluid van een woedende stem die steeds dichterbij kwam.

Toen Andrea omkeek geloofde ze haar ogen niet. De stem was van Russell. Hij liep een halve meter achter Raymond Kayn aan, die op amper dertig meter van het platform kwam aangelopen.

De multimiljonair liep moeizaam, met hangende schouders en de armen voor zijn borst gekruist. Zijn assistent liep met een boos gezicht achter hem aan en zweeg pas toen hij begreep dat iedereen hem kon horen. Hij werd er duidelijk bloednerveus van dat Kayn zijn tent uit was gewandeld.

Langzaam maar zeker wendden alle expeditieleden hun gezicht naar de twee mensen die hun kant uit kwamen. Behalve Andrea en Dekker had van alle aanwezigen alleen Forrester Raymond Kayn in levenden lijve ontmoet en dat slechts eenmaal, tijdens een gespannen marathonvergadering in de Kayn Tower, waarin de archeoloog zonder zich twee keer te bedenken de vreemde eisen van zijn nieuwe mecenas had geaccepteerd. De beloning was dan ook erg hoog.

De prijs ook. Die lag voor zijn voeten op de grond, in de vorm van vier lichamen, afgedekt met een deken.

Kayn bleef vier meter van hen af staan; een bevende, wankelende man op blote voeten, zijn hoofd bedekt met een keppeltje, even wit als de rest van zijn kleding.

In de openlucht leek hij met zijn magere, kleine gestalte kwetsbaarder dan ooit en toch moest Andrea de neiging onderdrukken om te knielen. Ze merkte dat de mensen om haar heen van houding veranderden, alsof ze werden geraakt door een onzichtbaar magnetisch veld. Brian Hanley, die nog geen halve meter van haar af stond, begon van de ene voet op de andere te wiebelen. David Pappas boog bijna onmerkbaar het hoofd en zelfs Fowler had vochtige ogen. De priester stond iets terzijde van de anderen.

'Lieve vrienden, ik wil me graag aan u voorstellen. Ik ben Raymond Kayn,' zei de oude man. Zijn heldere stem logenstrafte zijn kwetsbare uiterlijk.

Enkele aanwezigen knikten, maar hij lette er niet op en sprak verder.

'Het spijt me dat onze eerste kennismaking onder deze trieste omstandigheden moet plaatsvinden. Ik wil u verzoeken samen met mij te bidden. Hij sloeg zijn ogen neer en bad:

El maley rachamim shochen bam'romim
hamtzey menuchah nechonah al kanfey haschechinah
bema'alot kedoshim ute'horim
kezohar harakia me'irim umazhirim
lenishmat
Amen.[1]

Allen antwoordden: 'Amen.'
Vreemd genoeg voelde Andrea zich plotseling een stuk beter, ook al begreep ze geen woord van wat er was gezegd en al was ze in een ander geloof opgevoed. Er volgde een korte, gewijde stilte, die door de stem van dokter Harel in duizend stukjes werd gebroken.
'Gaan we nu naar huis, meneer?' vroeg ze met uitgestrekte armen en haar handpalmen geopend, als in een stomme smeekbede.
'We houden ons aan de *halacha*[2] en gaan onze broeders begraven,' antwoordde Kayn. Zijn stem klonk redelijk en evenwichtig na de verslagen, raspende vraag van Doc.
'Daarna nemen we enkele uren rust en hervatten we ons werk. We staan niet toe dat onze vrienden voor niets zijn gestorven.'
Toen hij dit gezegd had, draaide Kayn zich om en keerde hij terug naar zijn tent, op de hielen gevolgd door Russell.
Andrea keek verbijsterd om zich heen en zag alleen goedkeurende gezichten.
'Ik kan niet geloven dat ze die flauwekul zomaar pikken,' fluisterde ze tegen Harel. 'Hij is niet eens bij ons komen staan. Hij bleef meters bij ons uit de buurt, alsof we de pest hebben of hem iets zouden kunnen aandoen of zo.'
'Hij die gevreesd werd, was niet een van ons.'
'Waar heb je het in godsnaam over?'
Doc gaf geen antwoord. Het ontging Andrea niet dat ze een snelle blik van verstandhouding wisselde met Fowler. Het gezicht van de priester was wit weggetrokken.
Als hij niet een van ons is, van wie is hij dan?

---

1 Genadige God die in de hemelen zij, mogen de zielen van onze vrienden rusten onder de vleugels van Uw Goddelijke aanwezigheid; in de Goddelijke hoogten van heiligheid en zuiverheid die schitteren als de geest die onderweg is naar U.
2 De Joodse wetten.

Broeders, het grote moment is aangebroken. *Huqan* verzoekt u om voorbereidingen te treffen voor morgen. Uw uitrusting wordt verzorgd door een lokale bron. U reist vanuit Syrië over land naar Amman, waar Achmed u verder helpt. K.

* * * *

Salaam Aleikum. Voor uw vertrek wil ik u wijzen op enkele woorden van Al Tibrizi, die mij persoonlijk hebben geïnspireerd. Ik hoop dat ze u de benodigde kracht geven voor uw missie. W.

> 'De boodschapper van God zei: "Een martelaar ontvangt zes voorrechten van God: vergiffenis voor al zijn zonden zodra de eerste druppel bloed heeft gevloeid; hij verwerft zich een zetel in het paradijs; hij zal verlost worden van de kwellingen van het graf, wordt beschermd tegen de beproevingen van de Dag des Oordeels en gekroond met een kroon van waardigheid, waarin één robijn meer waard is dan de hele wereld en al wat hij bevat; hij mag huwen met 72 zuivere maagden en heeft recht op bemiddeling ten voordele van 70 van zijn familieleden."'

* * * *

Bedankt, W. Mijn vrouw heeft me vandaag gezegend en nam afscheid van me met een glimlach in haar ogen en rond haar lippen. Ze zei tegen me: 'Vanaf de dag dat ik je leerde kennen wist ik dat je in de wieg was gelegd voor het martelaarschap. Dit is de gelukkigste dag van mijn leven.' Gezegend zij Allah dat hij me een vrouw als zij heeft geschonken. D.

222

* * * *

Gefeliciteerd, D.O.

* * * *

Is uw ziel niet vol vreugde? Konden we het maar met iemand delen, het van de daken schreeuwen. D.

* * * *

Ik zou het ook graag willen delen, maar ik deel jouw vreugde niet. Ik voel me heel vredig. Dit is mijn laatste bericht, want ik vertrek over enkele uren met mijn twee broeders naar de afspraak in Amman. W.

* * * *

Ik voel dezelfde vrede als W. De euforie is begrijpelijk, maar gevaarlijk. Moreel gezien, want de euforie is de zuster van de trots. Tactisch gezien, want ze kan tot fouten leiden. Verklaar je gedachten, D. Als je in de woestijn zit zul je urenlang in de branden-de zon op een teken van *Huqan* moeten wachten. De euforie kan makkelijk omslaan in wanhoop. Ga op zoek naar redenen die je met vrede zullen vervullen. O.

* * * *

Wat raad je me aan? D.

* * * *

Denk aan de martelaren die je zijn voorgegaan. Onze strijd, de strijd van de *oemma*, wordt stap voor stap gevoerd. De broeders die de ongelovigen in Madrid vernietigden hebben één stap gezet. De broeders die de torens opbliezen zetten er tien. Onze opdracht zal een miljoen stappen betekenen. Met onze missie dwingen we de indringers voor altijd op de knieën. Kun je je dat voorstellen? Jouw leven, jouw vlees en bloed zullen een doel vervullen waar geen broeder aan kan tippen. Stel je een oude koning voor die een deugdzaam leven heeft geleid, zijn zaad heeft vermeerderd in een enorm harem, zijn vijanden heeft verslagen en zijn koninkrijk in naam van God heeft vergroot. Hij kijkt tevreden om zich heen omdat hij zijn taak heeft volbracht. Zo zou jij je moeten voelen. Hou vast aan die gedachte en breng haar over op de strijders die je meeneemt naar Jordanië. P.

* * * *

Ik heb uren over je woorden nagedacht, O. Dank je wel. Ik voel me nu geheel anders, dichter bij God. Het spijt me alleen dat dit het laatste bericht is dat ik je kan sturen, hoewel we elkaar in het hiernamaals in triomf zullen weerzien. Ik heb veel van je geleerd en jouw lessen doorgegeven aan de anderen. Tot in de eeuwigheid, broeder. Salaam Aleikum.

إحفظ نسخة من الرسالة في ملف الصادر ☐

DE OPGRAVING
Al Mudawarrah-woestijn, Jordanië

Woensdag 19 juli 2006, 11.34 uur

Andrea hing acht meter boven de plek waar de dag daarvoor vier mensen dodelijk ten val waren gekomen en voelde zich ondanks alles bruisender van leven dan ooit tevoren. Ze kon niet ontkennen dat de aanwezigheid van de dood haar zintuigen scherpte en haar op de een of andere manier dwong uit een droom te ontwaken waar ze voor haar gevoel al tien jaar in zat.

Ineens lijken vragen als heb ik een grotere hekel aan mijn vader omdat hij een intolerante homohater is of aan mijn moeder omdat ze de kleinzieligste mens ter wereld is zo onbelangrijk, vergeleken bij de vraag of deze kabel mijn gewicht wel kan houden.

Andrea had nooit aan abseilen of bergbeklimmen gedaan en had gevraagd of ze haar heel langzaam de grot in wilden laten zakken, deels omdat ze het doodeng vond en deels omdat ze alles vanuit verschillende hoeken wilde fotograferen.

'Oké, jongens. Even wachten. Dit is een goeie,' schreeuwde ze omhoog.

Ze hielden de kabel stil.

De restanten van de minigraver lagen onder haar, als een stuk vernield speelgoed van een kind. De graafarm lag er in een vreemde hoek naast en er zat bloed op de voorruit. Andrea richtte de lens naar de andere kant, want...

ik haat bloed, ik haat het

... zelfs haar gebrek aan ethiek kende beperkingen. Ze richtte haar lens op de achterwand van de grot, maar net toen ze wilde klikken begon ze rond te draaien.

'Hou hem even stil, ja? Zo kan ik niet fotograferen.'

'U bent niet bepaald vederlicht, juffrouw,' hoorde ze Brian Hanley roepen. Hij liet haar samen met Tommy Eichberg zakken, geholpen door een lier. 'We kunnen u denk ik beter laten zakken.'

'Kom op, nou. Jullie kunnen die 55 kilo van mij toch wel houden? Ik dacht dat jullie zo sterk waren,' zei Andrea, die altijd had geweten hoe ze een man moest manipuleren.

'Ze weegt heel wat meer dan 55 kilo,' foeterde Hanley zachtjes.

'Dát hoorde ik,' riep Andrea quasibeledigd naar boven.

Ze kon echter onmogelijk kwaad worden op Hanley. Daar was ze veel te opgewonden voor en bovendien had ze het te druk. De elektricien had de grot zo helder verlicht dat Andrea de flits amper nodig had. Alleen door de gevoeligheid ietwat te verhogen kon ze spectaculaire foto's maken van de laatste fase van de expeditie.

Niet te geloven. We zijn één stap verwijderd van de grootste ontdekking aller tijden en de foto die op alle voorpagina's verschijnt is van mij.

Het was voor het eerst dat de journaliste de grot goed kon bekijken. Op de plek van waaruit ze volgens de berekeningen van Pappas een tunnel moesten graven, diagonaal boven de vermoedelijke plek van de Ark, waren ze op een natuurlijke grot gestuit die zich langs de wanden van het ravijn uitstrekte.

'Stel je voor hoe dit ravijn er dertig miljoen jaar geleden uit heeft gezien,' had Pappas haar de dag daarvoor uitgelegd. Hij maakte er een schets bij in haar aantekenboekje. 'In die tijd stroomde er water in dit gebied en daardoor is deze slenk ontstaan. Toen het klimaat veranderde, begonnen de rotswanden te slijten en vormden ze dit terrein van compacte aarde en steen dat zich rond de rotswanden voegt als een soort reuzentandsteen, over de grotten heen waar we nu bij toeval op gestuit zijn. Het is verschrikkelijk dat mijn verkeerde inschatting zoveel levens heeft gekost. Als ik het weerstandsvermogen van de grond in de tunnel had getest...'

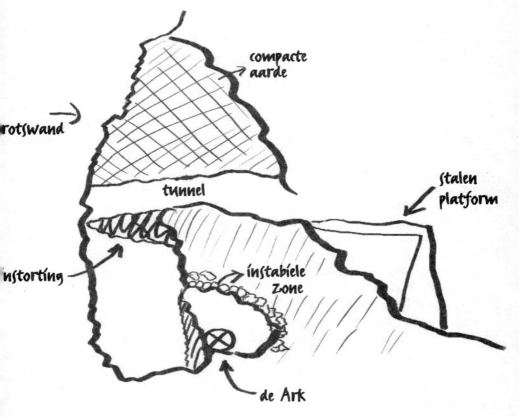

225

'Ik zou graag willen zeggen dat ik precies weet hoe u zich voelt, David, maar ik kan me er eerlijk gezegd geen voorstelling van maken. Ik kan u alleen mijn steun aanbieden en de anderen kunnen naar de hel lopen.'

'Dank u wel, juffrouw Otero. Dat betekent heel veel voor me. Vooral nu enkele leden van de expeditie me nog steeds beschuldigen van de dood van Stowe, alleen omdat we de hele dag ruzie met elkaar maakten.'

'Noem me alsjeblieft Andrea.'

'Graag,' zei de archeoloog, terwijl hij verlegen zijn bril naar achteren op zijn neus schoof. De journaliste besefte dat David zo gespannen was als een veer en elk moment kon ontploffen. Ze overwoog hem een knuffel te geven, maar er was iets met die jongen wat haar een ongemakkelijk gevoel gaf, als een schilderij waar plotseling meer licht op valt en dat dan iets heel anders blijkt voor te stellen dan je dacht.

'Denk je dat de mensen die de Ark hebben begraven wisten dat er onderaardse gangen omheen liepen?'

'Dat weet ik niet. Ik acht het zeer waarschijnlijk dat er ergens in de kloof een andere ingang is, bedekt met stenen of aarde. Volgens mij hebben ze die gebruikt om de Ark daar beneden neer te zetten, via een weg die we makkelijk hadden kunnen vinden als deze klote-expeditie niet zulk gekkemanswerk was geweest waar alles al doende geïmproviseerd moet worden. We werken op een manier zoals geen archeoloog het ooit in zijn hoofd zou halen. Een schatzoeker, ja, maar een archeoloog niet. Zo heb ik het in elk geval niet geleerd.'

Andrea had geleerd hoe ze moest fotograferen en dat deed ze dan ook. Omdat ze nog steeds met de draaiende kabel kampte strekte ze haar linkerarm uit naar een uitstekende richel boven haar hoofd, terwijl ze haar camera in haar rechterhand op de bodem van de grot richtte, een smalle, hoge ruimte die aan het eind nog smaller werd. Daar had Hanley een generator neergezet en een paar flinke schijnwerpers, waardoor de schaduwen van professor Forrester en David Pappas duidelijk uitkwamen tegen de hoge, doorgroefde rotswand.

Bij elke beweging die ze maakten wierpen ze fijn zand op, dat lang in de lucht bleef dwarrelen. Er hing een droge, bittere lucht, als van een asbak van aardewerk die te lang in de oven heeft gestaan. De professor bleef maar hoesten, ondanks het papieren ziekenhuismasker voor zijn mond en neus.

Ze maakte verschillende opnamen, tot Hanley en Tommy het beu waren.

'Laat die richel los; we laten u zakken.'

Andrea gehoorzaamde en stond nog geen minuut later op de grond. Ze maakte de gespen van haar veiligheidsgordel los en het koord werd omhooggetrokken. Nu was Brian Hanley aan de beurt.

Andrea liep naar David Pappas toe, die de professor hielp om op de grond te gaan zitten. De oude man trilde als een espenblad en hij had het zweet op zijn voorhoofd staan.

'Neem een slokje van mijn water, professor,' bood David aan.

'Idioot. Drink het zelf op. Jij moet die grot in!' Die woorden brachten een nieuwe hoestbui op gang. Hij rukte het masker af en spuwde bloederig slijm uit op de grond.

Ondanks zijn verzwakte stem was de professor even beledigend als altijd. David stak zijn veldfles weer in zijn riem en keek Andrea aan.

'Fijn dat je ons komt helpen. Na het ongeluk zijn alleen de professor en ik nog maar over... En aan hem hebben we niet veel meer,' voegde hij er fluisterend aan toe.

'De stront van mijn kat ziet er beter uit.'

'Hij gaat... Nou ja, dat weet je. We kunnen het onvermijdelijke alleen voorkomen als we hem op het eerste vliegtuig naar Zwitserland zetten.'

'Tjonge, daar geef ik me ook voor op.'

'Met al dat stof in die grot...'

'Ik kan wel geen lucht krijgen, maar met mijn oren is niets aan de hand,' zei de professor. Hij eindigde elk woord met een geluid dat Andrea deed denken aan de pieptoon die je krijgt als je twee papiertjes heel snel tegen elkaar aan wrijft. 'Hou op met dat geroddel over mij en ga aan het werk. Ik ga niet dood voordat je hem eruit hebt gehaald, stuk onbenul.'

David trok een lelijk gezicht. Andrea dacht even dat hij de oude man van repliek zou dienen, maar de woorden bestierven op zijn lippen.

Hij heeft je goed in de tang, hè? Je haat hem vanuit de grond van je hart, maar je kunt niet tegen hem op. Hij heeft je ballen niet alleen afgeknepen, je moest ze bakken en opvreten als ontbijt, peinsde Andrea met een onverwacht gevoel van medelijden.

'Oké, David, zeg maar wat ik moet doen.'

'Kom maar mee.'

Een paar meter verderop in de grot veranderde de samenstelling van de wand bijna onmerkbaar. Andrea dacht bij zichzelf dat het zonder die duizenden kilowatt verlichting niemand opgevallen zou zijn. In plaats van de naakte rots was er een zone waarin de wand gevormd leek door stukken steen die erop geplakt waren.

Dit was door mensenhanden gemaakt.

'Mijn god, David.'

'Wat mij verbaast is hoe ze zo'n stevige wand hebben kunnen bouwen zonder metselspecie, terwijl ze maar aan één kant konden werken.'

'Misschien is er aan de andere kant van de ruimte die erachter ligt ook nog een uitgang. Je hebt zelf gezegd dat die er moest zijn, volgens jou.'

'Kan zijn, maar ik denk het niet. Ik heb negen lezingen met de magnetometer gedaan. Achter deze wand van stenen ligt dat onstabiele gebied dat we in het begin hadden gescreend. Een spelonk die trouwens zeer veel overeenkomsten vertoont met die van de Koperrollen.'

'Toeval?'

'Dat betwijfel ik.'

David knielde neer en streek met zijn vingertoppen over de wand. Toen hij op een spleetje tussen twee stenen stuitte probeerde hij er uit alle macht aan te trekken.

'Het lukt niet,' zei hij. 'De spelonk is zorgvuldig afgesloten met stenen die om de een of andere reden nu nog steviger op elkaar zitten dan tijdens de constructie. Het lijkt wel of de druk van de aarde tegen de wand is verhoogd in de vrijwel tweeduizend jaar die er intussen voorbij zijn gegaan. Bijna alsof... '

'Alsof wat?'

'... alsof God zelf de poort heeft verzegeld. Niet lachen.'

Mij hoor je niet lachen, dacht Andrea. *Ik vind er niets grappigs meer aan.*

'Kunnen we die stenen niet een voor een weghalen?'

'Niet als we niet weten hoe dik die muur is en wat erachter ligt.'

'En hoe wil je dat doen?'

'Door erdoorheen te kijken.'

Vier uur later waren ze er met de hulp van Brian en Tommy in geslaagd een klein gat in de muur te boren, niet groter dan een golfbal. Ze hadden de motor van de zware boormachine gedemonteerd – die nog nooit was gebruikt, want de eerste tunnel liep horizontaal door een zone van puur zand – en hem in delen de tunnel door gesleept. Hanley zette een onooglijke hybride van de boormachine in elkaar, met onderdelen van de vernielde minigraver die aan het begin van de grot lag.

'Dat is hergebruik. *Ei gut!'* zei Hanley, trots op zijn werk.

Het eindproduct was bizar en amper bruikbaar. Om hem in balans te houden moesten ze met zijn vieren tegelijk kracht zetten en hard duwen. Alsof dat nog niet erg genoeg was konden ze alleen de kleinste koppen gebruiken om de muur aan zo min mogelijk trillingen bloot te stellen.

'Twee meter en veertien centimeter!' schreeuwde Hanley boven de knetterende motor uit.

David stak een camera die door een optische vezel verbonden was met een kleine zoeker door het gat, maar de kabel van de camera was te kort en de grond aan de andere kant van de muur lag vol met obstakels.

'Verdomme. Zo zien we niets.'

Tók.

Andrea greep met haar hand naar haar nek. Er gooide iemand met steentjes. Ze keek zoekend om zich heen.

Forrester probeerde hun aandacht te trekken, maar kon onmogelijk boven de ronkende motor uit komen. Pappas ging naar hem toe en boog zich over hem heen.

'Dat is het!' juichte Pappas opgewonden. 'Zo gaan we het doen, professor. Brian, denk je dat je dat gat groter kunt maken, twintig bij dertig?'

'Aan mijn reet!' Hanley krabde zich op het hoofd. 'We hebben geen kleine koppen meer.'

Hij zat met dikke handschoenen de verbogen punt van de laatste kop te demonteren, waar de rook vanaf sloeg. Andrea herinnerde zich wat er was gebeurd toen ze probeerde een schitterende foto van Manhattan op te hangen in haar flat en daar een steunmuur voor had uitgekozen. De kopspijker was gebroken alsof hij van yoghurt was.

'Frick had het vast wel voor elkaar gekregen,' klaagde Brian met zijn ogen op de plek waar zijn vriend de vorige dag was omgekomen. 'Hij had meer ervaring met dit soort dingen dan wie dan ook.'

Pappas zweeg nadenkend. De inspanning was op zijn gezicht te lezen. De anderen konden zijn hersenen bijna horen kraken.

'Als we nou eens middelgrote koppen gebruikten?' stelde hij voor.

'Dat zou wel gaan. Dan is het binnen twee uur gepiept. Maar dan is de trilling veel hoger en met die instabiele zone erachter... lopen we een groot risico. Snap je dat?'

David begon keihard te lachen, zonder ook maar een greintje vrolijkheid.

'Of ik snap dat ik het risico loop dat het belangrijkste voorwerp uit de hele geschiedenis verpletterd wordt onder vier ton gesteente? Dat het werk van jaren in één klap wordt vernietigd, evenals een investering van miljoenen dollars? Of dat er vijf mensen helemaal voor niets zijn gestorven?'

Shit. Nu zie ik hem heel anders. Hij is ook door het virus aangestoken, net als de professor, dacht Andrea.

'Ja Brian, ik snap het. Ik ben bereid het risico te nemen,' besloot David kalm.

DE OPGRAVING
Al Mudawarrah-woestijn, Jordanië

Woensdag 19 juli 2006, 19.06 uur

Andrea maakte nog een foto van Pappas, die op zijn knieën voor de stenen muur lag. Zijn gezicht lag verborgen in de schaduw, maar de robot was duidelijk zichtbaar.

Dat is ook beter, David... je bent nu eenmaal niet moeders mooiste, dacht Andrea kattig bij zichzelf. Over een paar uur zou ze die gedachte diep betreuren, maar op dit moment was het precies wat ze dacht. Dat apparaat was een mirakel.

'Stowe noemde het de ATER, *Annoying Terrain Explorer Robot* of onderzoeksrobot voor lastig terrein. Wij noemen hem altijd Freddie.'

'Hoezo Freddie?'

'Gewoon, om Stowe te stangen. Het was een arrogante klojo,' antwoordde David. Andrea verbaasde zich over de ingehouden woede die de verlegen archeoloog verborgen probeerde te houden.

Freddie was ontwikkeld door Stowe, die treurig genoeg de première van zijn robot moest missen. Hij bestond uit een systeem met een mobiele camera met afstandsbediening die overal ingezet kon worden waar de mens niet zonder gevaar naartoe kon. Freddie was uitgerust met twee paar rupsbanden, vergelijkbaar met die van een tank, om vrijwel alle obstakels te kunnen nemen. Hij kon zich over zijn hele lengte samenpersen en zelfs tien minuten onder water doorbrengen zonder schade op te lopen. Erling had het idee gekopieerd van een groep archeologen uit Boston en hem samen met een stel ingenieurs van het Massachusetts Institute of Technology nagebouwd. Later was hij door diezelfde ingenieurs aangeklaagd omdat hij er met het prototype vandoor was gegaan, iets wat Stowe nu niet meer kon deren.

'Als we hem door het gat kunnen steken, krijgen we beelden binnen van die spelonk,' zei David. 'Zo kunnen we bepalen of het veilig is om de muur te slopen zonder te vernietigen wat er aan de andere kant ligt.'

'Hoe ziet die robot dat dan?'

'Freddie is uitgerust met nachtzicht. Hij straalt voor het menselijk oog onzichtbaar infrarood licht uit. De kwaliteit is niet heel goed, maar ik denk dat het voldoende zal zijn. We moeten alleen voorkomen dat hij ergens vast komt te zitten of omkiepert. Als hij kantelt, is het gebeurd.'

De eerste meters waren het makkelijkst. De eerste etappe was vrij nauw, maar Freddie kon er net doorheen. Hij kreeg het iets moeilijker toen hij het hoogte-

verschil tussen de muur en de grond moest overbruggen. Het terrein was ruw en oneffen; overal lagen losse stenen. Gelukkig kon de robot zijn rupsbanden los van elkaar gebruiken, zodat hij niet al te hoge hindernissen kon nemen. 'Twee derde meer naar links.' David zat met zijn neus op het scherm, waarop weinig meer te zien was dan een stenenveld in zwart-wit. Tommy Eichberg zat op verzoek van hem achter de knoppen, omdat die met zijn korte, dikke vingers een vaste hand had. De banden werden in beweging gezet door een lichte draai aan de knoppen, die met twee dikke kabels met Freddie verbonden waren; de kabels voorzagen hem tevens van energie en konden van pas komen om hem terug te halen, mocht er iets misgaan.

'We zijn er bijna. Oef!'

Het scherm flikkerde vervaarlijk en het apparaat stond heel even op het punt om te vallen.

'Kijk nou toch uit, verdomme,' schreeuwde David.

'Rustig effe, jochie. Die banden zijn gevoeliger dan de clitoris van een non. Sorry, Andrea,' zei hij verontschuldigend. 'Ik kom uit de Bronx.'

'Maakt me niet uit, ik ben Harlem gewend,' grapte Andrea terug.

'Hou hem een beetje stabiel, ja?'

'Ik doe mijn best, ik doe mijn best!'

Met een lichte draai aan de knoppen manoeuvreerde hij de robot over de ongelijke bodem.

'Heb je enig idee hoeveel meter hij al heeft afgelegd?' vroeg Andrea.

'Tweeënhalve meter langs de muur,' antwoordde David. Hij veegde het zweet weg dat van zijn voorhoofd droop. Door de generator en de spots werd het steeds warmer in de grot.

'En hij heeft... Wacht even.'

'Wat is er?'

'Ik dacht dat ik iets zag.'

'Zeker weten? Ik kan hem heel moeilijk draaien.'

'Tommy, breng hem eens iets naar links, alsjeblieft.'

Eichberg wierp een blik op Pappas, die knikte. Het scherm kwam langzaam in beweging en liet de donkere omtrek van een cirkel zien.

'Ietsje naar achteren.'

Twee driehoeken met smalle randen, vlak naast elkaar.

Een rij kleine vierkanten, vlak naast elkaar.

'Nog een klein stukje.'

Ten slotte veranderden de geometrische vormen in iets herkenbaars.

'Lieve God, het is een schedel.'

Andrea keek Pappas met een triomfantelijk gezicht aan.

'Dat is het antwoord op je vraag: zo hebben ze die muur aan de andere kant gebouwd, Pappas.'

De archeoloog hoorde haar niet eens. Hij tuurde zachtjes mompelend naar het scherm en klemde zijn handen er wanhopig omheen, als een doorgedraafde zieneres om haar kristallen bol. Een dikke zweetdruppel sijpelde van zijn brede neus en drupte op een van de schedelholten, op de plek waar ooit de wang van de dode had gezeten.

Alsof hij huilt, dacht Andrea.

'Snel, Tommy! Ga eromheen, ga verder,' riep Pappas met een stem die ze nauwelijks herkende. 'Ga naar links!'

'Rustig, man. We moeten heel voorzichtig zijn. Volgens mij ligt er een...'

'Laat maar, ik doe het zelf wel.' David stortte zich op het regelpaneel.

'Maar... Wat doe je?' riep Eichberg geïrriteerd. 'Blijf af, idioot.'

Eichberg en Pappas vochten enkele seconden om de controle, waarbij ze ongewild aan de knoppen zaten. Davids gezicht was zo rood als een kreeft en de punten van Eichbergs snor gingen omhoog en omlaag in het ritme van zijn woedende ademhaling.

'Kijk uit!' riep Andrea uit, die zag dat het scherm als een dolle begon te bewegen en vervolgens helemaal stilstond.

Eichberg liet de knoppen meteen los en David deinsde achteruit, waardoor hij zijn slaap openhaalde aan de rand van de monitor. De schade aan zijn hoofd was echter aanzienlijk minder ernstig dan de schade die hij op het scherm zag.

'Dat probeerde ik je te vertellen, lul. Er zat een hoogteverschil.'

'Verdomme. Waarom liet je niet los? Nu is hij omgekieperd. Hij is gekanteld!'

'Hou je kop. Jij hebt hem gemold, met je idiote haast.'

Andrea riep hen met een luide schreeuw tot de orde.

'Koppen dicht. Hij ligt helemaal niet op zijn kant, kijk dan!' wees ze.

Ze kwamen schoorvoetend kijken. Brian Hanley, die buiten op zoek was gegaan naar onderdelen en zich tijdens de ruzie weer via het touw had laten zakken, kwam er ook bij staan.

'Dat kunnen we wel verhelpen,' zei hij, nadat hij het scherm aandachtig had bekeken. 'Als we met zijn allen tegelijk een ruk aan die kabel geven staat hij weer op zijn banden. Als we zachtjes trekken slepen we hem alleen maar over de grond tot hij ergens vast komt te zitten. Het moet een korte, stevige ruk zijn, snel als een zweepslag.'

'Dat gaat niet werken,' zei Pappas. 'Dan rukken we de kabel eruit.'

'Het is het proberen waard.'

Ze stelden zich op en grepen de kabel met beide handen vast, zo dicht mogelijk bij het gat. Hanley trok de kabel langzaam aan totdat hij praktisch op scherp stond.

'Als ik drie zeg. Een, twee... dríé!'

Ze gaven alle vier een ruk aan de kabel.

Die lag ineens slap in hun handen.

'Verdomme. We hebben hem eruit getrokken.'

Hanley bleef eraan rukken, tot hij hem er helemaal uit gehaald had.

'Maar ik... shit, Pappas... het spijt me.'

De jonge archeoloog had alleen aandacht voor wat er op het scherm gebeurde.

Hij had zich in zijn wanhoop als een dolle omgedraaid, bereid om de eerste die hij tegenkwam op zijn bek te slaan. Hij greep een dopsleutel om zijn woede op de monitor te botvieren, misschien als een vertraagde reactie op de klap tegen zijn voorhoofd van even daarvoor – toen hij stokstijf bleef staan, met zijn ogen op het scherm geplakt.

Andrea kwam nieuwsgierig kijken... en wist niet wat ze zag.

Nee.

Dit kan niet waar zijn.

Ik heb er toch nooit in geloofd? Ik heb toch geen seconde geloofd dat je werkelijk bestond?

Het laatste fotogram dat de robot had genomen stond bevroren op de monitor. Een fotogram waarbij hij heel even op zijn banden had gestaan, voordat de kabel eruit getrokken werd. Nu de schedel uit zijn blikveld was verdwenen, liet het beeld een schittering zien die Andrea amper kon bevatten, tot ze begreep dat het een teveel aan infrarood licht was dat weerkaatst werd door een metalen vlak. Ze meende de omtrek te onderscheiden van iets wat op een grote kist leek met een gedaante erboven, maar wist het niet zeker.

Pappas wist het echter wel zeker. Hij mompelde met een verloren blik: 'Dat is hem, professor. Ik heb hem gevonden. Ik heb hem voor u gevonden...'

Andrea draaide zich om en maakte zonder erbij na te denken een foto van de professor, omdat ze zijn eerste uitdrukking van verbijstering en vreugde niet wilde missen, de beloning na een heel leven van onderzoek, toewijding en emotioneel isolement. Ze klikte driemaal voordat ze echt keek.

Zijn ogen stonden uitdrukkingsloos en uit zijn mond kwam niets dan een straaltje bloed dat traag over zijn kin sijpelde.

Brian holde naar hem toe.

'Verdomme. Hij moet hier weg. Hij ademt niet meer.'

Lower East Side, New York

December 1943

Yudel had zo'n honger dat hij de rest van zijn lichaam niet meer voelde. Hij wist alleen dat hij zijn verkrampte maag door de straten van Manhattan sleepte. Hij verschool zich in portalen en stegen, maar bleef nooit lang op één plek. Opgeschrikt door een geluid, een lichtstraal of een stem sloeg hij op de vlucht, waarbij hij zich vastklemde aan het versleten bundeltje kleren dat hij bij zich had, zijn enige bezit. Behalve de korte tijd die hij in Istanbul had doorgebracht, had hij nooit een ander thuis gekend dan de veilige buik van het onderduikadres en het scheepsruim. Het bruisende, hectische, hel verlichte New York was voor Yudel een dreigend woud. Hij dronk water uit fonteinen en afvoerbuizen. Een dronken bedelaar krabde zijn benen open toen hij langsliep. Hij werd aangeroepen door een politieman op de hoek. Zijn uniform deed hem denken aan dat van het monster met de zaklantaarn die hen zocht in het portaal van rechter Rath. Hij vluchtte.

Tegen de avond van de derde dag na zijn ontscheping liet de jongen zich uitgeput neervallen op het vuilnis in een steeg in Broome Street. In de huurkazernes boven zijn hoofd klonk de gebruikelijke herrie van geschreeuw, rammelende pannen, seks en leven. Yudel verloor enkele minuten het bewustzijn. Hij kwam bij doordat er iets over zijn gezicht liep. Hij wist wat het was voordat hij vol afschuw zijn ogen opensperde. De rat trok zich niets van hem aan. Hij was op weg naar een omgevallen vuilnisbak, waar hij een homp droog brood had geroken. Het was een flink stuk, te groot voor de rat om mee weg te komen. Hij knaagde eraan met nerveuze tanden. Yudel sleepte zich zo goed en zo kwaad als het ging naar de vuilnisemmer. Hij graaide met onzekere vingers naar een blikje en smeet het in de richting van de rat. Hij miste. Het beest keek hem onbewogen aan, met zijn tanden nog in de korst. Op de tast vond de jongen de kapotte steel van een paraplu. Toen hij er dreigend mee begon te zwaaien, gaf de rat zich over en sloeg op de vlucht, op zoek naar een minder gevaarlijke hap.

De jongen stak zijn hand uit naar het brood. Hij opende zijn mond om er gretig in de bijten, maar sloot hem net op tijd om het brood op zijn schoot te leggen.

Baruch Ata, Adonai, Eloheinu, Melech haOlam, haMotzi lechem min haAretz![1]

---

1 Gezegend zijt Gij, Eeuwige, onze God, Koning van het heelal, die het brood uit de aarde laat voortkomen.

Enkele minuten daarvoor was een van de deuren in de steeg op een kier geopend.
Een oude rabbijn had Yudels gevecht met de rat onopgemerkt gadegeslagen. Toen
hij de zegening van het brood hoorde uit de mond van die kleine, uitgehongerde
jongen biggelde er een traan over zijn gezicht. Zoiets had hij nog nooit meege-
maakt. Het geloof van de jongen kende wanhoop noch twijfel.
De rabbijn bleef hem langdurig observeren. Zijn synagoge was arm. Hij had amper
genoeg geld om hem open te houden en daarom begreep zelfs hij niet waarom hij
dit besluit nam.
Yudel was in slaap gevallen tussen de bedorven voedselresten en het vuilnis. Hij
werd niet wakker toen de rabbijn hem zorgzaam optilde en de synagoge binnen-
droeg.
Die oude kachel houdt de kou nog wel een paar nachten buiten. Daarna zien
we wel weer, *mompelde de rabbijn bij zichzelf.*
Toen hij de jongen zijn vervuilde kleren uittrok en hem toedekte met zijn eigen
deken, stuitte hij op het blauwgroene kaartje dat ze hem op Ellis Island hadden
gegeven, waarop stond dat hij Raymond Kayn heette en familie had in Manhat-
tan, plus een envelop met een Hebreeuwse tekst erop:

Voor mijn zoon, Yudel Cohen
Te openen op je bar mitswa
November 1951

De rabbijn maakte de envelop open, in de hoop meer te weten te komen over de
afkomst van de jongen. Wat hij las was verbijsterend en verwarrend, maar het
sterkte hem in de overtuiging dat de Barmhartige zelf de jongen naar zijn deur had
geleid.
Buiten daalde de sneeuw in dikke vlokken neer.

Brief van Josef Cohen aan zijn zoon Yudel

Wenen, dinsdag 9 februari 1943

Lieve Yudel,
Ik schrijf deze regels in grote haast, in de hoop dat de liefde en genegenheid die wij voor jou voelen de leemten zullen vullen die de spoed en de onervarenheid van schrijver dezes zullen achterlaten. Ik ben nooit een uitbundig mens geweest, dat kan je moeder beamen. Sinds je geboorte waren we door de oorlog gedwongen je op te sluiten en het brak mijn hart. Ik betreur het diep dat ik je nooit in de zon heb zien spelen, wetende dat ik dat ook nooit zal meemaken. De Eeuwige heeft ons een vuurproef opgelegd en we zijn er niet in geslaagd deze te vervullen. Jij krijgt de taak op je schouders om te doen wat ik heb nagelaten.
Over enkele minuten gaan we op zoek naar je grote broer en we zullen niet terugkeren. Je moeder is niet voor rede vatbaar en ik kan haar niet alleen laten gaan. Ik weet dat wij onze dood tegemoet gaan. Als je deze brief leest ben je twaalf jaar oud. Je zult je afvragen wat je ouders heeft bezield om de vijand bewust in de armen te lopen. Waarom doen we dit? Een deel van de reden van deze brief is dat ik dat zelf ook graag zou willen begrijpen. Als je opgroeit zul je aanvaarden dat er taken zijn die je moet vervullen, al weet je dat het resultaat nihil zal zijn.
De tijd dringt en ik moet je iets vertellen wat van het grootste belang is. Al eeuwenlang draagt onze familie de zorg over een heilig object. Het betreft de kaars die je begeleidde op de dag van je geboorte. Gezien de gruwelijke omstandigheden in de wereld is deze kaars het enige voorwerp van belang dat ons rest. Hij is van onschatbare waarde en toch wil je moeder hem op het spel zetten om te trachten je broer te redden. Dat offer is even nutteloos als het offer van ons beider levens. Ik zou het niet doen als ik niet wist dat jij achter zou blijven, en ik vertrouw op jou. Ik zou je graag willen uitleggen waarom deze kaars zo bijzonder is, maar dat weet ik niet. Ik weet alleen dat ik hem

met mijn leven moet bewaken, een opdracht die generaties lang van vader op zoon is overgeleverd en waarin ik heb gefaald, zoals in alles in mijn leven.

Ga op zoek naar de kaars, Yudel. We dragen hem over aan de arts die jouw broer gevangenhoudt in het Kinderspital AM Spiegelgrund. Als we dankzij de kaars je broer vrij krijgen, gaan jullie hem samen zoeken. Zo niet, dan smeek ik de Heer je te sparen, in de hoop dat de oorlog lang voorbij is als je dit leest.

Er is nog iets. Er is weinig over van de erfenis die Elan en jou toekwam. De fabrieken van je familie zijn in beslag genomen door de nazi's en de rekeningen die we hadden lopen bij Oostenrijkse banken zijn geblokkeerd. Onze huizen zijn in vlammen opgegaan in de Kristallnacht. Maar gelukkig kunnen we je nog iets nalaten. We hebben altijd een fonds voor onvoorziene zaken behouden bij een bank in Zwitserland. We hebben de rekening beetje bij beetje aangevuld door om de twee, drie maanden naar Zwitserland te gaan, soms met hooguit een paar honderd frank. Je moeder en ik genoten zo van die weekendjes samen! Het is geen fortuin, hooguit 50.000 frank, maar het zal van pas komen bij je studie en het begin van je loopbaan. Het geld staat onder mijn naam op rekeningnummer 336923348927 R bij de Crédit Suisse. De directeur zal je om een wachtwoord vragen en dat is 'Perpignan'.

Dat is het. Blijf elke dag je gebeden opzeggen, leef bij het licht van de Thora en eer je familie en je volk.

Gezegend zijt Gij, Eeuwige onze God, Koning van het heelal, Rechter van de wereld. Op Hem zal ik vertrouwen, aan Hem vertrouw ik je toe. Moge Hij je beschermen.

Voor altijd de jouwe,

Josef Cohen

HUQAN

Hij had zich zo lang geweld aangedaan dat de angst hem om het hart sloeg toen hij hoorde dat hij gevonden was. De angst veranderde in opluchting, opluchting omdat hij zijn afschuwelijke masker eindelijk zou mogen afleggen.

Het zou de volgende ochtend gebeuren, als iedereen in de eetzaal zat te ontbijten. Niemand zou iets vermoeden.

Hij was tien minuten geleden onder de vloer van de eetzaal gekropen om hem te plaatsen. Een simpel stukje techniek, maar superkrachtig en goed gecamoufleerd. Ze zouden er zonder iets te merken bovenop zitten. En nog geen minuut later zouden ze rekenschap moeten afleggen voor het aangezicht van Allah.

Hij twijfelde of hij het teken zou geven na de explosie. De broeders zouden naar beneden komen om die arrogante soldaatjes af te maken. Als er dan nog een paar in leven waren, tenminste.

Hij besloot er een paar uur mee te wachten. Hun de tijd te geven het werk te voltooien. Zonder kansen en zonder ontsnapping.

Denk aan de Bosjesmannen, dacht hij. De aap heeft het water gevonden, maar hij heeft het nog niet te pakken...

Donderdag 20 juli 2006, 23.22 uur

'U mag het zeggen, meneer,' zei de blonde, magere loodgieter. 'Mij maakt het niet uit, ik krijg mijn loon toch wel, of ik nu werk of niet.'
'Daar zeg ik amen tegen, kerel,' knikte de forse loodgieter met het staartje. Zijn oranje overall zat zo strak dat hij er bij de schouders bijna uit barstte.
'Oké, mooi zo,' bemoeide de bewaker zich ermee. 'Jullie komen morgen terug en daarmee uit. Maak het me verdorie niet zo moeilijk, jongens. Ik kan twee man tekort wegens ziekte en ik kan niemand meesturen om op jullie te passen. Dat zijn de regels: na acht uur 's avonds geen extern personeel in het gebouw, tenzij vergezeld door een kindermeid.'
'Hartstikke bedankt, vriend,' zei de blonde. Met een beetje mazzel sturen ze me morgen ergens anders heen. Ik ben niet zo dol op die knalpartijen.'
'Wat? Wacht... hoezo, knalpartijen?'
'Precies wat ik zeg, dat de boel uit elkaar klapt. Boem, snap je? Wat er bij Saatchi en Saatchi is gebeurd. Wie had die klus, Bennie?'
'Lowietje de Vlecht, geloof ik,' zei de dikke.
'Precies, Lowietje de Vlecht. Fijne vent, God hebbe zijn ziel.'
'Daar zeg ik amen tegen, kerel. Tot kijk, soldaat. Succes ermee, vanavond.'
'Biertje bij Spinato, collega?'
'Dat vragen we niet, dat doen we gewoon.'
Het stel loodgieters pakte zijn spullen en kuierde naar de uitgang.
'Wacht even, heren...' De bewaker werd steeds zenuwachtiger. 'Wat is er precies gebeurd met die Lowietje?'
'Hij had een spoedklus, zoiets als deze hier, midden in de nacht. Maar hij mocht het gebouw niet in, vanwege iets met een alarm of zo. Nou, de druk werd steeds hoger, natuurlijk, en die afvoerpijpen gingen een beetje uitzetten, je kent dat wel, tot de hele boel explodeerde en al die strontzooi over de hele etage spoot.'
'Gotsamme, het leek Vietnam wel.'
'Hé, jij hebt toch niet in Vietnam gezeten? Mijn vader zat in Vietnam.'
'Jouw vader is in de zeventig en hij rookt.'
'In elk geval, Lowietje de Vlecht heet nu Lowietje de Kale. Snap je wat een klerezooi dat is geweest? Ik hoop niet dat er veel van waarde op die afdeling staat, want morgen is het chocoladevla geblazen.'
De bewaker keek nog eens naar de centrale monitor in de enorme hal. De waarschuwingslampjes van 328E bleven gestaag flikkeren in het geel, de kleur

die aangaf dat er iets mis was met het gas of het leidingstelsel. Dit gebouw was zo intelligent dat het een waarschuwing afgaf als je schoenveters los zaten.

Hij keek in de hoofddirectory waar 328E precies zat en verschoot van kleur.

'Verdomme. Dat is de directiekamer. De 38e etage.'

'O, o... dat is pech, vriend,' zei de dikzak. 'Die staat vast helemaal vol met leren stoelen en Van Gongs.'

'Van Gongs? Jij weet ook helemaal niks, hè? Hij heet Van Gogh, man. Gogh.'

'Ik weet heus wel wie Van Gogh is. Een Italiaanse schilder.'

'Van Gogh was een Duitser en jij bent een eikel. Kom op, we gaan naar Spinato. Straks gaan ze dicht en ik rammel van de honger.'

De bewaker, een ware kunstliefhebber, vergat de twee loodgieters uit te leggen dat Van Gogh een Hollander was, want op dat moment maakte hij zich vooral zorgen over een Cézanne die in de kamer hing.

'Heren. Heren...' Hij kwam achter zijn balie vandaan en holde achter de loodgieters aan. 'Kan ik even met jullie overleggen?'

Orville plofte op de stoel achter het bureau, een die zelden werd gebruikt, en leunde achterover alsof hij van plan was een dutje te gaan doen tussen al dat edelhout. Nu de zenuwen over hun toneelstukje met de bewaking van het gebouw eenmaal geweken waren, voelde hij de uitputting en de kloppende pijn in zijn handen terugkeren.

'Verdomme, ik dacht dat hij nooit weg zou gaan.'

'Die truc met die verklaring van bevoegdheid was echt super, Orville. Gefeliciteerd,' zei Albert, terwijl hij zijn gereedschapskist openmaakte en zijn laptop eruit haalde.

'Dat is een simpele formaliteit. Gelukkig kon jij het voor me intikken.' Hij trok de reuzenhandschoenen uit waarin hij zijn verbonden handen had verborgen.

'Kop op. Ik denk dat we een halfuurtje hebben voordat ze de een of andere druiloor naar boven sturen om te checken. Als we dan nog niet in het systeem zitten hebben we nog vijf minuten voor ze hier staan. Zeg waar ik naartoe moet, Orville.'

Het eerste paneel was eenvoudig. De biometrische beveiliging was zo geprogrammeerd dat ze uitsluitend op de handen van Kayn en Jacob Russell reageerde, maar ging mank aan een euvel waaraan alle systemen lijden die beveiligd zijn met een code die veel informatie bevat... en dat geldt zeker voor de afdruk van een complete handpalm. Voor getrainde ogen is die code duidelijk zichtbaar in het geheugen van het systeem.

'Pim, pam, peen, hier gaat nummer een,' rijmde Albert en hij sloot zijn laptop toen het oranje lampje van de donkere plaat oplichtte en de zware deur openzoefde.

'Albert... Dit valt op,' zei Orville, wijzend op de houder van de plaat. De priester had een koevoet gebruikt om bij het circuit te komen en nu stak het hout iets uit en zaten er krassen op.

'Daar kun je op rekenen.'

'Je maakt een geintje.'

'Vertrouw me nu maar, oké?' zei de priester en hij stak zijn hand in zijn zak om zijn mobieltje te pakken.

'Vind je dit het juiste moment om te gaan bellen?'

'Ik niet, hij wel. Hoi, Anthony. We zijn binnen. Bel me over twintig minuten terug.' En hij hing weer op.

Orville duwde tegen de deur en ze liepen over het dikke tapijt door de smalle gang die naar de privélift van Kayn leidde.

Wat zou die man voor een trauma hebben, dat hij zich achter zoveel muren ver-scholen houdt? vroeg Albert zich af.

MP3-BESTAND, KOPIE VAN DE OPNAMEN VAN ANDREA OTERO, INGENO-
MEN DOOR DE JORDANESE WOESTIJNPOLITIE NA HET DEBACLE
VAN EXPEDITIE MOZES

(…)

VRAAG: *Dank u wel voor uw tijd en geduld, Mr. Kayn. Het is een vermoeiende dag geweest. Ik waardeer het enorm dat u me wilde vertellen hoe moeilijk u het in uw jeugd heeft gehad, met de vlucht uit Duitsland en de aankomst in Amerika. Dat geeft de lezers een diep menselijk beeld van u.*
ANTWOORD: Lieve juffrouw Otero, het is niets voor u om zo lang om een vraag heen te draaien.
Ja hoor! De laatste tijd wil iedereen mij gaan vertellen hoe ik mijn werk moet doen. Leuk is dat.
Neem me niet kwalijk. Gaat u door, alstublieft.
Meneer Kayn, ik begrijp dat de oorsprong van uw aandoening, de agorafobie, te vinden is in de trieste omstandigheden van uw jeugd.
Daar gaan de artsen van uit.
Laten we het resumeren, dan kan ik in een later stadium makkelijker onderbrekingen inlassen voor de radio. U werd door rabbijn Menachem Ben-Schlomo in huis genomen tot u meerderjarig was.
Juist. De rabbijn was als een vader voor me. Hij gaf me te eten, al moest hij zelf honger lijden. Hij gaf me houvast en de kracht om mijn angst en mijn trauma te overwinnen. Het kostte hem ruim vier jaar voordat ik de straat op durfde en nog langer voordat ik enigszins met andere mensen kon omgaan.
Een hele prestatie. Een jongen die een paniekaanval kreeg als hij iemand alleen maar aankeek groeide uit tot een van de meest vooraanstaande ingenieurs ter wereld.
Een prestatie die ik te danken heb aan het geloof en aan rabbijn Ben-Schlomo. Ik dank de barmhartige God dat Hij me aan zo'n groots mens heeft toevertrouwd.
Vervolgens werd u multimiljonair en uiteindelijk filantroop.
Op dat laatste ga ik liever niet in. Ik vind het niet prettig om over mijn charitatieve werk te praten. Ik denk altijd dat het nooit voldoende kan zijn.
We gaan terug naar de vorige vraag. Wanneer wist u dat u een normaal leven kon leiden?
Nooit. Ik strijd al mijn hele leven tegen deze aandoening, lieve meid. Ik heb goede en slechte dagen.
U hebt uw zaken met ijzeren hand geleid en u staat in de top 50 van de Fortune. *Mag ik stellen dat u meer goede dan slechte dagen hebt gekend? U bent zelfs getrouwd en u hebt een zoon gekregen.*
Dat mag u stellen. Over mijn privéleven zeg ik niets.
Uw vrouw is bij u weggegaan en woont momenteel in Israël, waar ze is gaan schilderen.

Schitterende schilderijen, inderdaad.

En Isaac?

Hij... was lang. Heel lang.

Mr. Kayn, ik kan me voorstellen dat het moeilijk voor u is om over uw zoon te praten, maar het is een belangrijk punt en ik wil er niet overheen stappen. Zeker niet nu ik die blik in uw ogen zie. U hield zielsveel van hem.

Weet u hoe hij gestorven is?

Ik weet dat hij tot de slachtoffers van de aanslag op de Twin Towers behoorde. En uit de veertien, bijna vijftien uur waarin ik met u heb gesproken, maak ik op dat uw aandoening na zijn verdwijning in ernstige vorm is teruggekeerd.

Ik ga Jacob roepen. Ik wil dat u weggaat.

Mr. Kayn, ik denk dat u erover wilt praten en dat het goed voor u is, maar ik zal u niet lastigvallen met psychologische flauwekul. U moet doen wat goed voor u voelt.

Zet de recorder uit, meisje. Ik moet nadenken.

Mr. Kayn, dank u wel dat u dit gesprek wilt voortzetten.

Isaac was mijn alles. Hij was lang en slank, een knappe jongen. Kijk maar, dit is een foto van hem.

Wat een leuke lach.

Jullie hadden het vast goed met elkaar kunnen vinden. Hij leek wel een beetje op u; hij bood liever zijn excuses aan dan dat hij om toestemming vroeg. Hij was zo sterk en dynamisch als een atoomreactor. En hij verdiende alles wat hij kreeg.

Met alle respect, Mr. Kayn, maar dat is een vreemde stelling over iemand die bij zijn geboorte al wist dat hij een fortuin van elf cijfers zou erven.

Wat wilt u dat ik zeg? Ik ben zijn vader. De Heer zelf zei tegen de profeet David dat hij 'voor altijd Zijn zoon zou blijven'. Naast zo'n blijk van liefde zijn mijn woorden... Ach, ik begrijp het, het was provocerend bedoeld.

Neem me niet kwalijk.

Integendeel. Isaac had allerlei tekortkomingen, maar zelfgenoegzaamheid was daar niet bij. Hij zag er geen been in om tegen mijn wensen in te gaan. Hij ging in Oxford studeren, alleen omdat het een universiteit was waaraan ik nooit een donatie had gedaan.

Daar heeft hij Mr. Russell leren kennen, nietwaar?

Ze volgden allebei colleges macro-economie en na zijn studie gaf hij hoog van Jacob op. Hij is mijn rechterhand geworden.

Een taak die eigenlijk voor Isaac was weggelegd.

Dat zou hij nooit hebben gewild. Toen hij klein was... *(een ingehouden snik)*

We vervolgen dit gesprek.

Dank u. Neem me niet kwalijk dat ik zo geëmotioneerd raakte. Ik moest er ineens aan denken. Hij was nog maar een kind, hooguit elf jaar. Op een dag kwam hij thuis met een hond die hij op straat had gevonden. Ik werd woedend

op hem. Ik hou niet van dieren. Houdt u van honden, lieve meid?

Ja, heel veel.

Dan had u deze moeten zien. Het was een lelijke, smerige bastaard en hij had maar drie poten. Hij zag eruit of hij jaren gezworven had. Het zou het verstandigste zijn om hem naar de dierenarts te brengen en hem een spuitje te geven om hem uit zijn lijden te verlossen. Dat zei ik tegen Isaac. Hij keek me ernstig aan en zei: 'Jij bent ook van de straat geraapt, papa. Vind je dat die rabbijn je beter uit je lijden had kunnen verlossen?'

Allemachtig!

Ik was geschokt, zowel van angst als van trots. Dit kind was mijn zoon! Ik zei dat hij de hond mocht houden, op voorwaarde dat hij er zelf goed voor zou zorgen. Het dier heeft nog vier jaar geleefd.

Ik denk dat ik nu begrijp wat u zojuist wilde zeggen.

Hij wist al van jongs af aan dat hij zijn leven niet in mijn schaduw wilde doorbrengen. Op de laatste dag van zijn leven had hij een sollicitatiegesprek bij Cantor Fitzgerald, op de 104e verdieping van de North Tower.

Wilt u misschien even stoppen?

Nishgedeiget[1]. Het gaat wel, meisje. Isaac belde me die dinsdag. Ik zat naar de beelden op CNN te kijken. Ik had hem dat weekend niet gesproken en ik had geen idee dat hij daar zat...

Neemt u een slokje water.

Ik nam de telefoon op en hij zei: 'Pap, ik ben in het World Trade Center. Er is een bom ontploft. Ik ben heel erg bang.' Ik schrok me wezenloos en sprong op. Ik geloof dat ik tegen hem schreeuwde, ik weet niet meer wat ik zei. Hij zei: 'Ik probeer je al tien minuten te bellen, maar het net is overbelast. Pap, ik hou van je.' Ik zei dat hij rustig moest blijven, dat ik de autoriteiten zou bellen, dat we hem daaruit zouden halen. 'We kunnen niet naar beneden, pap. De verdieping is ingestort en het vuur komt steeds hoger. Het is heel heet. Ik wilde dat...' En dat was het. Hij was pas 24.

(Een lange pauze)

Ik keek naar de hoorn zonder er iets van te begrijpen, streelde hem met mijn vingers. De verbinding was verbroken. Ik geloof dat mijn hersenen op dat moment kortsluiting maakten. De rest van de dag is compleet uit mijn geheugen gevaagd.

Weet u niet wat er verder met hem is gebeurd?

Gezegend zij Zijn naam, was dat maar waar. De volgende dag sloeg ik de krant open, op zoek naar berichten over overlevenden. Toen zag ik zijn foto. Hij vloog, vrij als een vogel. Hij was gesprongen.

O, mijn god. O, wat vreselijk, meneer Kayn.

Toch niet. De vlammen en de hitte waren een hel. Hij is erin geslaagd een ruit te breken en zijn eigen lot te kiezen. Het kan zijn dat het zijn lot was om te

---

1 Maakt u zich geen zorgen, in het Jiddisch.

sterven, maar híj bepaalde hoe. Hij omhelsde zijn lot als een man. Hij stierf als een vrij mens, baas over zijn laatste tien seconden. Dat was het einde van de plannen die ik jarenlang voor hem had gemaakt.

Heilige God, wat erg.

Alles wat ik had was voor hem. Alles.

KAYN TOWER
New York

Donderdag 20 juli 2006, 23.39 uur

'Weet je zeker dat je je niets herinnert?'
'Dat zeg ik toch? Ik moest me omdraaien en toen zat hij als een dolle te tik-ken.'
'Dit schiet niet op. We zitten nog steeds met 60 procent van de combinaties. Zeg iets. Iets... wat dan ook.'
Ze stonden bij de deur van de lift en dit paneel bleek wel een probleem te zijn. In tegenstelling tot de biometrische beveiliging was dit een simpel cijferpaneel en het was onmogelijk om een korte cijferreeks te achterhalen in een middelgroot geheugen. Om de liftdeur te openen had Albert een dikke, lange kabel aan het paneel van de entree gekoppeld, met de bedoeling de code met brute kracht te kraken. Globaal gesproken zou de computer dan alle mogelijke cijfercombinaties proberen, wat van 0 tot 9 nogal wat tijd kon kosten.
'We hebben drie minuten om door deze deur te komen en de computer heeft er minstens zes nodig om door een getallenreeks met twintig cijfers heen te komen. Als hij tenminste niet halverwege doorbrandt, want ik heb al het vermogen van de computer naar dit programma omgeleid...' De ventilator van de computer maakte inderdaad een hels kabaal, alsof vijftig bijen een feestje bouwden in een schoenendoos.
Orville probeerde het zich te herinneren. Hij was met zijn gezicht naar de muur gaan staan en had op zijn horloge gekeken. Er waren hooguit drie seconden mee gemoeid.
'Beperk hem tot tien cijfers.'
'Zeker weten?'
'Totaal niet, maar we hebben geen keus. Hoe lang gaat dat duren?'
'Vier minuten,' zei Albert. Hij krabde zenuwachtig aan zijn kin.
'Laten we hopen dat het niet de laatste cijferreeks is en dat hij de code snel kraakt, want ik hoor ze al komen.'
Aan het eind van de gang werd er hard op de deur gebonsd.

De opgraving
Al Mudawarrah-woestijn, Jordanië

Donderdag 20 juli 2006, 06.39 uur

Voor het eerst sinds hun aankomst in de Slenk van de Klauw, inmiddels acht dagen geleden, lagen bij zonsopgang van de grote dag alle expeditieleden nog te slapen. Vijf van hen sliepen op vijfenhalve meter onder het zand en zouden nooit meer wakker worden.

Anderen beschermden zich met een camouflagedeken tegen de nachtelijke kou en tuurden naar de vage horizon, waarin binnen enkele minuten het brandende licht zou losbarsten dat de lage temperaturen zou veranderen in de hel van de heetste dag die Jordanië in vijfenveertig jaar had gekend. Af en toe soesden ze even weg en werd het hun angstig te moede. Nachtdienst is zwaar voor iedere soldaat, maar voor degenen met bloed aan hun handen is dat het moment waarop de doden in hun nek komen blazen.

Tussen de dodenakker en het uitkijkpunt op de rotswand in lagen vijftien personen te woelen op hun luchtbedden, wellicht omdat ze de claxon misten waarmee professor Forrester hen dagenlang had gewekt voordat de zon opkwam. De zonsopgang had om 05.33 uur plaatsgevonden en alleen de stilte was er getuige van geweest.

Tegen 06.15 uur, ongeveer het tijdstip waarop Orville Watson en pater Albert door de hal van de Kayn Tower liepen, werd Nuri Zayit als eerste wakker. Hij schopte zijn hulpje Rani wakker en slofte de tent uit, naar buiten. Eenmaal in de eetzaal begon hij grote kannen instantkoffie met melk te maken. De melk was bijna op, want ze hadden allemaal hun toevlucht genomen tot koude melk, nu het water op rantsoen was. Er waren geen sapjes en ook geen vruchten om uit te persen, dus hij begon aan de omeletten en roereieren. Hij deed zijn uiterste best om het extra lekker te maken met wat peterselie, zoals hij altijd had gedaan, deze oude, stomme man die alleen kon communiceren via zijn kookkunst.

In de hospitaaltent maakte dokter Harel zich los uit Andrea's zweterige armen om te kijken hoe het met professor Forrester ging. Hij lag aan de beademing, maar de gegevens op de grafiek zagen er nog slechter uit dan het ingevallen, bleke gezicht van de archeoloog zelf. Doc vermoedde dat hij de nacht niet zou halen. Ze schudde haar hoofd om die nare gedachten te verdrijven en boog zich over Andrea heen om haar wakker te kussen. Ze vreeën wat, kletsten wat en kregen allebei tegelijk het gevoel dat ze bezig waren diepere gevoelens voor elkaar te krijgen. Ze gingen samen op weg naar de eetzaal voor het ontbijt.

Fowler, die nu de tent alleen nog hoefde te delen met Pappas, begon de dag met een fout die compleet tegen zijn eigen regels inging. In de veronderstelling dat iedereen in de soldatentent nog sliep, glipte hij de tent uit om Albert te bellen via de satelliet. Die antwoordde gehaast dat hij over een halfuur terug moest bellen. Fowler hing met kloppend hart op, aan de ene kant opgelucht omdat het gesprek zo kort had geduurd en aan de andere kant bezorgd omdat hij straks nog een keer moest bellen.

David Pappas werd even voor halfzeven wakker en ging meteen kijken hoe het met professor Forrester ging, deels omdat hij hoopte dat de man beter zou worden en deels om de schuldgevoelens te verdrijven over zijn maffe dromen van die nacht. Dromen waarin hij de enige archeoloog was die nog leefde toen de Ark voor het eerst in eeuwen het daglicht zag.

In de tent van de soldaten lag Marla Jackson vanaf haar eigen brits naar de rug van haar baas en minnaar te staren. Ze sliepen nooit samen als ze op missie waren, hoewel ze af en toe ontsnapten voor een privéverkenningstocht. Ze lag zich af te vragen wat de Zuid-Afrikaan dacht.

Dekker was een van die mensen die 's morgens vroeg de adem van de doden in hun nek voelen prikken. In de korte, hevige huivering tussen twee nachtmerries in meende hij te zien dat er een signaal werd geactiveerd op het scherm van de frequentiescanner, te kort om het te kunnen lokaliseren. Hij schoot overeind en gaf enkele korte, duidelijke orders.

In de tent van Raymond Kayn legde Russell de kleding van zijn baas klaar en hij smeekte hem om toch ten minste zijn rode pil te nemen. Kayn gaf hem onwillig zijn zin en spuwde hem later stiekem weer uit. Hij voelde zich uiterst kalm. Het doel van de 76 jaar van zijn bestaan zou vandaag worden bereikt. Eindelijk.

In een iets eenvoudiger tent peuterde Tommy Eichberg discreet in zijn neus, krabde aan zijn kont en ging op weg naar de wc. Hij vroeg zich af waar Brian Hanley zat, want hij had zijn hulp nodig om een rollager te repareren die ze nodig hadden voor de boormachine. Het was een muur van tweeënhalve meter dik, maar als ze hem van bovenaf tackelden konden ze de verticale druk ontlasten, om vervolgens de stenen een voor een met de hand te verwijderen. Als ze een beetje zouden opschieten, was het in een uurtje of zes gepiept. Waar hing die Hanley toch uit?

Huqan checkte zijn horloge en stelde zich strategisch op op de plek waar hij de hele week aan had gedacht. Hij wachtte tot het tijd was voor de wisseling van de wacht van de soldaten.

Dat wachten ging hem goed af. Hij deed het al zijn hele leven.

Donderdag 20 juli 2006, 23.41 uur

7456898123
De computer vond de code binnen twee minuten en drieënveertig seconden, wat een groot geluk was, omdat Albert de bewaking iets trager had ingeschat dan ze was en de deur aan het einde van de gang bijna tegelijkertijd met die van de lift openging.

'Blijf staan!'

Twee bewakers en een politieagent stortten zich met woedende gezichten de gang in, hun wapens in de aanslag. Albert en Orville schoten de lift in. Ze hoorden het geluid van rennende voetstappen over het tapijt en zagen zelfs een hand die op een haartje na tussen de deur en de foto-elektrische cel werd gestoken.

De deur sloot zich met een zachte klik. De stemmen van hun achtervolgers klonken dof maar duidelijk verstaanbaar door de liftschacht.

'Hoe gaat dat ding open?'

'Ze komen niet ver, agent. Die lift werkt alleen met een speciale sleutel. Zonder dat ding kunnen ze nergens naartoe.'

'Zet het protocol voor noodgevallen in werking waar u het over had.'

'Ja, meneer. U zult het zien, het wordt vissen in een blikje sardientjes.'

Orvilles hart klopte in zijn keel en hij wendde zich bijna hysterisch tot Albert: 'We worden gepakt, verdomme!'

De priester stond hem met een brede glimlach aan te kijken.

'Wat heb jij, man? Verzin een list!' piepte Orville.

'Dat heb ik al gedaan. Toen we vanmorgen het systeem van de Kayn Tower in gingen kregen we geen toegang tot het subprogramma van de computer die deze lift regelt.'

'Dat was verdomme niet te doen,' klaagde Orville, die er een hekel aan had om te verliezen en al helemaal van een firewall.

'Het kan best zijn dat jij een goede spion bent en allerlei trucjes kent, maar je mist iets essentieels om een goede hacker te zijn: lateraal denken,' zei Albert. Hij strekte zijn armen boven zijn hoofd en rekte zich eens lekker uit, alsof hij thuis was. 'Ramen gebruiken als de deur op slot zit. Of in dit geval, het subprogramma over de positie van de lift verwisselen. Een eenvoudige stap die niet geblokkeerd is. Nu denkt de computer dat de lift op de 39e verdieping is in plaats van op de 38e.'

'Nou, en?' Orville baalde van het zelfingenomen gedrag van de priester, maar wilde wel graag weten wat hij zou hebben gedaan.

'Mijn beste jongen, het protocol voor noodsituaties in deze stad schrijft voor dat alle liften naar de laagst mogelijke verdieping gehaald moeten worden voordat de deuren geopend mogen worden.'

Op dat moment zette de lift zich in beweging naar boven, onder luid geschreeuw van de bewakers voor de deur.

'Boven is beneden en beneden is boven!' Orville applaudisseerde voor hem in een wolk ontsmettingsmiddel met de geur van munt. 'Je bent een genie. Een genie!'

DE OPGRAVING
Al Mudawarrah-woestijn, Jordanië

Donderdag 20 juli 2006, 06.43 uur

Fowler was niet van plan Andrea's leven nogmaals in de waagschaal te stellen. Desondanks was het gekkenwerk om de satelliettelefoon te gebruiken zonder voorzorgsmaatregelen.

Het was niets voor de ex-majoor om twee keer dezelfde inschattingsfout te maken. Dit zou de derde worden.

De eerste was de avond tevoren geweest. De priester keek op uit zijn brevier toen het team van de opgraving uit de grot kwam met het halfdode lichaam van professor Forrester tussen hen in. Andrea rende naar hem toe om hem te vertellen wat er was gebeurd. Ze zei dat ze honderd procent zeker wisten dat er een gouden kist in die ruimte stond en Fowler aarzelde niet langer. Profiterend van de opwinding die dit nieuws in het kamp veroorzaakte belde hij Albert, die hem snel uitlegde dat ze rond middernacht New Yorkse tijd meer informatie hoopten te hebben over Huqan en de terroristen, een uur na zonsopgang in Jordanië. Het gesprek duurde precies dertien seconden.

De tweede fout was van een uur geleden, toen Fowler over het tijdsverschil was gestapt en Albert zelf had gebeld. Dat had amper zes seconden geduurd. Hij betwijfelde dat de scanner het gesprek had gelokaliseerd.

De derde zou over precies zesenhalve minuut plaatsvinden.

Albert, in godsnaam! Laat me niet in de steek.

Donderdag 20 juli 2006, 23.45 uur

'Waar denk je dat ze naar binnen komen?'
'Ik denk dat ze een SWAT-team waarschuwen. Die gaan het dak op, laten zich via kabels naar beneden zakken, schieten de ruiten kapot en dan hebben we gedonder aan de knikker.'
'Een SWAT-team voor twee ongewapende inbrekers? Is dat niet een beetje overdreven?'
'Je kunt het ook anders bekijken: twee onbekenden zijn doorgedrongen tot de privévertrekken van de meest paranoïde multimiljonair ter wereld. Wees blij dat ze niet met bommenwerpers komen. En nu stil, ik moet me concentreren. Die computer is streng beveiligd voor iemand die als enige toegang heeft tot deze verdieping.'
'Je wilt toch niet zeggen dat je na alle moeite die we hebben gedaan geen toegang kunt krijgen tot zijn computer?'
'Nee, hoor. Ik zeg dat het me minstens tien seconden gaat kosten.'
Albert veegde zich het zweet van het voorhoofd en liet zijn vingers over het toetsenbord vliegen. Zelfs de beste hacker ter wereld kan geen computer kraken die niet in het systeem zit. Dat was vanaf het begin het probleem geweest. Ze hadden zich dagenlang het hoofd gebroken om Russells computer te lokaliseren, iets wat onmogelijk was gebleken, omdat wat informatica betreft die verdieping eenvoudigweg niet bestond in de Kayn Tower. Pas hier was hij er tot zijn verbazing achter gekomen dat Russell en de multimiljonair ieder hun eigen computers gebruikten, die onderling met internet verbonden waren via een 3G-kaart, een van de honderdduizenden die in New York gebruikt werden. Zonder die informatie had Albert tot in der eeuwigheid op zoek kunnen gaan naar twee onzichtbare computers.
Ik denk dat ze meer dan vijfhonderd dollar per dag betalen voor het gebruik van breedband en telefoon. Maar wat maakt dat uit, als je miljoenen waard bent? En zeker als je ons soort met zo'n eenvoudig trucje buiten de deur kunt houden, bedacht Albert.
'Ik ben er,' zei de priester. Het scherm ging van zwart via de witte letters van het configuratiescherm naar het felle blauw dat aangeeft dat het systeem aan het opstarten is. 'Heb je succes met die schijf?'
Orville had alle laatjes in de enige kast die het eenvoudige, chique kantoor van Russell rijk was overhoopgehaald en de papieren rommelig over de vloer verspreid. Hij had de schilderijen van de wand gehaald, op zoek naar een kluis die

er niet was, en scheurde nu de onderkant van de stoelen open met een zilveren briefopener.

'Ik kan niets vinden,' zuchtte Orville. Hij schoof met zijn voet een van de loungestoelen opzij en kwam naast Albert staan. Het verband om zijn handen zat alweer vol bloed en de jongen trok af en toe bleek weg.

'Paranoïde idioot. Ze hadden uitsluitend contact met elkaar. Er zit niet één e-mail van buitenaf tussen. Russell moet nóg een computer hebben... Hij moet die tent hier toch leiden?'

'Die zal hij wel meegenomen hebben naar Jordanië.'

'Je moet me helpen. Wat zoeken we precies?'

Een minuut later, nadat ze alle toetsen hadden ingedrukt die ze konden verzinnen, gaf Orville het op.

'Het heeft geen zin. Er is niks. Als er al ooit iets is geweest, heeft hij het gewist.'

'Dat brengt me op een idee. Wacht even.' Albert viste een USB-stick uit zijn zak en stak hem in de CPU. 'Met dit programmaatje kan ik alle gegevens ophalen die ooit zijn gewist. Laten we daar maar eens in gaan zoeken.'

'Oké. Tik in: GlobalInfo.'

'Bingo!'

Er verschenen veertien bestanden in het zoekvenster van het programma. Albert opende ze allemaal tegelijk.

'Het zijn html-bestanden. Opgeslagen internetpagina's. Komt dat je bekend voor?'

'Ja, die heb ik zelf opgeslagen en verstuurd. Het zijn servergesprekken, zoals ik ze noem. Die terroristen werken niet met e-mail om hun aanslagen voor te bereiden, zoals in de film. Iedere halvegare weet dat een e-mail over vijftien of twintig servers gaat voordat hij zijn bestemming heeft bereikt, dus je weet nooit wie er meekijkt. Dus wat doen ze? Ze spelen elkaar het wachtwoord toe van een gratis account en schrijven op het kladblok van de mailbox. Er gaat geen mail in of uit, want ze hebben allemaal toegang tot hetzelfde punt, dus...'

Orville zweeg en keek met grote ogen naar het scherm, zo geschrokken dat zijn adem stokte. Voor zijn ogen speelde zich het ondenkbare af, iets wat hij in de verste verte nooit had kunnen vermoeden.

'Dit is niet oké.'

'Wat niet, Orville?'

'Ik... hack duizenden accounts per week. Als we een internetsite downloaden en op de server zetten, bewaren we alleen de tekst. Als we ook de afbeeldingen zouden opslaan, zou onze harde schijf om de haverklap vollopen. Het resultaat is rommelig, maar begrijpelijk.'

Hij wees met een trillende vinger naar het scherm, waar een gesprek tussen terroristen op een Maktoob.com account verscheen, in kleur en met afbeeldingen.

'Er is iemand Maktoob.com binnengegaan met deze computer, Albert. Ze hebben het gewist, maar de afbeeldingen zijn in het geheugen blijven zitten. En als je bij Maktoob naar binnen kunt...'

Albert begreep het voordat de verbijsterde jongen uitgesproken was.

'Dan moet hij het wachtwoord weten.'

Orville knikte.

'Het is Russell, Albert. Russell is *Huqan.*'

Op dat moment vlogen de kogels door de ruiten.

DE OPGRAVING
Al Mudawarrah-woestijn, Jordanië

Donderdag 20 juli 2006, 06.49 uur

Fowler keek gespannen op zijn horloge. Negen seconden voor het afgesproken tijdstip gebeurde er iets wat hij geen moment had verwacht.

Albert belde hém.

De priester was naar de ingang van de kloof gelopen om te kunnen bellen, op een plek die in de blinde hoek zat van de schutter op de meest zuidelijk gelegen rotswand. Hij had de telefoon nog niet aangezet om te bellen, of hij ging af. Fowler begreep meteen dat er iets mis was, want Albert wist maar al te goed hoe gevaarlijk het was om hem te bellen.

'Albert? Wat is er?'

Aan de andere kant van de lijn klonk een hoop geschreeuw. Fowler probeerde te begrijpen wat er aan de hand was.

'Gooi die telefoon op de grond!'

'Commandant, ik maak dit gesprek af.' Alberts stem kwam van veraf, alsof hij de telefoon niet bij zijn mond kon houden. 'Dit gesprek is van belang voor de nationale veiligheid.'

'Gooi neer, verdomme.'

'Ik laat mijn arm langzaam zakken en ga iets in die telefoon zeggen. Als u iets verdachts ziet hoor ik het wel.'

'Dit is mijn laatste waarschuwing!'

'Anthony…' klonk Alberts stem nu luid en duidelijk.

'Ja, Albert.'

'Russell is *Huqan*. Honderd procent zeker. Wees op je hoede.'

De verbinding werd verbroken. Fowler rilde over zijn hele lichaam. Hij draaide zich om en wilde zo snel als hij kon naar het kamp rennen, toen plotseling de wereld instortte.

Andrea en Harel kwamen niet verder dan de ingang van de eetzaal, omdat David Pappas op een holletje naar hen toe kwam. Zijn overhemd zat onder het bloed en hij had een verwilderde blik in zijn ogen.

'Dokter, dokter!'

'Wat is er voor de duivel aan de hand, David?' Ze had een humeurtje om op te schieten sinds de koffie niet meer te zuipen was na de aanslag.

'Het is de professor. Het gaat niet goed met hem.'

David had aangeboden bij hem te blijven, opdat Andrea en de arts konden ontbijten. Ze hadden het afbreken van de muur uitgesteld vanwege de toestand van de professor. Russell had er dringend op gewezen dat haast geboden was, maar David wilde de ruimte niet openbreken voordat hij wist of de professor zich voldoende zou herstellen om erbij te zijn. Andrea, die haar mening over Pappas de afgelopen uren naar beneden had bijgesteld, vermoedde eerder dat hij Forrester rustig de tijd gunde om ertussenuit te knijpen.

'Oké,' zuchtte Doc. 'Ga jij maar vast, Andrea.' Ze was al onderweg naar de hospitaaltent toen ze over haar schouder riep: 'Het heeft geen zin om allebei het ontbijt te missen.'

De journaliste wierp een blik in de eetzaal. Zayit en Peterke staken groetend hun hand naar haar op. Andrea mocht de stomme kok en zijn vriendelijke hulpje wel, maar voor de rest was de tent leeg, op Aldis en Maloney na. De twee soldaten schoven net aan tafel met hun dienbladen. Andrea vond het vreemd dat ze maar met zijn tweeën waren, want meestal ontbeten ze met zijn allen en zat er een halfuur lang maar één soldaat op wacht op de zuidelijke helling. In feite was dit het enige moment van de dag dat ze allemaal tegelijk op één plek waren.

Het gezelschap stond haar niet aan, dus besloot ze achter Doc aan te gaan om te zien of ze haar kon helpen toen...

al is mijn medische kennis zo beperkt dat ik nog geen pleister kan plakken

... Doc zich omdraaide, het hele eind terugholde en haar toeriep: 'Doe me een plezier! Breng me alsjeblieft een extra grote beker koffie!'

Andrea zette een stap de eetzaal binnen, berekende wat de beste route zou zijn om de zwetende huursoldaten te ontwijken die als orang-oetans over hun bord hingen, en botste bijna tegen Nuri Zayit op. De kok had kennelijk gezien wat er gebeurde en stond met een glimlach voor haar neus met een blad met twee grote bekers koffie en een bord toast.

'Oplossurrogaat met melk, zeker?'

De stomme man glimlachte schouderophalend. Hij kon het ook niet helpen.

'Ik weet het, jongen. Misschien is er vannacht wel water uit de rots gestroomd, net als in de Bijbel. In elk geval reuze bedankt.'

Andrea liep met voorzichtige pasjes naar de hospitaaltent. Al zou ze het nooit toegeven, ze wist dat ze een serieus coördinatieprobleem had. Nuri stond haar bij de ingang van de eetzaal uit te zwaaien, nog steeds met een glimlach om zijn mond.

En toen gebeurde het.

Andrea voelde hoe ze door een gigantische hand werd opgetild, die haar twee meter de lucht in slingerde en vervolgens weer op de grond liet vallen. Ze had een stekende pijn in haar rechterarm en haar borst en rug voelden verschrikkelijk heet aan. Toen ze zich vliegensvlug omdraaide zag ze duizenden stukjes brandende stof door de lucht vliegen, die binnen luttele seconden in het niets verdwenen. Een zwarte kolom rook was alles wat er over was van de plek waar zich twee seconden daarvoor de eetzaal had bevonden. Hoog in de lucht vermengde de rook zich met iets anders, iets wat nog zwarter was. Andrea wist niet waar het vandaan kwam. Ze bracht haar handen voorzichtig naar haar borst en besefte dat haar T-shirt kletsnat was van een kleverig, warm goedje.

Toen boog Doc zich over haar heen, met een rood gezicht.

'Leef je nog? O, mijn god, lieverd, gaat het?'

Andrea besefte dat ze tegen haar schreeuwde, maar ze hoorde bijna niets, doordat er een harde zoemtoon in haar oren klonk. Doc voelde aan haar polsen en in haar hals.

'Mijn borst.'

'Het is niet erg. Je hebt niets, het is alleen koffie.'

Andrea kwam voorzichtig overeind en constateerde dat ze inderdaad onder de koffie zat. Ze had het dienblad nog in haar rechterhand en had haar linkerarm lelijk opengehaald aan een steen. Ze bewoog ongerust haar vingers, maar ze had gelukkig niets gebroken, al voelde die hele kant bont en blauw aan.

Terwijl verschillende leden van de expeditie geschokt probeerden het vuur te doven met emmers zand concentreerde Doc zich op de verwondingen van Andrea. Aan de linkerkant zat ze onder de blauwe plekken en de schrammen, haar haren en rug waren licht verbrand en ze bleef die fluittoon horen.

'Dat gaat wel over. Over een uurtje of drie kun je weer een normaal gesprek met ons voeren, zonder zo te schreeuwen,' glimlachte Doc, terwijl ze de otoscoop in haar broekzak stopte.

'Sorry,' zei Andrea, nog steeds veel te hard. Ze huilde.

'Niet bang zijn, dit doet geen pijn.'

'Nuri... kwam me de koffie brengen. Als ik naar binnen was gegaan om het te halen, was ik nu ook dood geweest.' Andrea probeerde zachtjes te praten. 'Had ik maar gevraagd of hij een sigaretje met me wilde roken. Dan had ik zijn leven gered, net als hij het mijne.'

Harel keek veelbetekenend om zich heen. De eetzaal was tegelijk met de brand-stoftank de lucht in gevlogen. Twee explosies tegelijk. Vier personen waren letterlijk tot as vergaan.

'De enige die ergens spijt van hoeft te hebben is die klootzak die dit op zijn geweten heeft.'

'Dat komt mooi uit, señora... Hier hebt u hem,' klonk de stem van Torres. Hij kwam samen met Jackson de tent in, hun lichaam gebogen onder het gewicht van een donkere, geboeide gedaante die ze aan zijn voeten achter zich aan sleepten. Midden in de tent smeten ze hem neer, voor de verbijsterde ogen van de expeditieleden.

Ze konden geen van allen hun ogen geloven.

De opgraving
Al Mudawarrah-woestijn, Jordanië

Donderdag 20 juli 2006, 06.49 uur

Fowler bracht zijn hand naar zijn voorhoofd. Hij bloedde. Door de explosie van de brandstofwagen was hij tegen de grond geworpen en had hij zijn hoofd gestoten. Hij deed een stap in de richting van het kamp, met de telefoon nog in zijn hand. In zijn wazige blikveld en door de dikke rook zag hij twee van de soldaten met getrokken geweer op hem af komen.
'Jij was het, klootzak!'
'Hij heeft zijn mobieltje nog in z'n hand.'
'Hufter! Daar heb je hem mee geactiveerd, hè?'
Ze sloegen hem met een geweerkolf tegen zijn hoofd, waardoor hij opnieuw tegen de grond werd geworpen. Hij voelde niet dat ze hem trapten en ook niet dat ze drie van zijn ribben braken. Lang daarvoor had hij het bewustzijn verloren.

'Dit is belachelijk!' schreeuwde Russell. Hij had zich zojuist bij het groepje gevoegd dat rond het bewusteloze lichaam van pater Fowler stond. Dekker, Torres, Alryk en Jackson van de militairen en Eichberg, Hanley en Pappas van de burgers.
Met hulp van Harel probeerde Andrea op haar beurt op te staan en zich naar de kring dreigende en beroete gezichten te begeven.
'Helemaal niet belachelijk, meneer.' Dekker smeet de satelliettelefoon van Fowler op de grond. 'Dit had hij bij zich toen we hem onderschepten, vlak bij de benzinetank. Dankzij de scanner weten we dat hij vanmorgen een kort telefoontje heeft gepleegd, en hij was al onder verdenking. Dus in plaats van met z'n allen te gaan ontbijten, hielden we hem van alle kanten in de smiezen. Net te laat.'
'Het is maar een...' begon Andrea, maar Harel gaf haar een stevige por tegen haar arm.
'Hou je mond. Daar help je hem niet mee,' fluisterde ze.
Klopt. Wat wilde ik precies zeggen? Dat het de geheime telefoon is waarmee hij zijn contactpersoon bij de CIA *kan bellen? Dat is niet de beste verdediging, nee.*
'Het is een telefoon. Dat was inderdaad verboden tijdens deze expeditie, maar het is niet voldoende om deze man te beschuldigen,' zei Russell.
'Dat alleen misschien niet, Mr. Russell. Maar kijk eens wat we in zijn koffertje hebben aangetroffen.'
Jackson smeet het kapotte koffertje op de grond. Het was leeg en ze hadden de

voering losgehaald. Er bleek een vakje achter verborgen te gaan met staafjes spul dat er in Andrea's ogen uitzag als marsepein.

'C4, meneer Russell,' wees Dekker.

Na die onthulling hielden ze allemaal de adem in, tot Alryk begon te gillen. Hij trok zijn pistool en richtte het op Fowler.

'Die klootzak heeft mijn broer vermoord. Ik schiet hem een kogel door zijn rotkop!' brulde de Duitse reus buiten zichzelf.

'Nu is het genoeg,' klonk een zachte, maar autoritaire stem.

De kring opende zich en Raymond Kayn liep naar het bewusteloze lichaam van de priester. Hij boog zich met zijn handen op de rug over hem heen, de man in het wit en de man in het zwart.

'Ik zal er persoonlijk op toezien dat de motieven die deze man tot zijn daad hebben gebracht aan het licht komen. Deze onderneming heeft te veel vertraging opgelopen en dat moet vanaf nu afgelopen zijn. Pappas, ga aan het werk en haal die muur neer.'

'Ik weiger dat te doen, Mr. Kayn. Ik moet eerst weten wat hier aan de hand is,' antwoordde de archeoloog.

Brian Hanley en Tommy Eichberg sloegen hun armen over elkaar en schaarden zich achter Pappas. Kayn keurde hen echter amper een tweede blik waardig.

'Mr. Dekker?'

'Ja, meneer?' antwoordde de enorme Zuid-Afrikaan.

'Ik eis vanaf nu discipline. Het is uit met uw inschikkelijkheid.'

'Jackson,' zei Dekker, en hij gaf haar een teken.

De soldaat richtte haar M4 op de drie dienstweigeraars.

'Je maakt een geintje,' protesteerde Eichberg, wiens dikke, rode neus slechts enkele centimeters van de loop van Jacksons mitrailleur verwijderd was.

'Om de dooie dood niet, jochie. Lopen, of ik zorg voor een extra gat in je reet.' Jackson spande haar geweer met een droge, dreigende klik.

Kayn negeerde het stel dat de tent uit marcheerde en wendde zich tot Doc en Andrea.

'Wat u betreft wil ik u hartelijk bedanken voor uw diensten, dames. De heer Dekker zal zorgen dat u veilig naar de *Behemot* wordt overgebracht.'

'Wat zegt u?' brulde Andrea, die ondanks haar gehoorprobleem perfect had gehoord wat de man zei. 'Dat meent u niet, verdomme! Ze halen die Ark vandaag naar boven, klootzak. Ik blijf tot morgen, dat bent u aan me verplicht!'

'Is de visser iets verplicht aan de worm? Breng haar weg. O… Zorg ervoor dat ze met lege handen vertrekken. De harde schijf met de foto's die ze hier heeft gemaakt, blijft hier.'

Dekker nam Alryk apart en fluisterde in zijn oor: 'Jij brengt ze weg.'

'Stik maar! Ik blijf hier om die priester af te maken,' beet de Duitser hem toe met een woeste blik in zijn bloeddoorlopen ogen.

'Ik zal zorgen dat hij nog leeft als je terugkomt. Je volgt mijn orders op. Torres houdt hem wel warm voor je.'

'Shit, kolonel. Het is minstens drie uur heen en drie uur terug naar Akaba. Als Torres hem ook maar met een vinger aanraakt laat ik geen spaan van hem heel.'

'Luister, Gottlieb. Je bent met een uurtje terug.'

'Wat zegt u?'

Dekker keek hem strak aan, geïrriteerd doordat zijn ondergeschikte zo traag van begrip was. Hij wilde niet al te expliciet zijn.

'Sarsaparilla, Gottlieb. En doe het snel.'

DE OPGRAVING
Al Mudawarrah-woestijn, Jordanië

Donderdag 20 juli 2006, 07.14 uur

Achter in de H3 kneep Andrea haar ogen tot spleetjes tegen het stof dat dwars door de ramen naar binnen woei. Door de klap van de ontplofte tankwagen waren alle zijruiten gebroken en zat er een flinke barst in de voorruit. Alryk had de gaten gedicht met camouflagehemden en isolatietape, anders zou de zware terreinwagen niet te besturen zijn, maar hij had het zo haastig gedaan dat er grote kieren overgebleven waren waardoor het zand naar binnen stoof. Doc had er al over geklaagd, maar de huursoldaat had zich doof gehouden. Hij hield het stuur met beide handen vast, met witte knokkels en dichtgeknepen lippen. Hij was de enorme zandheuvel aan het begin van het ravijn in drie minuten over en trapte nu het gaspedaal in alsof zijn leven ervan afhing.

'Erg comfortabel is de reis niet, maar we gaan in elk geval naar huis,' zei Doc, terwijl ze haar hand op Andrea's dijbeen legde. Die greep haar hand stevig vast.

'Waarom zou hij zoiets doen, Doc? Waarom had hij explosieven in dat koffertje? Zeg dat het doorgestoken kaart is.' Haar stem klonk bijna smekend.

De arts schoof dichter naar haar toe, opdat Alryk hen niet kon afluisteren, maar met het kabaal van de motor en de flapperende shirts voor de ramen betwijfelde Andrea of de Duitser hen zou horen, al schreeuwden ze het uit.

'Nee, Andrea, dat is niet zo. Die springstof was van hem.'

'Hoe weet je dat?' Andrea keek haar ernstig aan.

'Omdat hij het me zelf heeft verteld, nadat jij al die dingen had ontdekt onder de vloer van de soldatentent. Fowler riep mijn hulp in voor een waanzinnig plan: de watertank opblazen.'

'Wat zeg je nou, Doc? Had jij daar iets mee te maken?'

'Hij was hier voor jou, Andrea. Hij heeft eenmaal je leven gered en volgens de erecode waar hij zich aan dient te houden is het zijn plicht je te helpen, waar en wanneer je hem maar nodig hebt. Ik weet niet precies hoe, maar zijn baas heeft geregeld dat jij bij deze onderneming betrokken werd om te garanderen dat Fowler mee zou gaan.'

'Had Kayn het daarom over de visser en de worm?'

'Jij was hun van nut, omdat ze via jou druk op Fowler konden uitoefenen. Wat dat betreft was het doorgestoken kaart, ja.'

'Maar... wat gaat er nu met hem gebeuren?'

'Niet aan denken. Ze gaan hem ondervragen en daarna... verdwijnt hij. En voordat je iets zegt: jij gaat niet terug om te proberen hem te redden.'

De journaliste kon amper bevatten wat ze hoorde.

'Waarom, Doc?' Andrea schoof vol afschuw van haar weg. 'Waarom heb je daar niets over gezegd? Je hebt beloofd dat je nooit meer tegen me zou liegen; je hebt het gezworen terwijl we lagen te vrijen, kreng. Hoe kon ik zo stom zijn?'

'Ik zeg wel vaker iets.'

Er biggelde een traan over Docs wangen en toen ze verder sprak had haar stem een bittere ondertoon.

'Zijn opdracht was heel anders dan de mijne. Voor mij was het gewoon een van die belachelijke expedities waar ik wel vaker naartoe moet. Dat wist je al. Maar hij besefte dat het ditmaal weleens menens kon zijn. En als dat zo was moest hij er iets tegen doen.'

'Wat dan? Ons allemaal de lucht in blazen?'

'Ik weet niet wie verantwoordelijk was voor die bommen van vanochtend, maar geloof me, Anthony was het niet.'

'Waarom heb je dan niets gezegd?'

'Dat kon niet, dan zou ik mezelf te veel blootgeven.' Harel sloeg haar ogen neer. 'Ik wist dat ze van plan waren ons daar weg te halen. Ik wilde... bij jou blijven. Weg van die opgraving. Weg van mijn leven, denk ik.'

'Hoe moet het nu met Forrester? Hij was jouw patiënt!'

'Hij is vanmorgen gestorven, Andrea. Vlak voor de explosie. Hij was al jaren ziek, dat weet je.'

Andrea schudde het hoofd.

Ik win de Pulitzer, maar tegen welke prijs?

'Dit is waanzin. Zoveel doden, zoveel geweld voor een belachelijk stuk antiek.'

'Heeft Fowler je niet verteld dat er veel meer op het spel staat dan...'

Ze stopte abrupt. De auto nam gas terug.

'Dit klopt niet.' Harel keek door de kieren naar buiten. 'We zitten hier midden in de woestijn.'

De Hummer kwam met een schok tot stilstand.

'Wat is er, Alryk?' vroeg Andrea. 'Waarom stoppen we?'

De kolos van een Duitser zweeg. Hij trok rustig de sleutels uit het contact, zette de wagen op de handrem, stapte uit en sloeg het portier met een klap dicht.

'Dat zouden ze niet durven, verdomme,' fluisterde Harel. Andrea zag de angst van de arts oplaaien als de vlammen van een kampvuur.

'Wat is er aan de hand, Doc?'

Het portier werd geopend.

'Uitstappen,' zei Alryk met een onbewogen gezicht.

'Dit kun je niet maken,' zei Harel. Ze bleef stokstijf zitten. 'Jouw baas heeft echt geen zin om de Mossad kwaad te maken, Alryk. Je kunt ons beter niet tot vijand hebben.'

'Ik zeg het je voor de laatste maal, uitstappen.'

Harel keek Andrea gelaten aan, haalde haar schouders op en greep zich met beide handen vast aan de handgreep boven het portier.

Toen spande ze de spieren van haar armen en zwaaide haar benen naar buiten, waarbij ze haar zware laarzen in Alryks borstkas plantte. De Duitser liet zijn pistool in het zand vallen en Harel schoot naar voren en wist hem tegen de grond te werpen. De arts sprong meteen weer overeind en schopte de soldaat in zijn gezicht, wat hem zijn oog kostte. Doc zette haar voet op zijn gezicht, vast bereid om de klus te voltooien, toen de soldaat overeind kwam, haar voet met zijn enorme hand beetgreep en met geweld naar links draaide. Er klonk een krakend geluid van brekend bot en Doc gleed naar de grond.

De soldaat krabbelde overeind en draaide zich om. Andrea vloog op hem af, maar hij sloeg haar met één mep van zich af. Andrea's wang gloeide en ze kwam met haar billen op iets hards in het zand terecht.

Alryk bukte zich en greep met zijn linkerhand de dikke bos krullen van de arts beet, waarna hij haar spartelend omhoogtrok, tot haar gezicht op dezelfde hoogte was als het zijne. Harel was doodsbang, maar slaagde erin hem recht in de ogen te kijken en in zijn gezicht te spuwen: 'Miezerige klootzak!'

De Duitser spuwde terug en hief vervolgens zijn rechterhand met zijn soldatenmes erin, dat hij met al zijn kracht in haar maag stootte. Hij genoot van de uitpuilende ogen en de opengesperde mond van zijn slachtoffer, dat snakte naar lucht. Hij bewoog het mes met een draaiende beweging in de wond en trok het vervolgens met een ruk terug. Het bloed spoot eruit en maakte vlekken op de broek van de soldaat, die haar met een vies gezicht liet vallen. 'Néé!'

Alryk keek om naar Andrea, die boven op het pistool was gevallen en intussen had geprobeerd om erachter te komen hoe dat verdomde ding werkte, tot het zuigende geluid van het mes in Docs buik en de reutelende geluiden van de doodsstrijd van haar minnares haar deden opspringen. Ze gilde het uit en haalde de trekker over.

Het automatische pistool voelde glibberig aan in haar stramme handen. Ze had nog nooit een wapen in haar handen gehad. De kogel ging rakelings langs de soldaat en kwam in het portier van de Hummer terecht. Alryk schreeuwde iets in het Duits en stormde op haar af. Andrea schoot zonder te kijken nog drie keer.

Eén kogel vloog zonder iets te raken door de lucht.

De tweede eindigde in een van de banden van de terreinwagen.

De derde vloog de open mond van de soldaat in, die puur door de trage reactie van zijn 94 kilo zijn weg naar Andrea vervolgde, hoewel zijn handen niet meer uitgestrekt waren om haar te kelen, maar slap langs zijn lichaam hingen. Hij viel plat op zijn rug in het zand en probeerde iets te zeggen, waarbij het bloed uit zijn keel spoot. Andrea zag tot haar ontzetting dat ze een paar van zijn tanden uit zijn mond geschoten had. Ze schoof opzij, nog steeds met het pistool op hem gericht... hoewel ze er weinig mee had kunnen uitrichten als ze hem niet al dodelijk verwond had, want haar hand beefde, ze had totaal geen gevoel meer in haar vingers en haar arm deed pijn van de terugslag. Ze wachtte af.

De Duitser deed er ruim een minuut over om te sterven. De kogel was door zijn keel gegaan. Hij kon niet meer slikken en stikte in zijn eigen bloed.

Toen ze zeker wist dat Alryk geen gevaar meer kon opleveren, holde Andrea naar Harel, die bloedend in het zand lag. Ze probeerde haar overeind te helpen zonder naar de afschuwelijke wond in haar maag te kijken, waar Harel tevergeefs haar handen voor hield.

'Hou vol, Doc. Zeg wat ik moet doen, ik haal je hier weg, al is het maar om je een pak op je broek te kunnen geven omdat je zo'n gemene jokkebrok bent.'

'Laat me maar,' zei Doc moeizaam. 'Ik ben stervende, dat weet ik. Ik ben arts.'

Andrea legde snikkend haar voorhoofd tegen het hare. Doc haalde een van haar handen van haar wond en nam die van Andrea in de hare.

'Nee, zeg dat het niet waar is.'

'Ik heb je al genoeg voorgelogen. Ik wil dat je iets voor me doet.'

'Zeg maar.'

'Ik wil dat je dadelijk in de Hummer stapt en naar het westen rijdt, over dat geitenpad. We zijn ongeveer op 150 kilometer van Akaba, maar je moet de grote weg kunnen bereiken...' Ze wachtte even en kneep haar ogen dicht van de pijn en de inspanning. '... in een uurtje of twee. Volg de weg naar het noorden en zodra je mensen ziet, laat je de Hummer staan en laat je je door hen helpen. De auto is uitgerust met gps en ik wil dat je verdwijnt. Zweer je dat je dat zult doen?'

'Ik zweer het.'

Harel kromp ineen van pijn. Ze verloor de kracht in de handen waarmee ze zich aan Andrea vastklemde.

'Zie je, ik had je nooit mijn echte naam mogen zeggen. Ik wil dat je nog iets voor me doet. Zeg mijn naam hardop. Dat heeft nog nooit iemand gedaan.'

'Chedva.'

'Schreeuw hem uit, zo hard als je kunt.'

'Chedva!'

Een kwartier later sliep Chedva Harel voor eeuwig in.

Het was loodzwaar om met haar blote handen een gat te graven in het zand. Niet zozeer omdat het zoveel fysieke inspanning kostte, maar omdat ze het emotioneel amper aankon. Omdat het zo'n vluchtig gebaar was en Chedva deels was gestorven door de gebeurtenissen die zij, Andrea, had ontketend. Ze groef een gat van amper drie handen diep en gaf de plek vervolgens aan met de antenne van de autoradio en een kring stenen.

Toen ze klaar was ging Andrea met weinig succes in de terreinwagen op zoek naar water. Alleen de veldfles van de huursoldaat zat nog voor driekwart vol. Ze pakte hem ook zijn pet af, die haar veel te groot was. Gelukkig had ze een veiligheidsspeld in haar zak zitten, waarmee ze hem iets kon bijstellen. Ze haalde een van de camouflagehemden van de kapotte autoruit en een smalle, ijzeren buis die ze in de achterbak van de Hummer vond. Ze rukte de twee ruitenwissers van de auto en stak de roedes door de buis, om er met het camouflagehemd een parasol van te improviseren.

Ze liep de weg op, waar de Hummer enkele meters vanaf gereden was. Toen Doc haar had laten zweren dat ze naar Akaba zou rijden, wist ze niet dat Andrea een van de banden kapotgeschoten had, want ze lag met haar rug naar de auto toe. Hoewel ze net deed of ze zich aan haar eed zou houden – wat ze niet van plan was – kon ze die band niet verwisselen, al had ze geweten hoe dat moest, want waar ze ook keek, ze kon nergens in de Hummer een krik vinden. Over dit terrein kwam ze nog geen honderd meter ver in die zware auto met een lekke band.

Ze keek naar het westen, naar de weg die amper zichtbaar was, als een smal lint van iets lichter zand dat zich door de zandheuvels slingerde.

Honderdvijftig kilometer in de volle zon, bijna honderd tot aan de grote weg. Minstens twee dagen lopen in temperaturen van over de 40 graden voordat ik mag hopen dat ik iemand tegenkom en ervan uitgaande dat ik niet verdwaal op dat pad dat amper zichtbaar is en ik niet achterop gereden word door dat stel hufters als ze met Ark en al terug naar huis rijden.

Ze keek naar het oosten, waar de wielsporen van de Hummer duidelijk zichtbaar waren.

Twaalf kilometer verderop zijn auto's, water en het nieuws van de eeuw, dacht ze en ze begon te lopen. *Dan heb ik het even niet over een hoop mensen die me dolgraag dood willen hebben. Wie weet kan ik mijn harde schijf terugpikken en iets voor de priester doen.*

Al mag ik hangen als ik weet hoe.

'Wil je wat ijs voor die hand?' vroeg Cirin.

Fowler haalde een zakdoek uit zijn zak en wikkelde hem om zijn bloedende knokkels. Hij liep om frater Cesáreo heen, die nog steeds bezig was met de nis die Fowler kapotgeslagen had, en stapte op de hoogste baas van de Heilige Alliantie af.

'Wat wil je van me, Camilo?'

'Ik wil dat je hem hiernaartoe haalt, Anthony. Als het waar is, als hij echt bestaat, hoort de Ark in een gepantserde kluis in een diepe kelder, vijftig meter onder het Vaticaan. Dit is niet het moment om hem in verkeerde handen over de wereld te laten zwerven. Sterker nog, ik wil niet eens dat bekend wordt dat hij bestaat.'

Fowler klemde zijn tanden op elkaar, in kille woede over de grootheidswaanzin van Cirin of van wie dan ook die boven hem stond, de paus in eigen persoon misschien wel, die had bepaald wat er met de Ark moest gebeuren. Zijn verzoek aan hem ging veel verder dan de verplichting die als een zware last op zijn schouders rustte.

'Wij nemen hem onder onze hoede,' zei Cirin met klem. 'Wij kunnen wachten.'

Fowler knikte.

Hij zou naar Jordanië gaan.

Hij was echter vast van plan om zelf te bepalen wat hij daar zou doen.

De opgraving
Al Mudawarrah-woestijn, Jordanië

Donderdag 20 juli 2006, 09.23 uur

'Wakker worden, patertje.'
Fowler kwam langzaam maar zeker bij, zich afvragend waar hij was. Zijn hele lichaam deed zeer. Zijn armen zaten geboeid boven zijn hoofd en aan zijn rug te voelen hadden ze hem vastgebonden aan de rotswand.
Toen hij zijn ogen opende bleek dat hij zich niet had vergist en dat hij ook goed geraden had van wie de stem was die hem dwong om bij te komen. Torres stond voor zijn neus en toonde hem iets waar de priester ernstig van schrok.
Een brede grijns.
'Ik weet dat je me begrijpt,' zei de huursoldaat in het Spaans. 'Ik praat liever in mijn eigen taal, dan kan ik me subtieler uitdrukken.'
'Zo subtiel ben je anders niet,' antwoordde de priester in het Spaans.
'Je vergist je, pater. Integendeel. Een van de dingen waar ik beroemd om ben geworden in mijn geboorteland Colombia is dat ik de natuur altijd zo goed naar mijn hand weet te zetten. Kleine vriendjes die het werk voor me opknappen.'
'Jij was het die de schorpioenen in de slaapzak van señorita Otero hebt losgelaten,' begreep Fowler, die stiekem probeerde zijn boeien losser te maken. Een zinloze actie. Ze zaten stevig aan de rotswand geklemd met stalen pinnen.
'Ik waardeer je noeste pogingen, pater. Maar hoe je er ook aan rukt, je komt niet los,' zei Torres, wie niets ontging. 'Klopt ja, ik wilde dat hoertje naar de andere wereld helpen, maar het is mislukt. Wat jou betreft moest ik op onze vriend Alryk wachten, maar zo te zien heeft hij ons laten zitten. Hij zal zich wel aan het uitleven zijn op die twee snollen van vriendinnen van je. Ik hoop wel dat hij dat doet voordat hij ze de keel doorsnijdt. Bloedvlekken zijn zo moeilijk te verwijderen uit je uniform.'
Fowler gaf ondanks zichzelf een ruk aan de ketting. Hij was zo kwaad dat hij kortstondig zijn zelfbeheersing verloor.
'Kom hier, Torres! Hier komen!'
'Ha, ha, is er wat, patertje?' Hij genoot van Fowlers woedende gezicht. 'Heerlijk om je zo pissig te zien. Dat zullen mijn vriendinnetjes ook wel lekker vinden.'
De priester probeerde te zien waar Torres naar wees. Vlak bij zijn voeten lag een soort molshoop, waar rode insecten overheen krioelden.
'*Solenopsis catusianis*, snap je wat ik bedoel? Ik spreek geen Latijn, maar ik weet

wel dat dit sadistische miertjes zijn. Wat een mazzel dat ik zo dichtbij een nest kon vinden. Het is machtig om de natuur zo vlijtig aan het werk te zien en zo vaak krijg ik de kans niet.'

De huursoldaat bukte zich om een steen te pakken. Hij speelde er wat mee en deed enkele passen naar achteren.

'Vandaag hebben we geluk. Fijn hè, pater? Want het zijn gave beestjes met die scherpe tanden, maar dat is nog niet het mooist. Het wordt pas echt spannend als ze hun gifangel gaan gebruiken. Wacht, ik zal het je laten zien.'

Hij wierp zijn arm naar achteren en hief zijn knie in een parodie op de perfecte werphouding van een baseballspeler, en smeet de steen midden in de mierenhoop.

Het was alsof er een rode, kloppende massa tot leven kwam in het zand. De mieren kwamen met honderden tegelijk het nest uit en krioelden alle kanten uit. Torres week iets verder achteruit en smeet er nogmaals een steen naartoe, ditmaal in een boog. Hij kwam precies tussen het nest en Fowler terecht. De rode massa kwam een seconde lang tot rust, om zich vervolgens massaal op de steen te storten.

Torres ging wederom heel langzaam iets achteruit en wierp een derde steen, die op nog geen halve meter van Fowler terechtkwam. Weer zette de kloppende massa zich in beweging om ook deze steen op te slorpen, twintig centimeter van zijn voeten. Hij kon hun krakende tanden horen. Een afschuwelijk, angstaanjagend geluid, alsof je een papieren zak vol afgeknipte nagels heen en weer schudde.

Ze vallen alles aan wat beweegt. Hij gooit de volgende steen vlak voor mijn voeten en dan gaat hij zorgen dat ik me beweeg. Als ik dat doe ben ik verloren, dacht Fowler.

Even later was het zover. Toen de vierde steen praktisch tegen de voeten van de priester aan werd geworpen, schoten de mieren er woedend op af. Fowlers laarzen waren er binnen de kortste keren mee bedekt en nog steeds bleef de golf rode mieren uit het nest stromen. Torres gooide nog een paar stenen de krioelende massa in en de bittere geur van geplette insecten maakte de rest zo mogelijk nog razender.

'Je zit flink in de nesten, patertje,' grinnikte Torres.

De soldaat wierp nog een steen, maar mikte ditmaal niet op de grond. Deze ging regelrecht naar Fowlers hoofd. Hij miste met een halve centimeter en viel midden in de rode golf, die in concentrische cirkels heen en weer stroomde.

Torres bukte zich om een kleinere, handzamere steen uit te zoeken. Hij richtte zorgvuldig voordat hij hem gooide. Het projectiel schampte langs het voorhoofd van de priester, dat begon te bloeden. Fowler onderdrukte een beweging van pijn.

'Ik krijg je wel, patertje. Ik heb de hele dag niets anders te doen.'

De soldaat ging opnieuw op zoek naar munitie toen plotseling zijn walkietalkie begon te zoemen.

'Torres, Dekker hier. Waar zit je, verdomme?'

'Ik ben met de pater bezig, Dekker.'

'Laat Alryk dat maar doen, die is zo terug. Ik heb het hem beloofd en zoals Schopenhauer al zei, een groots man beschouwt zijn beloften als goddelijke wetten.'

'*Roger*, chef.'

'Ik zet je op Post 1.'

'Met alle respect, chef... Ik ben niet aan de beurt.'

'Met alle respect, Torres... Als je niet binnen dertig seconden op Post 1 zit, kom ik je halen om je levend te villen, begrepen?'

'Begrepen, chef.'

'Goed zo. Over en sluiten.'

Torres stopte de walkietalkie weer achter zijn riem en liep heel langzaam achteruit. De mieren besteedden geen aandacht aan hem.

'Je hebt het gehoord, patertje. Sinds de explosie zijn we nog maar met zijn vijven. We moeten het feestje dus een paar uur uitstellen, maar als ik terugkom ben je vast een stuk inschikkelijker. Geen mens houdt het vol om zo lang stil te blijven staan.'

Fowler zag Torres om de hoek van de rotswand verdwijnen, maar zijn opluchting was van korte duur.

Enkele mieren hadden zich over de rand van zijn laarzen gewaagd en gingen op onderzoek uit in zijn broekspijp.

Het was nog geen tien uur en het witte overhemd van de medewerker van het IMAQ vertoonde zulke grote zweetplekken dat ze elkaar onder zijn das bijna raakten. Hij zat al de hele ochtend aan de telefoon om het werk te doen dat eigenlijk de taak van iemand anders was, maar het was hoog zomer en iedereen die iets voorstelde zat in Sharm-el-Sheik te doen of hij een ervaren duiker was.

Deze klus duldde echter geen uitstel. Er was een levensgevaarlijk roofdier losgebroken.

Voor de vierendertigste keer sinds hij zijn apparatuur had gecheckt, hing hij op en belde een ander nummer in de gevarenzone.

'*Salaam aleikum*, u spreekt met Jawar ibn Dawud van het Meteorologisch Instituut Al-Qahira.'

'*Aleikum salaam*, Jawar, je spreekt met Najjar.' De mannen hadden elkaar nog nooit gezien, maar elkaar tientallen malen telefonisch gesproken. 'Kan ik je zo terugbellen? Het is hier een gekkenhuis vandaag.'

'Nee, het is belangrijk. We hebben vanmorgen een luchtmassa zo heet als de hel waargenomen en die komt jullie richting uit.'

'Een samoen? Komt hij hier langs? Verdikkie, dan moet ik mijn vrouw bellen: de was hangt aan de lijn.'

'Geen grapjes, alsjeblieft. Ik heb nog nooit zo'n grote gezien. Hij barst bijna de grafieken uit. Deze is levensgevaarlijk.'

Jawar kon horen dat de man aan de andere kant van de lijn moeizaam slikte. Iedere Jordaniër had van kinds af aan geleerd dat er niet te spotten viel met de samoen, de wind die mensen doodt. Een wervelstorm met een snelheid van 160 kilometer per uur waarbij het zand in temperaturen van 56 graden hoog opwaait. Als je de pech had dat je op het open veld door een samoen werd overvallen, stierf je ter plekke aan een hartstilstand, door de klap van de hitte. De plotselinge daling van de luchtvochtigheid veranderde het lichaam van de pechvogel van het ene op het andere moment in een leeg, uitgedroogd karkas. Gelukkig kon de burgerbevolking tegenwoordig dankzij de moderne techniek tijdig gewaarschuwd worden als het fenomeen zich voltrok.

'Tjonge. Heb je de coördinaten?' vroeg de ervaren havenloods, inmiddels zeer verontrust.

'Hij is enkele uren geleden boven de Sinaï waargenomen. Ik denk dat hij Akaba zijdelings zal raken. Hij voedt zich met de luchtstromen die hij tegenkomt en zal als een bom ontploffen boven het centrale deel van de woestijn. Je moet iedereen bellen en zorgen dat zij de boodschap ook weer doorgeven.'

'Ik weet hoe de telefoonketen werkt, Jawar, maar toch bedankt.'

'Zorg dat niemand het water op gaat en dat alle schepen in de haven blijven. Anders kun je de mummies morgenochtend van het strand plukken.'

Geïrriteerd legde de loods de telefoon neer.

IN DE GROT
Al Mudawarrah-woestijn, Jordanië

Donderdag 20 juli 2006, 11.07 uur

Met enorme inspanning duwde David voor de laatste maal de kop van de boormachine door het gat. Ze hadden zojuist een opening van twee meter breed bij negen centimeter hoog bereikt en dankzij de Eeuwige was het plafond van de ruimte aan de andere kant niet ingestort, alhoewel de trillingen van de boormachine een lichte aardbeving hadden veroorzaakt.

Vanaf nu konden ze de muur zonder al te veel moeite met hun blote handen afbreken. Het was een andere zaak om de stenen naar boven af te voeren, want het waren er verschrikkelijk veel.

'Dat kost zeker een paar uur, Mr. Kayn.'

De multimiljonair was een halfuur geleden in de grot afgedaald. Hij was in een hoek gaan staan, zoals gewoonlijk met zijn handen op zijn rug, en keek in alle rust toe. Hij had het griezelig gevonden om af te dalen in de put, maar alleen rationeel gezien. Hij had zich er de hele nacht geestelijk op voorbereid en amper angstige steken in zijn borst gevoeld. Zijn hart was sneller gaan kloppen, toegegeven, maar dat was niet uitzonderlijk voor een man van 76 die voor het eerst van zijn leven een afdaling maakte in een veiligheidsgordel.

Onbegrijpelijk dat ik me zo goed voel. Komt het door de genezende nabijheid van de Ark? Of is het deze schitterende, benauwde uterus, die warme put die me kalmeert en me bescherming biedt? vroeg Kayn zich af.

Russell kwam naar hem toe en mompelde dat het misschien tijd werd dat hij terugkeerde naar zijn tent. Verloren in zijn eigen gedachten knikte de multimiljonair, maar hij was alert genoeg om een steek van trots te voelen, nu hij zich minder afhankelijk opstelde van Jacob. Hij hield als een zoon van hem en was hem dankbaar voor zijn toewijding, maar hij kon zich niet herinneren wanneer hij voor het laatst alleen was geweest, zonder Jacob die aan de andere kant van de deur klaarstond om hem een behulpzame hand toe te steken of hem van wijze raad te voorzien. Wat een geduld had de jongen met hem gehad.

Zonder Jacob was niets van dit alles mogelijk geweest.

MOZES 1: *Behemot*, hier Mozes 1. Hoort u mij?

BEHEMOT: Hier de *Behemot*. Goedemiddag, meneer Russell.

MOZES 1: Hallo, Thomas. Hoe is het?

BEHEMOT: Hetzelfde als altijd, meneer. Erg heet, maar als je zoals ik geboren bent in Kopenhagen kun je daar geen genoeg van krijgen. Wat kan ik voor u doen?

MOZES 1: Thomas, de heer Kayn heeft over een halfuur de BA-609 nodig. Het betreft een noodsituatie. Zorg dat de piloot alle tanks volgooit.

BEHEMOT: Ik vrees dat dat onmogelijk is, meneer. We hebben zojuist bericht ontvangen van de havenloods dat er een enorme zandstorm woedt in het gebied. Tot vanavond 18.00 uur is alle verkeer verboden.

MOZES 1: Even voor de duidelijkheid, Thomas. Wat staat er op de romp van het schip? Het vignet van de havenloods van Akaba of het logo van Kayn Industries?

BEHEMOT: Het logo van Kayn Industries, meneer.

MOZES 1: Dat dacht ik al. Hoorde u zojuist de naam van degene die de BA-609 nodig heeft?

BEHEMOT: Eh… ja meneer. De heer Kayn, meneer.

MOZES 1: Heel goed, Thomas. Wees zo vriendelijk om mijn orders op te volgen, als u aan het eind van de maand niet met de volledige bemanning op straat wilt komen te staan. Ben ik duidelijk geweest?

BEHEMOT: Glashelder, meneer. Het vliegtuig komt naar u toe, meneer.

MOZES 1: Fijn om je weer te spreken, Thomas. Over en sluiten.

HUQAN

Hij begon de naam te loven van Allah de Alwetende, de Heilige, de Barmhartige, die hem de overwinning op zijn vijanden zou schenken. Hij lag uitgestrekt op de grond, slechts gekleed in een witte tuniek om zijn lichaam te bedekken. Vóór hem stond een schaal water.

Om er zeker van te zijn dat het water de huid onder het metaal raakte deed hij de witgouden ring af die hij van zijn broer had gekregen toen hij afstudeerde. De datum stond erin gegraveerd. Daarna waste hij zijn beide handen tot aan zijn polsen en besteedde extra aandacht aan de huid tussen zijn vingers.

Hij maakte een kommetje van zijn rechterhand, waarmee hij onder geen beding zijn intieme delen mocht aanraken, en schepte wat water op om driemaal grondig zijn mond te spoelen.

Weer nam hij wat water op in zijn rechterhand, bracht het naar zijn neus en ademde stevig in om zijn neusgaten te reinigen. Dat herhaalde hij driemaal. Met zijn linkerhand verwijderde hij het mengsel van water, zand en slijm uit zijn neus.

Toen maakte hij de vingertoppen van zijn linkerhand vochtig en reinigde de punt van zijn neus.

Hij hief zijn rechterhand en hield die voor zijn gezicht. Hij liet hem zakken, dompelde hem onder in de schaal water en waste zijn gezicht van zijn rechter- naar zijn linkeroor, driemaal.

En van zijn voorhoofd tot zijn kin, driemaal.

Hij deed zijn horloge af en waste zijn beide onderarmen, eerst de rechterarm en toen de linker, met stevige bewegingen van de pols tot aan de elleboog.

Hij maakte zijn handpalmen nat en wreef ermee over zijn hoofd, van zijn voorhoofd tot aan zijn nek.

Hij legde de vochtige punten van zijn wijsvingers op zijn oorschelp en in beide oren. Daarna legde hij zijn duimen achter zijn oren en zijn oorlel.

Ten slotte waste hij beide voeten tot aan de enkels, te beginnen met de rechtervoet, waarbij hij vooral aandacht besteedde aan de huid tussen de tenen.

Ash'hadu an la ilaha illa-llah, ash'hadu anna muhammadar rasulu-llah: ik getuig dat er geen God is die het recht heeft om aanbeden te worden, behalve Allah. En ik getuig dat Mohammed de Dienaar en de Boodschapper is van Allah.

Zo beëindigde hij de rituele wassing. En zo begon hij zijn leven als openlijk strijder van de jihad. Hij was klaar om te doden en te sterven ter meerdere glorie van Allah.

Hij greep zijn pistool stevig vast en veroorloofde zich een korte glimlach. Hij hoorde de motoren van het vliegtuig al. Het was tijd om het teken te geven.

Even later stapte Russell met een plechtig gezicht de tent uit.

De opgraving
Al Mudawarrah-woestijn, Jordanië

Donderdag 20 juli 2006, 13.24 uur

Howell Duke, de piloot van de BA-609, had in de drieëntwintig jaar van zijn carrière met 18.000 vlieguren ervaring alles vervoerd wat de mens maar kon verzinnen, in alle mogelijke omstandigheden. Hij was ooit in een afschuwelijke sneeuwstorm boven Alaska verzeild geraakt en had een knetterende onweersbui boven Madagascar overleefd, maar angst had hij nooit gekend. Althans niet de zuivere angst die zich als een vuist om je maag sluit, de kille vrees die je keel dichtknijpt en je hart doorboort als een dolk.

Tot vandaag.

Hij vloog door een wolkeloze blauwe lucht met uitstekend zicht en haalde alles uit de krachtige motoren van het vliegtuig wat erin zat. Dit was niet het beste, noch het snelste vliegtuig dat hij ooit had bestuurd, maar wel veruit het leukste. Het had een capaciteit van 510 kilometer per uur en kon stil in de lucht hangen als een majestueuze wolk. Alles verliep perfect.

Op het eerste gezicht leek het een muur van zand van 130 meter hoog en kilometers breed. Gezien de schaarse referentiepunten in de woestijn meende Duke eerst dat hij compleet stil hing. Tot hij besefte dat de muur razendsnel bewoog.

Daar ligt de Slenk al. Verdomme, wat een geluk dat dit niet tien minuten eerder is gebeurd. Dit zal die samoen wel zijn waar ze het over hadden.

Hij maakte een snelle berekening. Hij had minstens drie minuten nodig om te landen en dat ding zat een kilometer of veertig verderop. Hij zou de kloof over twintig minuten bereiken. Hij drukte de knop in om het toestel op de helikopterstand te zetten en voelde de motor accelereren.

Gelukkig. Ik heb tijd genoeg om de kist op de grond te zetten en als de sodemieter te zorgen dat ik het eerste het beste gat in kruip dat ik kan vinden. Als maar de helft van wat ze over deze krengen vertellen waar is...

Drieënhalve minuut na de landing van de BA-609 op de open plek tussen het kamp en de vindplaats zette Duke de motoren uit. Voor het eerst van zijn leven nam hij de verplichte veiligheidsmaatregelen na de landing niet in acht. Hij maakte zijn gordel los en sprong het vliegtuig uit alsof zijn broek in brand stond. Hij keek naar links en naar rechts, zonder iemand te zien.

Ik moet ze waarschuwen. Hier in de kloof zien ze dat loeder niet aankomen en het kan geen anderhalve minuut meer duren of we zitten er middenin.

Hij rende het tentenkamp in – hoewel hij nog steeds niet had besloten of een tent wel veilig genoeg was – en liep een in het wit geklede gedaante tegen het lijf. Het duurde even voordat hij hem herkende.

'Ha, meneer Russell. Ik zie dat u zich aan de plaatselijke gebruiken hebt aangepast,' zei Duke, in een poging zijn zenuwen met een grapje in bedwang te houden. 'Hoor eens, u weet niet wat ik net heb gezien...'

Russell stond slechts zes meter van hem af. Toen besefte de piloot dat hij een pistool in zijn hand had.

'Meneer Russell? Wat is er aan de hand?'

De secretaris zei niets en liet hem geen enkele keus. Hij richtte op Dukes borst en loste razendsnel drie schoten. Hij liep naar hem toe en schoot van dichtbij nogmaals driemaal, nu in zijn hoofd.

In een nabijgelegen grot hoorde O. de schoten en hij waarschuwde de anderen.

'Broeders, het teken. We gaan.'

Al Mudawarrah-woestijn, Jordanië

Donderdag 20 juli 2006, 13.39 uur

'Ben je dronken of zo, Post 3?'
'Kolonel, ik zweer het! Mr. Russell heeft zojuist die piloot verrot geschoten en is toen op een holletje naar de vindplaats gegaan. Ik wacht op instructies.'
'Shit. Heeft iemand Russell in het vizier?'
'Hier Post 2, kolonel. Hij klimt naar het platform. Moet ik een waarschuwingsschot lossen?'
'Negatief, Post 2. Niets doen tot we meer weten. Post 1, ontvang je mij?'
...
Post 1, Torres. Verdomme man, pak je walkietalkie.
...
'Post 2, heb je zicht op Post 1?'
'Ja, chef. Torres is er niet.'
'Holy shit. Jullie houden de ingang van de grot in de gaten. Ik kom eraan.'

De eerste steek kwam bij zijn kuit, nu twintig minuten geleden.

Fowler had een scherpe pijnscheut gevoeld. Die maakte gelukkig vrij snel plaats voor een doffe pijn en verhield zich tot de steek als een handklap tot een donderslag.

De priester stelde alles in het werk om het niet uit te schreeuwen. Hij wilde zijn kaken op elkaar klemmen, maar probeerde dat uit te stellen tot de volgende steek.

De mieren waren niet verder gekomen dan zijn knieën en Fowler vroeg zich af wat ze dachten dat hij was. Hij deed zijn uiterste best om niet eetbaar of bedreigend over te komen en kon dat maar op één manier doen: roerloos blijven staan.

De tweede steek was veel pijnlijker, misschien omdat hij wist wat er daarna zou komen. Het gebied werd stijf en hij voelde eens te meer hoe onontkoombaar en frustrerend zijn situatie was.

Na de zesde steek raakte hij de tel kwijt. Hij wist niet of hij twaalf of twintig keer gestoken was. Meer was het niet, maar hij was aan het eind van zijn Latijn. Al zijn reserves had hij opgebruikt. Hij had zijn kaken op elkaar geklemd, op zijn lippen gekauwd en zijn neusgaten zo ver opengesperd dat er wel drie vingers in hadden gekund. Op een gegeven moment had hij zich uit pure wanhoop zelfs aan zijn boeien vastgeklemd.

De onzekerheid was het ergste. Hij wist niet wanneer hij de volgende steek kon verwachten. Tot nu toe had hij ontzettend veel geluk gehad, want de meeste mieren hadden hun heil meer links van hem gezocht en er zaten er hooguit nog een paar honderd bij zijn voeten. Hij besefte echter maar al te goed dat één beweging volstond om ze allemaal over zich heen te krijgen.

Hij moest zich concentreren op iets anders dan de pijn, of hij zou gek worden en uit pure frustratie om zich heen gaan stampen. Dan zou hij er vast wel een paar doodtrappen, maar in dit geval was de numerieke macht groter dan de fysieke kracht.

De laatste steek was de druppel die de emmer deed overlopen. De pijn schoot door zijn been en explodeerde met ongekende kracht in zijn genitaliën. Hij stond op het punt het bewustzijn te verliezen.

Hoe vreemd het ook leek, het was Torres die hem het leven redde.

'Het zijn je zonden die je inhalen, patertje. Ze bijten je, een voor een. De ziel wordt langzaam door de zonden verteerd en dat wordt je dood.'

Fowler sloeg zijn ogen op. De Colombiaan stond hem aan te kijken met een spottende grijns op zijn gezicht. Hij bleef op een afstandje van een meter of tien staan.

'Ik was het spuugzat, daarboven. Ik ben teruggekomen om je naar de hel te brengen, patertje. Kijk, zo worden we niet gestoord.' Hij draaide met zijn linkerhand de walkietalkie uit en liet hem zijn rechterhand zien, waar een steen zo groot als een tennisbal in zat. 'Waar waren we ook weer gebleven?'

De priester was dankbaar voor de komst van Torres. Nu had hij iemand om te haten. Iemand op wie hij zijn frustratie kon richten. Dat kon hem enkele seconden stilstand opleveren, enkele seconden langer leven.

'O, ja,' vervolgde de soldaat. 'We moesten nog beslissen of jij een show voor mij ging opvoeren of ik voor jou.'

De steen kwam via Fowlers schouder tussen de massa mieren terecht, die zich onmiddellijk weer furieus begonnen te weren tegen de aanval op hun nest.

Fowler sloot zijn ogen tegen de pijn. De steen was precies tegen de plek aan gekomen waar anderhalf jaar geleden een psychopathische seriemoordenaar een kogel in had geschoten. Het was nog steeds een gevoelige plek en de steen kwam aan alsof er opnieuw op hem geschoten was. Hij probeerde zich op de pijn in zijn schouder te concentreren om zijn aandacht van zijn benen af te leiden, aan de hand van een truc die hij miljarden jaren geleden van een van zijn trainers had geleerd:

Het brein kan zich slechts op één scherpe pijn tegelijk concentreren.

Toen hij zijn ogen weer opende en zag wat er achter Torres' rug gebeurde, moest hij een bovenmenselijke inspanning leveren om zijn emoties niet te tonen. Het hoofd van Andrea Otero stak boven een zandheuvel uit, even buiten de kloof en vlak bij de plek waar hij en Torres zich bevonden. Ze zou hen elk ogenblik in het vizier krijgen, als dat nog niet was gebeurd.

Hij begreep dat hij er alles aan moest doen om te voorkomen dat Torres om zich heen keek om een andere steen te zoeken. Daarom besloot hij de Colombiaan iets te geven waar hij nooit van had durven dromen.

'Alstublieft, meneer Torres! Alstublieft!' smeekte hij.

De uitdrukking op het gezicht van de Colombiaan veranderde op slag. Er is weinig wat een moordenaar zo opwindt en bevredigt als de totale controle over een slachtoffer dat smeekt om genade. Fowler kon zich voorstellen wat een extase het teweegbracht in het gecompliceerde brein van die Colombiaanse misdadiger en moordenaar dat een blanke, Amerikaanse priester hem om genade smeekte.

'Wat zeg je allemaal, patertje?'

De priester moest zich concentreren als nooit tevoren om de juiste woorden te vinden en te voorkomen dat Torres zich zou omdraaien om een steen te gaan zoeken. Daar hing alles van af. Andrea had hen al gezien en Fowler wist zeker dat ze eraan kwam, al wist hij niet precies waar ze zat. Het lichaam van Torres benam hem het zicht.

'Ik smeek u om mijn leven te sparen. Mijn ellendige leven. U bent een strijder, een echte man. Naast u beteken ik niets.'

De soldaat grijnsde van oor tot oor en toonde zijn bruingele tanden.

'Mooi gezegd, patertje. En nu...' Hij zou zijn zin nooit kunnen afmaken; deze klap zag hij geen moment aankomen.

Andrea had onderweg alle tijd gehad om een inschatting van de situatie te maken en besloot het pistool te laten voor wat het was. Gezien het povere resultaat met Alryk, waarbij ze alle geluk van de wereld had gehad, kon ze alleen maar hopen dat ze pater Fowler niet even lek zou schieten als de band van de Hummer. Dus trok ze de roedes van de ruitenwissers uit de stalen buis en sloop ze in de houding van de slagman op het baseballveld in de richting van Torres.

Omdat de buis niet echt zwaar was moest ze de aanval zorgvuldig plannen. Op slechts enkele passen van de soldaat besloot ze hem van opzij te naderen en op zijn hoofd te mikken. Haar handen waren klam van het zweet en ze bad dat ze het niet zou verpesten. Als de soldaat zich omdraaide kon ze het schudden.

Dat deed hij niet. Andrea zette zich schrap en mepte hem zo hard ze kon tegen zijn hoofd.

Shit, wat een lekker gevoel.

De Colombiaan kwam plat op zijn rug in het zand terecht. De troep mieren voelde de trillingen, want Torres probeerde weer overeind te krabbelen. Duizelig van de klap tegen zijn slaap gleed hij terug en toen hadden de eerste mieren zijn handen al bereikt. Bij de eerste steek trok Torres met doodsangst in zijn ogen schielijk zijn hand terug. Hij probeerde op zijn knieën te gaan zitten en zijn handen weg te trekken om zich te beschermen tegen de mieren, maar het enige wat hij daarmee bereikte was dat meer mieren zijn kant op kwamen, omdat ze slechts één boodschap doorkregen via hun feromonen.

Vijand!

Doden!

'Rennen, Andrea! Ga weg bij die beesten!'

Ze deed een paar voorzichtige stappen naar achteren, maar de mieren trokken zich amper iets van haar aan. Ze hadden alleen aandacht voor de Colombiaan, die afgrijselijke pijnen leed. Elke zenuw van zijn lichaam werd aangevallen door scherpe kaken en gemene angels. Hij slaagde erin overeind te komen en enkele stappen te doen, met de mieren om hem heen als een gigantische, buitenaardse bontjas.

Toen viel hij neer, om nooit meer op te staan.

Andrea was intussen enkele meters teruggelopen naar de plek waar ze de ruitenwissers en het overhemd had laten vallen. Ze rolde het hemd eromheen en liep in een grote cirkel terug naar Fowler, waar ze het hemd met haar aansteker in brand stak. Toen het flink brandde trok ze een brandende kring in het zand, zo dicht mogelijk bij de priester. De resterende mieren zochten geschrokken hun heil elders.

Met de ijzeren staaf wrikte Andrea moeiteloos de boeien los waarmee Fowler aan de rots zat gekluisterd.

'Dank je,' zei de priester met knikkende knieën.

Ze liepen een meter of dertig bij het mierennest vandaan en toen Fowler besloot dat ze ver genoeg waren lieten ze zich uitgeput op de grond vallen. De priester trok zijn broek uit om de schade vast te stellen. Afgezien van enkele lelijke, maar kleine rode steekwonden en een doffe pijn, zo constant als de vieze lucht onder in de vuilnisbak, had het twintigtal steken weinig gevolgen gehad.

'Ik hoop dat uw levenslange schuld aan mij ingelost is, nu ik uw leven heb gered,' zei Andrea ironisch.

'Heeft Doc u dat verteld?'

'Dat en nog veel meer dingen waar ik u over wil spreken.'

'Waar is ze?' vroeg de priester, terwijl hij het antwoord al wist.

Ze schudde het hoofd en barstte in tranen uit. Fowler omhelsde haar teder.

'Het spijt me heel erg, juffrouw Otero.'

'Ik hield van haar,' snikte ze met haar gezicht in zijn overhemd. Huilend voelde ze hoe de priester ineens zo gespannen werd als een veer en zijn adem inhield.

'Wat is er?'

Fowler wees zonder iets te zeggen naar de horizon. Andrea keek op en zag een dodelijke, brandende muur van zand in razende vaart op hen af komen, even onvermijdelijk als de zonsopgang.

De opgraving
Al Mudawarrah-woestijn, Jordanië

Donderdag 20 juli 2006, 13.48 uur

Jullie houden de ingang van de grot in de gaten. Ik kom eraan.
Die woorden leidden indirect tot het einde van Dekkers peloton. Want toen de aanval begon waren de ogen van de enige twee soldaten die hij over had niet gericht op de plek waar het gevaar vandaan kwam.
Tewi Waaka, de reusachtige Soedanees, zag de indringers in hun bruine kleding alleen vanuit zijn ooghoeken en dat was toen ze al in het kamp zaten. Het waren er zes, gewapend met kalasjnikovgeweren. Hij waarschuwde Jackson via de radio en ze openden samen het vuur. Ze wisten er één te raken; de anderen zochten dekking achter de tenten.
Het verbaasde Waaka dat ze niet terugschoten. In feite was dat de laatste gedachte die hij had, want seconden daarna werd hij beschoten door twee terroristen die vlak achter hem de rotswand waren afgeslopen. Twee kogelregens uit de kalasjnikov en Tewi Waaka voegde zich bij zijn voorouders.

Aan de andere kant van het ravijn, beter gezegd bij Post 2, zag Marla Jackson door het vizier van haar M4 hoe Waaka aan zijn einde kwam in het besef dat haar hetzelfde lot wachtte. Marla kende de steile, kronkelige paadjes die naar de top van de rotsen leidden goed, want ze had er uren doorgebracht zonder iets anders te doen te hebben dan wat om zich heen te kijken en dwars door haar broek heen zichzelf een beetje op te vrijen, terwijl ze de uren telde die ze nog moest wachten voordat Dekker haar kwam halen voor een privéverkenningstocht.
Daarom had ze zich honderden malen voorgesteld van welke kant de vijand zou kunnen komen, hypothetisch gezien, mochten ze haar willen omsingelen. Toen ze omhoogkeek zag ze op minder dan een halve meter van zich af op de rand van het klif twee weinig hypothetische vijanden staan en ze schoot hun allebei veertien authentieke kogels door hun lijf.
Ze stierven zonder een geluid te maken.

Voor zover ze wist waren er nu nog vijf vijanden over, maar op haar huidige post had ze amper dekking en kon ze weinig doen. Het enige wat ze kon verzinnen was dat ze achter Dekker aan moest naar de vindplaats, om van daaruit samen een actieplan op te stellen. Het was geen beste optie, want daarmee was ze alle voordelen van haar hoge positie kwijt, maar ze had geen keus meer toen ze twee woorden doorkreeg via de walkietalkie: 'Marla, help.'

'Dekker, waar zit je?'
Marla liet alle voorzichtigheid varen, schoot de touwladder af en holde naar de vindplaats.

Hij lag vlak bij het platform op de grond met een afschuwelijke wond in zijn rechterborst en zijn linkerbeen in een vreemde hoek onder zijn lichaam. Dat moest hij gebroken hebben toen hij van de steiger af viel. Marla bekeek de wond aandachtig. De Zuid-Afrikaan had het bloed weten te stelpen, maar zijn ademhaling klonk...

hij fluit, verdomme

...zorgwekkend. Hij had een geperforeerde long en dat kon slecht aflopen als ze niet snel een arts vonden.

'Wat is er gebeurd?'

'Russell... die klootzak. Toen ik de grot in liep... begon hij te schieten.'

'Russell?' vroeg Marla verbijsterd. Ze probeerde de schrik de baas te blijven. 'Het komt wel goed. Ik haal je hieruit, kolonel, ik zweer het je.'

'Nee, niets daarvan. Je moet weg, ik ben niet meer te redden. Zoals de meester al zei: "Het leven van de mens is een strijd, waarin hij de zekerheid heeft dat hij verslagen zal worden."'

'Wil je die verrekte Schopenhauer er nou eens buiten laten verdomme, Dekker?'

De kolonel glimlachte triest bij die uitval van zijn minnares en gaf haar toen een verstolen waarschuwing met een knikje van zijn hoofd.

'Achter je, soldaat. Denk aan wat ik je heb gezegd.'

Marla draaide zich om en zag de vijf terroristen in waaiervorm op zich af komen, waarbij ze dekking zochten achter de rotsen en de schaarse bosjes. Ze kon zich alleen verbergen achter de enorme jutezakken met grind die ze hadden gebruikt om het platform te stutten.

'We zijn er geweest, kolonel.'

Met de M4 tegen haar schouder probeerde ze Dekker onder het platform te trekken, maar ze kreeg hem geen centimeter van zijn plek. Het slappe lichaam van de Zuid-Afrikaan was te veel, zelfs voor zo'n sterke, getrainde vrouw als zij.

'Marla, luister naar me.'

'Wat moet je nou, verdomme?' Marla probeerde na te denken. Ze zat op haar hurken tegen de onderste sporten van de steiger aan geleund. Ze was niet plan het vuur te openen voordat ze zeker wist dat ze iemand kon raken. In dit geval was het duidelijk dat de vijand eerder in die positie zou verkeren dan zij.

'Geef je over. Ik wil niet dat ze je doden,' zei Dekker. Zijn stem klonk steeds zwakker.

De soldaat stond op het punt haar baas te vertellen dat hij naar de duivel kon lopen, toen een blik op de ingang van de kloof haar vertelde dat er misschien een absurde kans bestond dat ze met het hele zootje kon afrekenen.

'Ik geef me over! Horen jullie me, stelletje idioten? Ik geef me over. *USA, go home.*'

Ze smeet haar geweer een paar meter van zich af, gevolgd door het automatische pistool. En ten slotte ging ze staan, met haar handen in de lucht.

Ik reken op jullie, stelletje hufters. Dit is jullie kans om een gevangene grondig te verhoren. Niet schieten, verdomme.

Langzaam kwamen de terroristen tevoorschijn, een voor een. Ze liepen op haar af met hun wapens in de aanslag, gericht op haar hoofd. Marla kon elke loop van de kalasjnikovs voelen, heet onder de brandende middagzon, bereid om het lood uit te spuwen dat een einde aan haar kostbare leven zou maken.

'Ik geef me over,' zei ze nogmaals, terwijl ze toekeek hoe ze langzaam in een halve cirkel op haar af kwamen. Met gebogen knieën, hun gezichten bedekt door een bivakmuts, zeven meter van elkaar af om een makkelijk schootsveld te voorkomen.

Dat zal gebeuren, dat ik me overgeef, stelletje klojo's. Geniet zelf maar van je 72 maagden.

'Ik geef me over,' schreeuwde ze nogmaals, in de hoop het aanzwellende geluid van de wind te overstemmen, een geluid dat veranderde in een hevig geraas toen de muur van zand het tentenkamp bereikte, het vliegtuig opslokte en zich op de vijf terroristen stortte. Twee van hen draaiden zich geschrokken om. De andere drie hebben nooit geweten wat hun overkwam.

Ze stierven alle vijf ter plekke.

Marla schoof tegen Dekker aan. Ze scheurde een stuk jute af en dekte zichzelf en haar minnaar er stevig mee toe, als een strakgetrokken tentje.

Op de grond gaan liggen. Jezelf toedekken. Geen weerstand bieden aan de hitte en de wind, of je verandert in een uitgeperste druif.

Dat waren de woorden van Torres geweest, toen hij hun, stoer als altijd, onder een partijtje poker 'de mythe' van de samoen had verteld. Dit moest helpen. Ze klemde zich stevig aan Dekker vast, die zwakjes op haar omhelzing probeerde te reageren.

'Volhouden, kolonel. Over een halfuurtje zijn we hier weg.'

Donderdag 20 juli 2006, 13.52 uur

Het gat was weinig meer dan een spleet onder in de rotswand, maar net groot genoeg voor twee mensen om er gebukt in te kunnen kruipen. Ze zaten er nog niet of de samoen joeg door de kloof. Ze werden ietwat tegen de hitte beschermd door een overhangende richel, maar moesten bijna schreeuwen om zich verstaanbaar te maken.

'Probeer u te ontspannen, juffrouw Otero. We moeten hier minstens twintig minuten blijven zitten. Zo'n storm is levensbedreigend, maar hij duurt gelukkig nooit lang.'

'U bent al eens eerder in dit gebied geweest, hè?'

'Een paar keer, ja. Maar ik heb nog nooit een samoen meegemaakt. Alles wat ik ervan weet heb ik in de Rand McNally Atlas gelezen.'

Andrea zweeg. Ze snakte naar lucht. Het zand dat als een wervelstorm door de kloof raasde kwam gelukkig amper de spleet in waar zij verscholen zaten, maar heet was het wel. Ze kreeg bijna geen lucht.

'Praat tegen me, pater. Praat tegen me, voordat ik flauwval.'

Fowler probeerde te verzitten om zijn pijnlijke benen te wrijven. De wondjes moesten ontsmet worden en hij had antihistamine nodig, maar dat was niet zijn eerste prioriteit. Andrea hier wegkrijgen was dat wel.

'Zodra de wind afneemt hollen we naar de Hummers, graven er een uit en dan rijdt u zo hard u kunt naar Akaba. U kunt toch wel rijden?'

'Ik zou er al zijn,' loog Andrea, 'als ik de krik had kunnen vinden van de Hummer waar Doc en ik in zaten. Die zal wel gestolen zijn of zo.'

'Die zit onder het reservewiel,' wist de priester.

Wat zo'n beetje de enige plek is waar ik niet heb gekeken.

'Niet van onderwerp veranderen, pater. U sprak in het enkelvoud. Gaat u niet met me mee?'

'Ik moet een opdracht vervullen, Andrea.'

'U bent hier toch voor mij? Dus als ik wegga kunt u met me mee.'

De priester was enkele seconden diep in gedachten voordat hij antwoord gaf. Uiteindelijk besloot hij dat ze recht had op de waarheid.

'Nee, Andrea. Ik ben hiernaartoe gestuurd om tegen elke prijs de Ark mee te nemen, maar ik ben nooit van plan geweest me aan die opdracht te houden. Ik ben hier niet voor niets naartoe gegaan met springstof in mijn koffertje. De reden ligt in die grot. Ik heb nooit in zijn bestaan geloofd en daarom zou ik de opdracht nooit hebben aangenomen als u er niet bij betrokken was geweest.

Mijn baas heeft ons beiden als pion ingezet.'

'Waarom, pater?'

'Het zit eigenlijk zeer gecompliceerd in elkaar, Andrea, maar ik zal proberen het in het kort uit te leggen. Het Vaticaan heeft grondig onderzocht en bestudeerd wat er zou gebeuren als de Ark des Verbonds terug zou keren naar Jeruzalem. De mensen beschouwen hem als een symbool. Een symbool om de Tempel van Salomo te laten herrijzen, op de oorspronkelijke plek.'

'De Tempelberg.'

'Dan zou de godsdienstijver in de streek zich verviervoudigen. De Palestijnen zouden eruit gezet worden. Uiteindelijk zou de Al-Aqsamoskee vernietigd worden. Dit is geen speculatie, Andrea. Het is basiskennis. Als iemand de macht heeft om een ander te onderdrukken en zich zelfs gerechtvaardigd voelt om dat te doen, zal hij het niet laten.'

Andrea herinnerde zich een van de eerste nieuwsberichten waaraan ze in haar loopbaan had meegewerkt, zeven jaar geleden. Het was in september 2000 en ze zat nog geen maand als zenuwachtige stagiaire op de afdeling Buitenland van een krant. Toen kwam het bericht dat Ariel Sharon, omringd door een kordon van oproerpolitie en beveiligingsmensen, een simpele stap zette op de Tempelberg. De grens tussen Israël en Palestina in hartje Jeruzalem, de heiligste en zwaarst bevochten vierkante meters van de geschiedenis, de plek van de Al-Aqsamoskee, het op twee na belangrijkste heiligdom van de islam.

Die simpele stap had de tweede intifada ontketend, waarvan het einde nog steeds niet in zicht was. Hij had tot duizenden doden geleid, tot zelfmoordaanslagen en de altijd sluimerende haat opgezweept waar nooit een einde aan leek te komen. Als de terugkeer van de Ark betekende dat de Tempel van Salomo herbouwd zou worden op de plek van de Al-Aqsamoskee zou de complete islamitische wereld zich tegen Israël keren in een conflict dat zijn weerga niet kende. Nu Iran over nucleaire installaties bleek te beschikken, waren de mogelijkheden onbegrensd.

'Is dat hun rechtvaardiging?' vroeg ze met gebroken stem. 'De tien geboden van onze barmhartige God?'

'Nee, Andrea. Het eigendomscontract van het Beloofde Land.'

De journaliste schoof onrustig heen en weer in de nauwe ruimte.

'Nu weet ik weer hoe Forrester het noemde: het contract met God. En wat Kyra Larsen me vertelde over de eigenlijke betekenis en de macht van de Ark. Maar wat ik niet begrijp is wat Kayn ermee te maken heeft.'

'De heer Kayn heeft een verwarde geest en is tegelijkertijd een diep religieus mens. Zijn vader heeft hem een brief nagelaten waarin hij hem opdraagt de lotsbestemming van zijn familie tot een goed einde te brengen. Dat is alles wat ik ervan weet.'

Andrea kende dit verhaal uit het interview met Kayn, maar lichtte hem daar niet over in. Als Fowler de rest wilde weten, moest hij het boek maar kopen dat ze van plan was erover te schrijven, bedacht ze.

'Vanaf de geboorte van zijn zoon was het glashelder voor hem dat alle middelen van zijn bedrijf bestemd waren om de Ark naar boven te halen en dat de jongen...'

'Isaac.'

'... dat Isaac degene was die de lotsbestemming van zijn familie zou vervullen.'

'De Ark terugbrengen naar de Tempel?'

'Je begrijpt het niet, Andrea. Volgens een bepaalde uitleg in de Torah is degene die de Ark vindt en de Tempel laat herrijzen de Aangekondigde. Kayn heeft geld en macht genoeg om dat te kunnen doen. Hij zou de nieuwe Messias zijn.'

'O mijn god!' Andrea verbleekte nu het laatste stukje van de puzzel op zijn plaats viel en ze alles begreep. De waandenkbeelden. Het obsessieve gedrag. Het afschuwelijke trauma van een jeugd in een donkere schuilplaats. De godsdienst als absolute macht.

'Precies. Zelfs de dood van zijn zoon werd door Kayn beschouwd als een offer aan God en het bewijs dat hijzelf degene was die door het lot was aangewezen.'

'Maar, pater... Als Kayn wist wie u was, waarom stond hij dan toe dat u meeging?'

'Ironisch genoeg kon hij niets van dit alles doen zonder de instemming van het Vaticaan, een stempel van goedkeuring dat de Ark authentiek was. Daarom werd ik aan de expeditie toegevoegd. Maar er was nóg iemand geïnfiltreerd. Iemand met een machtspositie die besloten had voor Kayn te gaan werken nadat diens eigen zoon hem had verteld over de obsessie van zijn vader met de Ark. Ik vermoed dat het hem er in eerste instantie om ging toegang te verkrijgen tot strikt persoonlijke informatie. In de loop van vorig jaar, toen Kayns obsessie werkelijkheid begon te worden, maakte hij zijn eigen plannen.'

'Russell!' Andrea slaakte een kreetje van schrik.

'Hij is degene die u overboord gooide en Stowe Erling vermoordde, in een onhandige poging zijn vondst te verbergen. Misschien om de Ark later op te graven? En een van beiden, Russell of Kayn, was verantwoordelijk voor protocol Ypsilon.'

'En hij heeft schorpioenen in mijn bed gestopt, die klootzak.'

'Nee, dat was Torres. U hebt een uitgelezen fanclub.'

'Die heb ik pas sinds ik u ken, pater. Maar ik begrijp nog steeds niet waarom Russell achter de Ark aan zat.'

'Hopelijk om hem te vernietigen. Als dat zo is zal ik hem niet tegenhouden, hoewel ik het betwijfel. Ik ga ervan uit dat hij hem wilde hebben om hem op de een of andere duistere manier te gebruiken om de regering van Israël te chanteren. Ik heb de losse eindjes nog niet allemaal aan elkaar geknoopt, maar niets kan me van mijn besluit afbrengen.'

Iets in zijn stem bracht Andrea ertoe zich in haar benarde positie om te draaien om het gezicht van de priester te kunnen zien. Toen dat gelukt was, stolde het bloed in haar aderen.

'Bent u echt van plan de Ark te vernietigen, pater? Zo'n heilige relikwie?'

'Ik dacht dat u niet in God geloofde.' Fowler glimlachte ironisch.

'Mijn leven is de laatste tijd danig op zijn kop gezet,' antwoordde Andrea treurig.

'De Goddelijke wetten staan híér geschreven en híér,' zei de priester, waarbij hij eerst op zijn voorhoofd en toen op zijn borst wees. 'Wat daar in het zand begraven ligt, is niets anders dan een kist van metaal en hout die miljarden doden en honderden jaren oorlog veroorzaakt als hij naar boven wordt gehaald. Daarbij vergeleken is alle ellende die we tot nu toe in Afghanistan en Irak hebben gezien een wassen neus. Daarom komt hij die grot niet uit.'

Andrea zweeg en hoorde dat het stil was geworden. Het gebrul van de razende wind langs de rotswanden was verdwenen.

De samoen was voorbij.

De opgraving
Al Mudawarrah-woestijn, Jordanië

Donderdag 20 juli 2006, 14.16 uur

Ze liepen behoedzaam de kloof uit om op een troosteloos landschap te stuiten. De tenten waren volledig verdwenen en de inhoud lag overal verspreid. De voorruiten van de vier terreinwagens waren gecraqueleerd door de talrijke kleine steentjes die door de samoen van richels en randen waren meegezogen en overal als verdwaalde kogels tegenaan waren geketst. Fowler en Andrea wilden er net naartoe lopen, toen de motor van een van de wagens werd gestart.
De auto schoot in volle vaart op hen af.
Fowler duwde Andrea ruw opzij en sprong zelf naar de andere kant. In een fractie van een seconde zag hij Marla Jackson achter het stuur zitten, met opeengeklemde kaken en een vertrokken gezicht. De enorme achterwielen van de auto gingen rakelings langs Andrea's neus en spoten haar onder het zand.
Voordat ze overeind gekrabbeld waren, scheurde de H3 de bocht om en verdween hij uit het zicht.
'Volgens mij zijn we alleen,' zei de priester, terwijl hij Andrea overeind hielp. 'Dat was een van de soldaten van Dekker, op de vlucht alsof de duivel haar op de hielen zat. Ik denk niet dat er nog veel van haar vrienden rondlopen.'
'Dat is niet het enige wat verdwenen is, pater.' Andrea wees naar het autopark. 'Ik ben bang dat uw plannetje niet opgaat.'
Alle twaalf de banden waren doorgesneden.

Ze zwierven minutenlang door het voormalige tentenkamp, op zoek naar water. Ze vonden drie halfflege veldflessen en, half begraven onder het zand, Andrea's rugzakje met haar harde schijf.
'Dit verandert de zaak,' zei Fowler, die achterdochtig om zich heen bleef kijken. Hij was zichzelf niet en liep alsof hij bij elke stap verwachtte dat er iemand op hen zou schieten. Andrea liep met gebogen hoofd angstig achter hem aan. 'Ik kan u hier niet weghalen, dus u blijft bij me tot ik een andere oplossing heb gevonden.'
Ze bereikten de BA-609, die door een van de wielen was gezakt en erbij stond als een vogel met een gebroken vleugel. Fowler klom de cabine in en kwam er na een halve minuut weer uit met een handje kabels.
'Zo kan Russell hem in elk geval niet gebruiken om de Ark mee te vervoeren,' zei hij tevreden en hij smeet de kabels ver van zich af voordat hij weer in het zand sprong.

Hij trok een pijnlijk gezicht toen zijn voeten de grond raakten.

Hij heeft er nog steeds last van. Dit is gekkenwerk, dacht Andrea.

'Hebt u enig idee waar hij uithangt?'

Fowler deed net zijn mond open om haar vraag te beantwoorden, toen hij iets zag en achter om het vliegtuig naar de andere kant liep. Naast de wielen lag iets zwarts, deels onder het zand. De priester raapte het op.

Het was zijn koffertje.

Het was aan de bovenkant van voor naar achter opengesneden, waardoor het vakje waarin de staaf kneedbare springstof had gezeten zichtbaar was geworden. De pater drukte op twee punten tegelijk, waardoor het geheime vak in zijn geheel openging.

'Wat zonde dat ze het leer hebben vernield. Ik heb door de jaren heen heel wat met dit koffertje beleefd,' zei de priester. Hij haalde er vier overgebleven pakjes springstof uit en nog iets... zo groot als de wijzerplaat van een horloge, waar twee kleine metalen pinnen uit staken. Fowler wikkelde het allemaal in een van de kledingstukken die her en der op het terrein verspreid lagen en gaf het aan Andrea. 'Wil je dit even voor me in je rugzak stoppen?'

'Echt niet.' Andrea zette verschrikt een stapje naar achteren. 'Ik ben als de dood voor die dingen.'

'Zonder slaghoedje is het even ongevaarlijk als klei.'

Andrea gaf schoorvoetend toe.

Onderweg van het vliegtuig naar het platform stuitten ze op de vijf terroristen die Marla en Dekker omsingeld hadden voordat ze waren overvallen door de samoen. Andrea's eerste reactie was pure paniek, tot ze besefte dat ze dood waren. Toen ze wat dichterbij kwamen kon Andrea een gebaar van afschuw niet onderdrukken. De lichamen lagen er in een vreemde houding bij, een ervan nog half overeind in een poging zijn arm uit te strekken. Zijn ogen stonden wijdopen

alsof hij de hel in de ogen keek

en de verbijstering stond voor eeuwig op zijn gezicht getekend.

Behalve dat hij geen ogen hád.

De oogholten waren leeg, de openstaande monden zwartgeblakerde gaten en hun huid was zo grijs en droog als perkament. Andrea haalde haar camera tevoorschijn en maakte verschillende foto's van dit groepje mensen dat in enkele seconden was veranderd in opgezette mummies.

Het is niet te geloven. Het lijkt wel of het leven van het ene moment op het andere uit hen gezogen is. Dat ze alleen nog wat meer moeten drogen. God, wat eng.

Toen ze zich omdraaide om verder te lopen stootte ze per ongeluk met haar rugzak tegen het hoofd van een van de lijken. Voor de verbijsterde ogen van Andrea stortte de uitgedroogde structuur in en bleef er niets anders over dan een hoopje grijs stof met wat flarden kleding en beenderen ertussen.

Andrea keek de priester vol afgrijzen aan, maar die leek er weinig moeite mee te hebben. Hij had iets gevonden wat hem heel wat meer boeide dan een paar dode terroristen en maakte zich meester van een van de kalasjnikovs en een aantal magazijnen, die hij over zijn zakken verdeelde. Met de loop van het wapen wees hij naar het platform dat naar de ingang van de grot leidde.

'Russell zit daarboven.'

'Hoe weet u dat?'

'Toen hij besloot uit de kast te komen heeft hij zijn maten gewaarschuwd.' Hij maakte een hoofdgebaar naar de vijf uitgedroogde lichamen. 'Dat zijn de mensen die u hebt gezien toen we bij de kloof aankwamen. Ik weet niet of er nog meer zijn, maar ik weet wel dat Russell er nog moet zitten. Die sporen hier zijn van Jackson en een gewonde, waarschijnlijk Dekker. Ik zie geen andere voetstappen of sporen in de buurt van het platform. Als Russell er intussen uit gekropen was, zouden we zijn voetstappen moeten zien in de verse zandlaag die door de samoen is aangevoerd. Hij zit in de grot en de Ark moet ook nog binnen zijn.'

'Wat bent u van plan?'

Fowler stond enkele minuten met gebogen hoofd te dubben.

'Als ik slim was zou ik de ingang van de grot afsluiten en hem laten creperen van honger en dorst. Maar ik vrees dat hij niet alleen is. Eichberg, Kayn en Pappas zijn bij hem.'

'Gaat u naar binnen?'

Fowler knikte.

'Geef me mijn springstof maar terug.'

'Ik ga mee,' zei ze, terwijl ze deed wat hij vroeg.

'Juffrouw Otero, u blijft hier en wacht tot ik terugkom. Mocht het gebeuren dat zij eerder naar buiten komen dan ik, dan verstopt u zich. Maak foto's als het kan en zorg dat u het hele verhaal wereldkundig maakt. Mijn zegen hebt u.'

Het was een stuk makkelijker dan hij in zijn stoutste dromen had gedacht om zich van Dekker te ontdoen. Die vent was zo van streek dat hij zonder pardon de piloot had doodgeschoten en hij had zo'n haast gehad om hem te spreken dat hij nog niet de minste voorzorgsmaatregelen had getroffen en zomaar de tunnel in gewandeld was, waar hij een kogel in zijn mik had gekregen en van het platform was gestort.

Het was geniaal om het protocol Ypsilon te regelen achter de rug van die ouwe om, dacht Russell zelfgenoegzaam.

Het had hem bijna tien miljoen dollar gekost. Dekker had zich aanvankelijk voorzichtig en argwanend opgesteld, tot Russell hem had aangeboden een bedrag van acht cijfers vooruit te betalen en nogmaals achteraf, ingeval Ypsilon tot uitvoer gebracht moest worden. Dat alles uiteraard los van de vaste tarieven van Blackwater usa.

De secretaris van Kayn glimlachte tevreden. De afdeling boekhouding van Kayn zou er de volgende week achterkomen dat er een onverklaarbaar gat was geslagen in het pensioenfonds van het bedrijf en zou iemand verantwoordelijk willen stellen. Dan was híj al vertrokken en zat hij met Ark en al veilig en wel op een geheime plek in Egypte. Daar kon hij met het grootste gemak verdwijnen. Daarna zou het gehate Israël de prijs moeten betalen voor alle vernederingen die het het huis van de islam had aangedaan.

Russell liep via de tunnel de grot binnen en zag verbaasd dat Kayn vol verwachting stond toe te kijken hoe Eichberg en Pappas de laatste stenen weghaalden die de doorgang naar de spelonk blokkeerden, waarbij ze afwisselend met hun handen werkten en de boortol gebruikten. Ze hadden het schot niet gehoord. Zodra hij wist dat de weg naar de Ark vrij was en hij hen niet langer nodig had, zou hij zich met een schot van hen ontdoen. Zo snel mogelijk.

Wat Kayn betrof...

Er waren geen woorden voor om de diepe haat te beschrijven die Russell jegens de oude man voelde. Het klopte en knetterde in het diepst van zijn ziel als een hoogspanningskabel, opgebouwd uit honderden elektronen voor elke vernedering die Kayn hem had laten ondergaan. Elke minuut die hij in zes jaar tijd aan zijn zijde had doorgebracht was een ondraaglijke kwelling voor hem geweest. Hij verstopte zich in het toilet om zijn gebeden te doen en spuwde de alcohol uit die hij af en toe dronk om geen argwaan te wekken.

Hij stond dag en nacht klaar om voor Kayns gehavende, getraumatiseerde geest te zorgen en fingeerde een beheerste, toegewijde genegenheid.

Leugens.

Je beste wapen is de taqiyya, *het bedrog van de strijder. De jihadist mag liegen over zijn geloof, veinzen, verbloemen en bedriegen. Dat is niet zondig als het een ongelovige geldt,* had zijn imam vijftien jaar geleden uitgelegd. *Denk niet dat het*

eenvoudig is. Je zult elke nacht huilend in slaap vallen; het zal je ziel verscheuren tot je niet meer weet wie je bent.
Eindelijk mocht hij zichzelf weer zijn.

Met de lenigheid van zijn jonge, goedgetrainde lijf liet Russell zich zonder veiligheidsgordel via het touw naar beneden zakken, zoals hij enkele uren tevoren ook omhooggeklommen was. Zijn sneeuwwitte tuniek fladderde om hem heen en trok de aandacht van Kayn, die zich verbaasd tot zijn secretaris wendde.
'Wat heeft die verkleedpartij te betekenen, Jacob?'
Russell gaf geen antwoord. Hij liep naar de ingang van de spelonk. De holte was anderhalve meter hoog en twee meter breed.
'Hij is er, meneer Russell. We hebben hem allemaal gezien,' zei Eichberg, die in zijn enthousiasme niet meteen had gezien dat Russell er ineens heel anders uitzag. 'Hé, wat hebt u nu aan?'
'Hou je mond en ga Pappas halen.'
'Meneer Russell, u zou best een beetje…'
'Laat het me niet nog een keer zeggen,' zei de secretaris en hij haalde zijn pistool tevoorschijn uit de plooien van zijn tuniek.
'David,' piepte Eichberg, geschrokken als een kind.
'Jacob!' schreeuwde Kayn.
'Hou je kop, ouwe smeerlap.'
Kayn werd doodsbleek na die belediging, die een multimiljonair zoals hij zelden hoorde en al helemaal niet van degene die hem jarenlang had verzorgd. Hij kreeg de tijd niet om erop te reageren, want op dat moment kroop Pappas uit de spelonk, met half dichtgeknepen ogen tegen het plotselinge felle licht. 'Wat is er voor de duivel…' Hij wist het zodra hij het pistool in Russells hand zag. Hij was de eerste van de drie die het begreep, hoewel hij niet degene was die zich het meest bedrogen voelde of het meest geschrokken was. Die rol was weggelegd voor Kayn. 'U. Nu begrijp ik het. U had toegang tot het programma van de magnetometer. U hebt de gegevens veranderd. U hebt Stowe vermoord.'
'Een kleine vergissing die me bijna duur was komen te staan. Ik dacht dat ik de zaak beter in de hand had dan het geval was,' erkende Russell schouderophalend. 'Geef antwoord: bent u zover om de Ark naar buiten te brengen?'
'Zak in de stront, Russell.'
Zonder er ook maar een woord aan vuil te maken richtte hij zijn pistool op Pappas' been en schoot. De rechterknie van de archeoloog veranderde in een bloederige massa en hij viel kreunend van pijn op de grond. Zijn kreten weerkaatsten tegen de wanden van de grot en vermengden zich met de echo van het schot.
'De volgende keer richt ik op je hoofd. Geef antwoord, Pappas.'
'Ja meneer, dat kan. De weg is vrij,' zei Eichberg, met zijn handen omhoog in een gebaar van overgave.

'Meer wilde ik niet weten.'

Twee schoten achter elkaar, een schuinse beweging van zijn arm en nog twee schoten. Eichberg was door het hoofd geschoten en kwam boven op het lichaam van Pappas terecht. Hun bloed vermengde zich op de zanderige bodem.

'Je hebt ze doodgeschoten, Jacob. Je hebt ze allebei doodgeschoten.'

Kayn drukte zich tegen de wand en probeerde zich zo klein mogelijk te maken. Het gezicht van de miljonair was verwrongen van angst en totale verbijstering.

'Tjonge, oudje. Voor zo'n complete gek als jij heb je een goed oog voor het onmiskenbare,' zei Russell. Hij wierp een blik in de spelonk, maar hield de loop van zijn pistool op Kayn gericht. Toen hij hem weer aankeek lag er een voldane grijns op zijn gezicht. 'Het is ons eindelijk gelukt, hè Ray? Je levenswerk. Jammer dat je er maar zo kort van kunt genieten.'

De secretaris liep met afgemeten passen op zijn baas af. Kayn kroop in het nauw gedreven nog dichter tegen de muur aan, in complete verwarring. Het zweet droop van zijn gezicht.

'Waarom, Jacob?' jammerde hij. 'Ik hield van je als van mijn eigen zoon.'

'Noem je dat liefde?' gilde Russell en hij sloeg Kayn met de kolf van het pistool in het gezicht, tegen zijn armen, op zijn hoofd. 'Ik heb je gediend als een slaaf, man. En telkens als je huilde als een klein kind en ik midden in de nacht naar je toe holde om je te troosten, moest ik mezelf inprenten waarom ik het deed, mezelf eraan herinneren dat ooit het moment zou aanbreken waarop ik je zou verslaan en je aan mijn genade overgeleverd zou zijn.'

Kayn zakte in elkaar. Zijn gezicht was opgezwollen van de slagen. Het bloed liep uit zijn halfgeopende mond en zijn opengereten wangen.

'Kijk me aan, ouwe,' siste Russell. Hij greep Kayn bij zijn revers en tilde hem als een lappenpop op tot hij hem recht in de ogen kon kijken. 'Kijk naar het gezicht van je eigen mislukking. Over een paar minuten komen mijn mannen deze grot in gewandeld en nemen ze de Ark mee. We zullen de wereld een lesje leren. Vanaf nu zal het zijn zoals het altijd al had moeten zijn.'

'Ach, meneer Russell. Het spijt me dat ik u moet teleurstellen.'

De secretaris draaide zich vliegensvlug om. Aan de andere kant van de grot sprong Fowler net van het touw de grot in, met de loop van zijn kalasjnikov op Russell gericht.

Al Mudawarrah-woestijn, Jordanië

Donderdag 20 juli 2006, 14.27 uur

'Pater Fowler.'
'Huqan.'
Russell hield de slappe gedaante van Kayn nog steeds bij zijn revers vast, tussen hem en de priester in, die de loop van zijn geweer op Russells hoofd gericht hield.
'Zo te zien hebt u met mijn mannen afgerekend.'
'Niet ik, Mr. Russell. Het was God zelf. Hij heeft hen tot stof laten wederkeren.'
Russell keek hem argwanend aan in een poging erachter te komen wat de priester bedoelde. In zijn hokjesgeest was de hulp van zijn acolieten van het grootste belang. Hij begreep niet waar ze in godsnaam bleven en probeerde uit alle macht een plan te verzinnen om tijd te winnen.
'Zo te zien hebt u me verslagen, pater.' Hij nam zijn toevlucht tot zijn gebruikelijke ironische superioriteit. 'Ik weet dat u een uitmuntend schutter bent. Van die afstand kunt u niet missen. Of bent u soms bang dat u per ongeluk deze gemankeerde Messias raakt?'
'De heer Kayn is slechts een zieke, oude man die meent te weten wat de wil van God is. Vanuit mijn standpunt bezien is het enige verschil tussen u beiden uw leeftijd. Laat uw wapen vallen.'
De woede over de belediging en de frustratie over de situatie waarin hij zich bevond streden om voorrang op Russells gezicht. Hij hield zijn wapen bij de loop vast omdat hij het als knuppel had gebruikt en Kayn bood niet voldoende bescherming. Elke schijnbeweging zou beloond worden met een gat in zijn schedel.
En Russell wist het.

Hij opende zijn rechtervuist en liet zijn wapen op de grond vallen. Toen opende hij zijn linkervuist en liet hij Kayn los.
De multimiljonair zakte traag naar de grond, verdoofd, alsof zijn ledematen los van elkaar stonden.
'Goed zo, Mr. Russell,' knikt Fowler goedkeurend. 'Als u het niet erg vindt zou ik u willen verzoeken tien stappen naar achteren te zetten.'
Russell gehoorzaamde automatisch. De haat brandde in zijn ogen als een brandstapel voor rituele lijkverbranding.
Bij elke stap die de secretaris naar achteren zette, deed de priester een stap naar

voren; totdat de eerste met zijn rug tegen de muur stond en de ander bij Raymond Kayn.

'Mooi. Als u nu ook nog uw handen boven uw hoofd wilt doen kunt u deze klus wellicht navertellen.'

Fowler knielde bij Kayn neer om zijn pols op te nemen. De ademhaling van de oude man was zwak en zijn ene been bewoog krampachtig. De priester fronste bezorgd zijn voorhoofd. Dit had alles van een beroerte. Kayn was stervende.

Russells ogen schoten intussen alle kanten op, op zoek naar iets wat hij als wapen kon gebruiken. Plotseling besefte hij dat zijn rechtervoet niet op de grond stond, maar op iets anders. Hij keek omzichtig naar zijn voeten, om erachter te komen dat hij op een bundel kabels stond die een halve meter verderop verdween in de generator die de grot van elektriciteit voorzag.

Hij glimlachte.

Fowler ondersteunde Kayn met één arm om hem bij Russell uit de buurt te slepen en hem bij te staan, toen hij vanuit zijn ooghoek zag dat de secretaris een sprong nam. Zonder zich te bedenken schoot hij.

Op hetzelfde moment ging het licht uit.

Wat een waarschuwingsschot had moeten zijn, veranderde in een kogelregen die de generator geheel vernietigde. Het apparaat begon te vonken, waarmee het de grot om de paar seconden in een flauw, blauwachtig licht zette, als de uitgebluste flits van een camera waar de batterij van op was.

Fowler hurkte onmiddellijk neer, in een houding die hij duizenden malen had aangenomen bij zijn honderden sprongen in vijandelijk gebied. Als je niet weet waar de vijand zich bevindt kun je maar één ding doen: afwachten.

Een nieuwe vonkenregen.

Fowler meende een gedaante te zien rennen langs de wand aan zijn linkerkant en schoot. Hij miste. Hij vervloekte zijn pech en schoof enkele meters zigzaggend opzij om te voorkomen dat de steekvlam van het wapen zijn positie zou verraden.

Vonkenregen.

Weer een schaduw, ditmaal rechts, hoewel veel groter en op de wand. Hij schoot in tegenovergestelde richting, bijna zonder te richten. Weer miste hij en weer was er beweging.

Vonkenregen.

Hij zat tegen de wand geplakt. Hij zag Russell nergens. Wat alleen maar kon betekenen dat hij...

Met een luide kreet stortte Russell zich op Fowler en hij sloeg hem meerdere malen in zijn gezicht en in zijn hals. De priester voelde hoe de man zijn tanden in zijn arm zette en in razernij doorbeet. Hij liet zijn kalasjnikov vallen en voelde zich heel even overgeleverd aan de ander. In de worsteling ging het wapen verloren in de duisternis.

Vonkenregen.

Fowler lag op de grond en Russell probeerde hem uit alle macht te wurgen. Nu de priester zijn vijand eindelijk kon zien, maakte hij een vuist en richtte die op de zonnevlecht van Russell. De secretaris brulde het uit en gleed van hem af. De laatste, zwakke vonkenregen.

Fowler zag net op tijd dat Russell in de spelonk verdween. Een blauwachtige glans verried dat hij zijn pistool had teruggevonden.

Rechts van hem klonk een zwakke stem vanaf de grond.

'Pater.'

Fowler kroop naar de stervende Kayn. Hij wilde geen makkelijk doelwit worden ingeval Russell blindelings zou gaan schieten of als een nieuwe vonkenregen zijn positie zou verraden. Eindelijk stootten zijn handen tegen het lichaam van de oude man en hij legde zijn mond praktisch tegen diens oor om hem in te fluisteren: 'Mr. Kayn, hou vol. Ik zorg dat u hier wegkomt. Hou alstublieft vol.'

'Nee pater, het is te laat.' De stem van de multimiljonair was weliswaar laag, maar klonk eenvoudig en krachtig als die van een jongen. 'Zo is het goed. Ik sta op het punt om me met mijn ouders en broer en zoon te verenigen. Mijn leven begon in een duister hol en het is goed om het ook zo te beëindigen.'

'Legt u zich dan in de handen van God.'

'Dat doe ik. Wilt u mijn hand vasthouden?'

Fowler zweeg, maar zocht op de tast naar de hand van de stervende en sloot hem in zijn droge, warme hand. Nog geen minuut later stiet Kayn midden in een gefluisterde Hebreeuwse zin zijn laatste adem uit en stierf.

In het donker maakte Fowler de knoopjes van zijn overhemd los en haalde hij het pakje springstof tevoorschijn. Hij tastte naar de detonator, stak hem in de springstof en drukte op de knopjes, waarmee hij in zijn hoofd het aantal biepjes telde.

Twee minuten nadat ik hem heb geactiveerd.

Hij kon de bom niet buiten de spelonk plaatsen, want hij wist niet of hij voldoende bereik had. Hij had geen idee hoe groot de spelonk was, en als de Ark op een verhoging stond zou hij de explosie zonder een schrammetje overleven. Als hij wilde voorkomen dat de waanzin zich als een olievlek verspreidde moest hij de bom vlak bij de Ark plaatsen. Hij kon hem niet als een granaat van zich af werpen, want dan was de kans groot dat de detonator los zou laten. En hij moest de tijd hebben om te ontsnappen.

Zijn enige kans was Russell te verslaan, de C4 te plaatsen en weg te rennen.

Hij sleepte zich die kant uit. Normaal gesproken kon hij zich geruisloos voortbewegen, maar nu was dat onmogelijk. De grond lag vol steentjes en gruis, dat kraakte onder zijn gewicht.

'Ik hoor je, pater.'

Russells woorden gingen gepaard met een rode steekvlam. De kogel miste Fowler op afstand, maar de priester vertrouwde het niet en liet zich vliegensvlug naar links rollen. Een tweede kogel sloeg in op de plek waar hij nog geen seconde eerder had gelegen.

Hij gebruikt de steekvlammen om zich te oriënteren. Dat kan hij niet te vaak doen, want dan komt hij zonder kogels te zitten, dacht Fowler, waarbij hij in stilte de wonden telde die hij bij de slachtoffers van de secretaris had gezien. *Hij heeft één keer op Dekker geschoten, drie keer op Pappas, twee keer op Eichberg en twee keer op mij. Dat zijn acht kogels. Dat pistool heeft er veertien, vijftien als er een kogel in het reservemagazijn zit. Hij heeft nog zes of zeven kogels. Het duurt niet lang of hij moet het opnieuw laden. Als hij dat doet hoor ik de klik van het magazijn en dan...*

Hij had zijn berekening nog niet gemaakt of twee nieuwe steekvlammen verlichtten de ruimte bij de spelonk. Fowler rolde net op tijd weg. Het schot miste hem op tien centimeter.

Vier of vijf kogels.

'Ik krijg je wel, christenhond. Ik krijg je te pakken, want Allah is met mij.' Russells stem klonk spookachtig vanuit de lage spelonk. 'Vlucht nu het nog kan.'

Fowler gooide een steentje de spelonk in. Russell reageerde meteen en schoot in de richting van het geluid.

Drie of vier kogels.

'Slim, christenhond. Maar het gaat je niet lukken.'

Hij was nog niet uitgesproken of hij schoot nogmaals. Ditmaal waren het geen twee, maar drie kogels. Fowler rolde naar links en toen terug naar rechts, waarbij hij zijn knieën openhaalde aan de losliggende steentjes.

Eén kogel of hij is leeg.

Voordat hij zich nogmaals omrolde waagde de priester het erop zijn hoofd heel even op te tillen. Het was slechts een fractie van een seconde, maar wat hij tussen twee schoten in zag zou voor altijd in zijn geheugen gegrift blijven staan.

Russell stond verscholen achter een enorme, gouden kist met twee ruw bewerkte en amper sierlijk te noemen beelden erop. In het licht van de schoten glansde het goud dof en ruw op.

Fowler haalde diep adem.

Hij was bijna bij de spelonk, maar had geen ruimte om zich te bewegen. Als Russell nogmaals zou schieten, al was het maar om wat licht te hebben, zou hij hem vrijwel zeker zien.

Hij besloot te doen wat Russell het minst verwachtte.

Met een snelle beweging kwam hij overeind en rende de spelonk in. De secretaris schoot, maar de slagpin vond niets dan lucht. Fowler nam een sprong en voordat de ander kon reageren zette hij zijn volle gewicht tegen de bovenkant van de Ark, tot hij omkantelde, waarbij het deksel openschoot en de inhoud her en der verspreid op de grond terechtkwam. Russell kon nog net opzijspringen, anders was hij eronder bedolven.

Wat volgde was een verwarrende, rommelige en smerige strijd in het duister. Fowler wist Russell meerdere malen met zijn vuist op zijn armen en tegen de borst te raken. De secretaris worstelde met het magazijn van zijn pistool en slaagde erin het te laden. Fowler hoorde de bekende klik en terwijl hij Russell met zijn linkerhand vasthield, zocht hij met zijn rechterhand op de tast naar een platte steen.

Met alle kracht die hem restte sloeg hij hem tegen Russells hoofd, die bewusteloos op de grond viel.

De steen brak.

Fowler krabbelde moeizaam overeind. Zijn hele lichaam deed pijn en het bloed stroomde over zijn gezicht. Met het lichtje van zijn horloge probeerde hij zich te oriënteren. Toen hij de smalle, maar felle lichtstraal over de omgevallen Ark liet schijnen, werd het licht weerkaatst en verspreidde het een warme gloed door de hele spelonk.

Hij had geen tijd om bewonderend te blijven kijken. Fowler werd zich bewust van een geluid waaraan hij in de laatste seconden van de worsteling geen aandacht had besteed...

Biep.

... en besefte dat hij, terwijl hij zich omrolde om de schoten te ontwijken...

Biep.

... zonder het te merken...

Biep.

... de detonator had geactiveerd...

... die alleen bliepte in de laatste tien seconden voor de ontploffing...

Bieieiep.

Gedreven door zijn instinct en zonder er één rationele gedachte aan te wijden nam Fowler een sprong naar het verste uiteinde van de grot, waar de intense duisternis, zo gitzwart dat zelfs de weerkaatsing van de gouden Ark haar niet had kunnen doorbreken, hem met open armen ontving.

Onder het platform stond Andrea wanhopig op haar nagels te bijten toen de aarde onder haar voeten begon te beven. De stalen steiger kraakte onheilspellend, maar stortte niet in. De tunnel braakte een wolk van stof en rook uit, die Andrea van top tot teen met fijn stof bedekte. Ze holde weg en liet zich meters verderop op de grond vallen. Toen wachtte ze nog een halfuur, met haar ogen onafgebroken op de rokende grot gericht, wetende dat ze allang weg had kunnen gaan.

Er zou niemand meer uit komen.

Andrea was nog nooit zo moe geweest toen ze eindelijk de H3 met de lekke band bereikte. Ze vond de krik op de plek die Fowler had aangegeven en zei in stilte een gebed op voor de arme, dode priester.

Hij is vast in de hemel, als er een hemel bestaat. Als er een God bestaat. Nu je daar toch bent kun je misschien een paar engelen hiernaartoe sturen om me een handje te helpen.

Er verscheen niemand; Andrea moest het helemaal in haar eentje opknappen. Toen ze klaar was nam ze afscheid van Doc, die op nog geen twee meter van de auto begraven lag. Het afscheid duurde lang en Andrea was zich er vaag van bewust dat ze erbij gegild en gehuild had. Alles wat er in de afgelopen uren was gebeurd, had haar op de rand van een zenuwinzinking gebracht en ze wist van voren niet meer dat ze van achteren leefde.

Pas toen de maan opkwam en de zandheuvels verlichtte met zijn blauwachtige, zilveren glans kon Andrea zich ertoe zetten voorgoed afscheid te nemen van Chedva en stapte ze in de H3. Duizelig trok ze het portier dicht, startte de wagen en zette de airconditioning aan. Het gevoel van die koude lucht op haar zweterige, plakkerige huid was weldadig, maar ze gunde zichzelf slechts enkele minuten genot. De tank zat nog maar voor een kwart vol; ze zou elke druppel benzine die erin zat nodig hebben om de weg te bereiken.

Als ik dat vanmorgen had gezien, had ik meteen geweten wat ze met ons van plan waren. Dan zou Chedva misschien nog leven, jammerde Andrea verbitterd.

Al die gedachten schudde ze met een wild gebaar uit haar hoofd. Ze moest zich concentreren op het rijden. Met een beetje geluk kon ze de weg nog voor middernacht bereiken en hopelijk kwam ze dan ergens een tankstation tegen. Zo niet, dan moest ze gaan lopen. Het belangrijkste was dat ze zo snel mogelijk een computer vond met een internetverbinding.

Ze had een verhaal te vertellen.

Epiloog

De donkere gedaante was langzaam onderweg naar huis. Hij had slechts weinig water bij zich, net voldoende voor een man als hij, die geleerd had in de meest ongunstige omstandigheden te overleven en anderen het leven te redden.

Hij was eruit gekomen via de gang die de uitverkorenen van Yirmăyáhu twee-duizend jaar geleden hadden gebruikt als toegang tot de grot. Daar leidde het donkere gat naartoe waar hij vlak voor de ontploffing in gedoken was. De stenen waarmee de ingang afgedekt was stortten in door de explosie. Een zon-nestraal en een paar uur hard werken aan de rand van de uitputting waren alles wat hij nodig had om de vrijheid tegemoet te wandelen.

Overdag sliep hij op het schaduwrijkste plekje dat hij had kunnen vinden. Hij ademde uitsluitend door zijn neus en droeg een tulband die hij van kleding-stukken had geïmproviseerd.

Hij liep 's nachts en nam om het uur tien minuten rust. Zijn gezicht was be-dekt met stof en nu hij voelde dat de weg slechts enkele uren verwijderd was, werd hij zich er steeds sterker van bewust dat zijn zogenaamde dood zijn vrij-heid kon betekenen, de vrijheid die hij al zoveel jaren zocht. Hij hoefde geen soldaat van God meer te zijn.

Zijn vrijheid was slechts een van de twee bonussen die deze onderneming hem had opgebracht. Hoewel hij ze geen van beide ooit met iemand zou kunnen delen.

Hij stak zijn hand in de plooien van zijn kleding en streelde met zijn vingers over het brok steen, niet groter dan zijn handpalm. Het was alles wat er over was van de platte steen waarmee hij Russell had verslagen in de duisternis. Er stonden diepgaande symbolen op geschreven, met randen die zo perfect waren dat ze niet door mensenhanden gemaakt konden zijn.

Twee dikke tranen biggelden over zijn wangen en lieten diepe sporen achter op zijn stoffige gezicht, terwijl zijn vingers de symbolen traceerden en zijn lippen ze langzaam omzetten in woorden
Loh Tirza
Gij zult niet doden.
Hij bad hartstochtelijk om vergiffenis.
En werd vergeven.

New York, juli 2005
Santiago de Compostela, september 2007

Dankwoord

Ik wil graag een dankwoord uitspreken.
Aan mijn ouders, aan wie ik dit boek heb opgedragen, omdat ze de bommen van de Burgeroorlog wisten te ontwijken en mij een jeugd hebben gegeven die in alle opzichten anders was dan de hunne.
Aan Antonia Kerrigan, omdat ze de beste literair agente van de hele wereld is, met het beste team: Lola Gulias, Bernat Fiol en Victor Hurtado.
Aan jou, beste lezer, omdat je mijn eerste boek, *Spion van God*, in 39 landen tot een succes hebt gemaakt. Heel hartelijk dank.

In New York aan James Graham, mijn 'broer'; aan Rory Hightower, Alice Nagakawa en Michael Dillman.
In Barcelona aan Enrique Murillo, uitgever van dit boek, onvermoeibaar en vermoeiend, met een goede eigenschap die weinig voorkomt: hij spreekt altijd de waarheid.
In Santiago de Compostela voorzag Manuel Soutiño Expeditie Mozes van zijn onschatbare kennis van techniek en bouwkunde.
In Pamplona aan Eduardo Paniagua, de illustrator, die de nieuwsgierige lezer kan leren kennen in de illustratie waarin David Pappas Freddie door de muuropening steekt. U kunt contact met hem opnemen via eduardo.paniaga@gmail.com.
In Rome aan Giorgio Selano voor zijn ervaring met catacomben.
In Milaan aan Patricia Sinato, de grote woordendompteuse.
In Jordanië aan Samir Mufti, Bahjat al-Rimaui en Abdul Suheiman, die de woestijn kennen als hun broekzak en me het ritueel van de *gahwa* hebben geleerd.
In Wenen was niets mogelijk geweest zonder de hulp van Kurt Fisher, die me van alle informatie heeft voorzien over de werkelijke slager van Spiegelgrund, die op 15 december 2005 is gestorven aan 'een hartaanval'.

En aan mijn vrouw, Katuxa, en mijn kinderen, Andrea en Javier, omdat ze zoveel begrip hebben voor al mijn reizen en de vreemde tijdstippen waarop ik werk.

Lieve lezeres, beste lezer. Ik wil dit boek niet afsluiten zonder je om een gunst te vragen. Ga terug naar het begin van dit boek en lees het gedicht van Sam Keen nog een keer. Lees het tot je het uit je hoofd kent. Leer het je kinderen, stuur het door aan je vrienden. Alsjeblieft!

juan@juangomezjurado.com

Pater Selznick werd midden in de nacht wakker met een vismes op zijn keel. Het is tot op de dag van vandaag een raadsel hoe Karoski aan een mes was gekomen. Hij had het nachtenlang gewet aan de loszittende rand van een vloertegel in zijn isoleercel.

ISBN 978 90 229 9246 3

Juan Gómez-Jurado
Spion van God

Het is voorjaar 2005. Paus Johannes Paulus II is overleden en Rome verkeert in grote chaos door alle mensen die hem de laatste eer bewijzen. Alle 115 kardinalen zijn bij elkaar geroepen om de nieuwe paus te kiezen. Dan worden verscheidene kardinalen op beestachtige wijze vermoord. De Vaticaanse politie denkt aanvankelijk de situatie niet aan te kunnen. Maar wanneer ze beseffen dat ze met een seriemoordenaar te maken hebben, schakelen ze een *profiler* in: *ispettora* Paola Dicanti.

'Gómez-Jurado schetst met die verpletterende drukte in Vaticaanstad en omgeving een levendig beeld van de katholieke ophef rondom pauselijke opvolgingsrituelen, en dat is een van de verdiensten van deze literaire thriller.' – Nu.nl

De deur stond wijd open en er kwam geen antwoord. Boven aan de trap stond ik stil en luisterde, maar alles was stil. De slaapkamerdeur was gesloten. Ik klopte voorzichtig en kreeg geen antwoord – als ze zou slapen, dan zou ze me nu wel gehoord moeten hebben. Terwijl ik mijn hand strekte en de deur opendeed, verwachtte ik dat de kamer leeg zou zijn…

ISBN 978 90 229 9355 2

Steve Mosby
Niemand die je hoort

Detective Sam Currie wordt op de zaak van een seriemoordenaar gezet die op een gruwelijke manier te werk gaat. Hij bindt zijn slachtoffers vast op bed en laat ze volledig aan hun lot over zonder eten of drinken. Wanneer nietsvermoedende vrienden contact opnemen, beantwoordt hij hun berichten zodat het lijkt alsof er niets aan de hand is. Zodra de jonge vrouwen overleden zijn, stuurt hij diezelfde vrienden een laatste bericht: *jij hebt haar laten doodgaan…*

Als de naam Dave Lewis een paar keer opduikt in het onderzoek, gaat Currie achter hem aan. Maar Dave heeft zijn eigen zorgen. De dood van zijn broer werpt nog steeds een schaduw over zijn leven. Ook zijn grote verloren liefde Tori laat hem niet los. Dan blijkt Tori het volgende slachtoffer te zijn…

'Als je Mosby dit jaar niet leest, zul je volgend jaar óver hem lezen.' – MORNING STAR

'Oké, zeg het maar. Wat is er aan de hand?'
De chef keek hem eindelijk aan. Er stond een blik
in zijn grijze ogen die Jack niet kende, een blik
die ze vertroebelde en verduisterde op een manier
die Jack voor onmogelijk zou hebben gehouden.
Bennetts stem klonk droog en dun, alsof de
woorden zijn keel verstopten. 'Alli Carson, de
dochter van de nieuwe president, is ontvoerd.'

ISBN 978 90 229 9491 7

Eric Van Lustbader
De voorganger

Jack McClure, *special agent* en een beetje een buitenstaander, stort zich op zijn werk wanneer hij zijn enige dochter, Emma, door een vreselijk ongeluk kwijtraakt. Dan krijgt hij een opdracht die de nachtmerrie weer doet herleven. Alli, de dochter van de aanstaande president Edward Carson, en tevens een goede vriendin van Emma, is verdwenen en Jack moet haar zien te vinden. Tijdens de zoektocht naar Alli en de ontvoerder krijgt hij te maken met politieke intriges en een politiek-religieuze strijd. Hij gelooft niet in een god, maar zijn geloof in zichzelf wordt totaal ondermijnd als blijkt dat zijn leven, zijn gezin en zijn land al langer beïnvloed worden door de zeer briljante maar gevaarlijke man die ook achter de verdwijning van Alli zit. Een groot manipulator die jonge mensen voorgaat, en die Jack steeds een stap voorblijft…

'Ik heb zelden een boek gelezen dat je zo snel bij de
openingsscène pakt, en de snelheid er tot de laatste pagina
in weet te houden. Dag slaap, hallo De voorganger.*'*
— JEFFERY DEAVER